Reine de Palmyre

Les Chaînes d'or

Reine de Palmyre

A. B. Daniel

Reine de Palmyre

tome 2

Les Chaînes d'or

roman

EDITIONS

XO éditions, 2005
ISBN : 2-84563-099-9

MER
DU
NORD

MER
BALTIQUE

OCÉAN
ATLANTIQUE

Bretagne

Elbe

Vistule

GERMAINS

Claudia Ara
Agrippinensium

Rhin

Oder

Parisii

Treveri

Loire

Danube

Lauriacum

SARM

Gaule

Lugdunum

Burdigala

Singidu

Sirmium

Ebre

Narbo

Dalmatie

Tage

Italie

Espagne

Barciano

ROME

Macéd

EMPIRE
ROMAIN

Tingis

Carthagène

Caesarea

Ath

Carthage

Syracuse

Afrique

MER
MÉDITERRANÉE

MAURES

Ciréna

───── limites de l'Empire romain
▬ ▬ ▬ limites de l'Empire sassanide

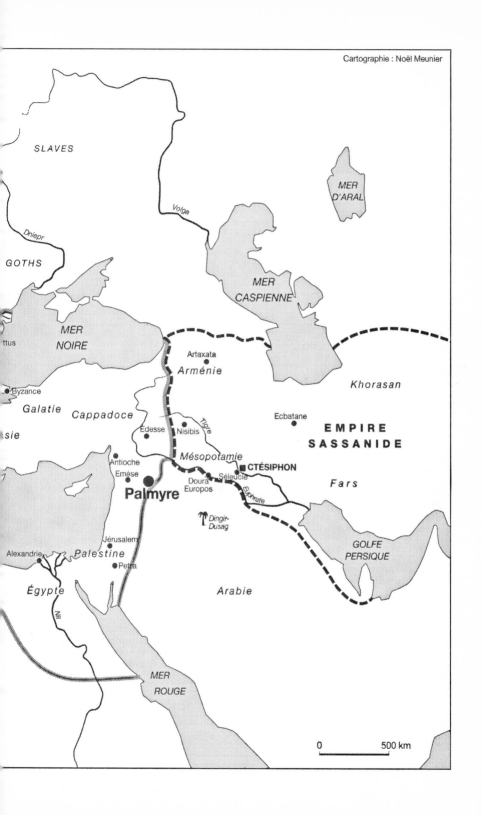

Cartographie : Noël Meunier

SLAVES

MER
D'ARAL

Volge

Dniepr

GOTHS

MER
CASPIENNE

ttus

MER
NOIRE

Artaxata

Arménie

Khorasan

Byzance

Galatie   Cappadoce

Ecbatane

EMPIRE
SASSANIDE

sie

Edesse   Nisibis

Tigre

Mésopotamie   CTÉSIPHON

Antioche

Emèse

Séleucie

Fars

Palmyre

Doura
Europos

Euphrate

Dingir-
Dusag

Jérusalem

Alexandrie   Palestine

GOLFE
PERSIQUE

Petra

Égypte

Arabie

Nil

MER
ROUGE

0   500 km

Partie 1

ALATH

259-260 apr. J.-C.

1

PALMYRE

Durant les mois qui suivirent leur mariage, les habitants de Palmyre, un sourire entendu aux lèvres, virent plus d'une fois Odeinath et Zénobie partir pour la chasse. À leur retour, on vantait l'adresse de la jeune épouse, la précision de ses flèches et la mine émerveillée du Très Illustre.

L'été arriva avec ses chaleurs d'épouvante. La chasse cessa. Zénobie et Odeinath n'apparurent plus hors de leur palais de Palmyre.

Se leva une folie de rumeurs. De ces contes qui volaient d'un bout à l'autre du Turaq Al'llab avec la poussière et le sable. Parfois, le temps leur accordait le poids de la vérité. Le plus souvent, ils s'effaçaient comme tout ce qui est trop humain s'efface dans le désert.

D'abord, il fut colporté qu'à l'automne le Très Illustre prendrait les armes contre Shapûr, le Roi des rois, puissant de Perse, d'Arménie et de Médie. À cette grande nouvelle s'en ajouta une autre, plus stupéfiante : Zénobie irait à son côté. Tel un général, elle conduirait, tout autant que son époux, les guerriers de Palmyre !

Ce racontar engendra des risées et des moues ironiques. Les incrédules firent les savants.

Que le Grand Odeinath fût subjugué par la beauté de sa jeune épouse, cela, on le savait. Que Zénobie ne fût pas une femme comme les autres, oui, cela était vrai. Mais une femme ne conduisait pas une armée. Moins encore une armée contre Shapûr, dont nul n'ignorait la force et la cruauté.

L'Empereur de Rome lui-même craignait le Perse. Après quelques violentes batailles qui ne s'étaient pas conclues à son avantage, l'Augustus Valérien se gardait désormais d'affronter Shapûr. Calfeutré dans le confort de ses villas d'Antioche ou d'Émèse, il laissait ses légions pousser quelques escarmouches çà ou là sur les marches de l'Empire. En vérité, depuis Hadrien et Trajan, aucun Augustus n'avait vaincu les Perses. Ainsi, ils avaient pris l'habitude de piller avec régularité les richesses de Rome et de ses alliés.

Le Très Illustre, jusqu'à ce jour, avait su éviter un affrontement qui pouvait décimer ses quelques milliers de guerriers. Serait-il devenu fou pour confier ainsi sa vie, sa gloire et celle de Palmyre à une femme d'à peine vingt ans ? Une épouse à peine épousée ?

Devant les railleries, d'autres voix s'élevèrent pour assurer que la destinée de Zénobie n'était comparable à rien qui fût raisonnable, naturel et humain.

Avait-on oublié son retour du désert alors qu'on la croyait morte depuis des lunes ? Et quel retour ! Les caravaniers avaient décrit sa mort. Pourtant, la ville entière l'avait vue entrer dans le temple de Baalshamîn, conduisant une chamelle blanche qui portait l'étoile noire de sa naissance. L'étoile d'où avait jailli l'eau sacrée du Dingir-dusag, l'oasis du Baiser du ciel !

Si son dieu avait pu la conduire à travers le néant et la faire revenir du monde des morts, ne pouvait-il pas, aussi, lui donner la puissance des guerriers ?

D'ailleurs, qui pouvait ignorer quelle chasseuse elle était ? Ne s'était-elle pas, pour son mariage, assise sur la peau d'une panthère tuée de sa propre main ? Certains ajoutaient tout bas que tuer les hommes, elle le savait aussi. Des courtisans renégats avaient dû subir la puissance de ses flèches autant que les fauves !

Jour après jour, les confidences chuchotées s'écoulèrent dans les ruelles de Palmyre comme suinte l'huile d'une jarre fendue.

Les visiteurs du Très Illustre avaient chacun quelques nouveautés à raconter. Les uns assurèrent que Zénobie et Nurbel, le compagnon de chasse et de guerre du Très Illustre, travaillaient à l'invention d'armes nouvelles. D'autres affirmèrent qu'il n'en était rien. À l'intérieur du palais des voix suggéraient que Nurbel et Zénobie montaient quelque complot. Il apparut que cette rumeur était répandue par Hayran, fils du Très Illustre, et sa tante Ophala. Elle révélait une sourde bataille autour du Grand Odeinath. Une dispute violente déborda les murs, essaima ses affrontements dans les rues dorées de Palmyre, brisant pour un temps de vieilles amitiés.

Bientôt, on apprit qu'un bourrelier venu de Tyr séjournait secrètement chez le Grand Odeinath. Il avait inventé des manières de sièges sanglés autour du poitrail des chevaux et qui permettaient aux cavaliers plus d'agilité.

Cette information fut contredite dès le lendemain. Le bourrelier était un Perse. Nurbel, en secret, sur l'ordre du Très Illustre, l'avait débauché à la cour de Shapûr. Payé à prix d'or, l'homme n'avait d'autre tâche que de façonner une cuirasse de cuir sur le buste même de Zénobie.

Deux nuits plus tard, dans une taverne voisine des grands entrepôts à la sortie de Palmyre, un marchand de Charax confirma la présence du bourrelier perse dans le palais. Il avait rencontré ses aides. Cependant, si le Très Illustre le payait à prix d'or, c'était pour reproduire les harnachements de chevaux qui rendaient invincibles les archers de Shapûr.

Après quelque temps, aucun invité ne pouvant assurer qu'il avait vu de ses yeux le bourrelier ou son atelier, on tint la chose pour une plaisanterie. Une nouvelle rumeur remplaça l'ancienne. Elle se glissa dans les jardins et entre les tentes tel un nœud de serpents. Nul ne pourrait voir le bourrelier perse : Odeinath l'avait fait égorger afin qu'il ne puisse vendre à d'autres son savoir.

Aussitôt des chuchotements soufflèrent sur les braises du soir. On murmura que le Perse avait été mis à mort pour avoir palpé le buste de Zénobie afin de réaliser sa cuirasse. Un sacrilège que le Très Illustre, aussi jaloux qu'amoureux de son épouse, n'avait pu supporter.

À la fin de l'été, les terribles canicules s'apaisèrent. Aussitôt, d'Antioche, d'Émèse et de Palestine arrivèrent d'interminables colonnes de soldats romains. Ils arboraient toutes les couleurs de peau, usaient de tous les langages de l'Empire. On découvrit des guerriers blonds de Pannonie ou de Rhétie aussi bien que des Noirs de Nubie et d'Égypte. À eux tous, ils formaient les vingt cohortes de la légion offerte au Grand Odeinath par l'Augustus Valérien à l'occasion de ses épousailles.

Légionnaire ou tribun, médecin ou charpentier, les guerriers traînaient avec eux femmes, enfants et esclaves, des mules, des chevaux ou des chameaux. Les commérages provoqués par leur arrivée s'épuisèrent dans le vacarme qu'engendra l'installation de cette multitude à l'ouest de la ville. Il y eut une grande cérémonie. Les offrandes s'accumulèrent dans les temples. Le Très Illustre se montra enfin. Le préfet Aelius le fit acclamer par les nouveaux venus.

Une acclamation qui manqua d'entrain.

On pouvait le comprendre. Les soldats, hélas, étaient épuisés par leur route. Cependant, chacun remarqua la moue du Très Illustre devant l'armée bigarrée et molle qu'on lui présentait ainsi que la froide politesse du préfet Aelius envers le maître de Palmyre.

Dès le lendemain, les légionnaires creusèrent des fossés, élevèrent des talus de défense aussi vite qu'ils dressaient leurs tentes de cuir et de toile de lin. Il fallut vider des entrepôts pour les nourrir. Des caravanes, averties on ne sait comment de l'aubaine, affluèrent par dizaines. Les affaires de commerce, déjà bonnes, devinrent excellentes. Chaque crépuscule apportait son lot de parcs pour le petit et gros bétail. Des entrepôts s'élevèrent à l'est de la grande palmeraie. Du nord comme du sud surgirent comme par enchantement de nouveaux troupeaux de jeunes chameaux que les marchands cédaient au cours de dures enchères.

Palmyre enfla soudain. Elle s'étala sur le désert, y disséminant la foule des nouveaux venus. L'espoir de la richesse les attirait si fort qu'ils ne rechignaient jamais à payer l'impôt qu'on leur réclamait dès la première aube de leur séjour.

Des rangées de tentes abritèrent une nuée de femmes et d'enfants joueurs qui braillaient dans des langues incompréhensibles. Pendant deux lunes, par centaines et pour deux sesterces de bronze quotidiens, ils se joignirent aux vieillards afin de pétrir la boue de milliers de briques.

Car Palmyre n'était qu'un immense chantier. Des murs s'ajoutaient aux murailles de défense déjà existantes. Des conduites d'eau, que la présence des guerriers de Rome rendait indispensables, prolongèrent les canaux de la ville. Les légionnaires venus des quatre coins de l'Empire réclamaient de nouveaux autels, de nouveaux temples pour leurs dieux. Des dieux qui n'étaient pas, bien sûr, ceux du désert.

Hélas, l'eau de Palmyre commença à manquer. En partie taries par la grande sécheresse de l'été, les sources ne pouvaient abreuver autant de monde. Il fallut d'abord suspendre la fabrication des briques. Les étrangers n'eurent plus droit, chaque jour, qu'à une outre par tente et pour dix bouches.

Enfin, un matin, on vit les guerriers d'Odeinath, leurs montures et toute leur intendance, lever le camp. Sous le commandement de Nurbel, ils allaient dresser leurs tentes à l'oasis du Baiser du ciel. S'abreuvant au lac de la naissance de Zénobie, soulageant Palmyre de la soif de milliers d'hommes et d'autant de bêtes, ils y attendraient la campagne contre Shapûr.

Ce brusque départ suscita un nouveau vent de rumeurs.

On s'accorda à considérer que l'affrontement avec les Perses devenait plus certain. On rapporta que Zénobie, à l'abri des regards dans les profonds jardins du palais, s'entraînait inlassablement au tir. Elle était désormais capable d'utiliser ces arcs surpuissants au bois doublé de boyau et de corne que d'ordinaire seuls les vieux archers parvenaient à bander.

Cette rumeur-là fut si plaisante à entendre que même ceux qui n'avaient encore jamais vu Zénobie de leurs yeux surent vanter sa beauté lorsqu'elle chevauchait son cheval Yedkivin.

Peu après, de riches commerçants d'Antioche firent des offrandes en grande quantité dans les temples de la ville. On leur en demanda la raison. Ils suggérèrent, entre silences et demi-mots, que tout n'allait pas pour le mieux entre le Grand Odeinath et le préfet de Rome, Aelius.

L'information, sans être une surprise, jeta un froid. On regarda avec moins de sympathie les légionnaires qui pullulaient dans la ville. Les enfants prirent un malin plaisir à gâcher leurs siestes à l'ombre de la palmeraie.

Ainsi se répandit la suggestion que la campagne contre les

Perses de Shapûr n'aurait jamais lieu. Elle n'était qu'un écran de fumée, un subterfuge. En vérité le Très Illustre craignait un mauvais coup des Romains. Voilà pourquoi Nurbel avait conduit ses troupes à la source de Zénobie. Odeinath souhaitait éloigner ses guerriers de la légion afin de ne pas offrir au préfet Aelius le loisir de leur tendre un piège.

Ces propos occupèrent bien des bouches et des esprits. Ils furent aiguisés par un commerçant juif d'Émèse qui vendait au palais le bois du Nord et des esclaves de Cappadoce. La guerre, assura-t-il, était déjà dans le palais même. Le fils du Très Illustre et sa tante Ophala, alliés au préfet Aelius, la menaient contre Zénobie. Ils l'accusaient de vouloir usurper la place du Très Illustre. Rien de moins.

Avec un malin plaisir, ceux qui depuis toujours aimaient relayer les racontars d'Ophala approuvèrent. La menace contre Palmyre ne venait pas de Rome, mais de Zénobie. Elle avait pris un ascendant fatal sur son époux. Pire : elle avait soumis Nurbel à son influence, le rendant aussi inoffensif qu'un enfant.

Voilà pourquoi les guerriers de Palmyre avaient dressé leur camp à l'oasis du Baiser du ciel. Nurbel n'attendait qu'un signe de sa vénérée maîtresse pour fondre sur la ville, massacrer la légion et probablement la population tout entière !

La hauteur des murs de briques exigés par le préfet Aelius pour défendre le camp romain parut confirmer ces horreurs. La panique fit vaciller les cervelles les plus légères. Des caravanes commencèrent à quitter la ville. Matin et soir, des visages inquiets se tournèrent vers le désert. Les enfants, sur l'ordre des adultes, passèrent des jours entiers dans les hauts palmiers à l'orée du désert. Avec gravité, ils écarquillaient les yeux pour fouiller l'horizon, y deviner ce nuage de poussière qui annoncerait la charge des guerriers de Nurbel.

Enfin, une aube, les trompes sonnèrent du haut des coupoles du palais d'Odeinath. Les portes s'ouvrirent. Le vieux shuloï Sharha, toujours émacié et lent, apparut. Il frappa quatre fois les dalles de son long bâton. La tête inclinée comme à son habitude, il annonça que le Très Illustre et Zénobie accompliraient tout le jour leur devoir dans les temples de Palmyre.

— Demain, prévint Sharha sans élever la voix, le Très Illustre et son épouse iront rejoindre le seigneur Nurbel à l'oasis du Baiser du ciel pour y conduire les guerriers de Palmyre contre ceux de Shapûr le Perse. Que ceux qui, dans cette ville, aiment notre Très Illustre et la Grande Zénobie aillent faire offrande à nos dieux afin que la victoire soit avec nous.

Cette annonce n'était pas une rumeur mais une réalité. La première depuis longtemps. Elle vola dans le ciel de Palmyre plus vite que les mouches. Jusqu'à l'aube suivante, les fumées des sacrifices gonflèrent un nuage puant sur les toits et les tentes.

Avant que le soleil creuse la première ombre, la foule se pressa entre les huit cent vingt colonnes de l'avenue sacrée. Elle était si compacte que certains, sans que personne s'en soucie, commirent le sacrilège de s'agripper aux statues des bienfaiteurs qui décoraient l'immense portique.

Zénobie avançait à côté de son époux. Bien qu'Odeinath soit comme toujours d'apparence splendide, la foule n'eut d'yeux que pour elle.

Contrairement aux rumeurs, elle ne portait pas de cuirasse. Un caftan de soie rayé d'or et d'ocre couvrait ses épaules. Il voilait son buste ceint d'une tunique à guirlandes bleues. Une ceinture de cuir rouge soulignait sa taille. Elle supportait le fourreau d'agneau piqué de perles où était glissé un poignard à lame étroite. Des pantalons bouffants, semblables à ceux de son époux, dissimulaient ses hanches. Ils s'enfonçaient dans des bottines de cavalier, hautes et lacées sur les mollets. Une bande d'or et d'argent enserrait son front, emprisonnant sa longue chevelure et faisant ressortir le noir de son regard soutenu de khôl. Ses lèvres étaient dessinées de rouge.

Ce n'était pas tant sa beauté qui stupéfiait que la puissance froide et presque négligente de son expression. La stupeur de la foule céda à l'enthousiasme. On cria le nom du Grand Odeinath et celui de Zénobie. Puis bientôt celui de Zénobie seulement. Certains remarquèrent que le Très Illustre, au lieu de s'en offusquer, n'en souriait que plus.

Ce fut à peine si l'on aperçut Hayran et ses compagnons. Il venait pourtant juste derrière le Très Illustre et avant ses officiers. Quant à la tante Ophala, il fallut attendre le cortège des femmes pour la deviner sous un voile blanc sans autre apprêt qu'une frange de glands d'or.

Ceux qui se rappelaient les rumeurs des semaines passées s'en amusèrent. S'il y avait eu une guerre dans le palais, Ophala ne l'avait pas gagnée !

Lorsque le cortège royal parvint à l'extrémité de l'immense colonnade, les serviteurs s'approchèrent avec les chevaux. Le Très Illustre maintint lui-même la monture de Zénobie pour qu'elle l'enfourche. Chacun découvrit alors l'étrange couverture sanglée sur Yedkivin. De gros bourrelets, plus larges qu'une main, se soulevaient devant et derrière. Sur les côtés pendaient des sangles où Zénobie plaça habilement ses bottines. On se souvint du bourrelier perse. Les rumeurs avaient donc contenu quelques vérités. Un caravanier du Nord raconta que les peuples de l'Est appelaient cela une « selle ». On se répéta le mot comme s'il possédait une sorte de magie.

La caravane se forma. Zénobie demeura en tête au côté de son époux. Ophala s'allongea sur les coussins d'une panière suspendue entre deux chameaux. La garde du Très Illustre précéda la longue colonne de chars où s'étaient entassés les esclaves et les provisions, les servantes et toutes les femmes nécessaires en temps de guerre.

Ils traversèrent la ville de tentes qui entourait Palmyre et la palmeraie, y soulevant autant d'acclamations que de poussière. Alors seulement, on se rendit compte que la légion de Rome ne suivait pas le Très Illustre. Au contraire, les légionnaires du préfet Aelius prenaient position sur les murailles.

À ceux qui s'en étonnèrent, il fut répondu que le préfet Aelius avait reçu du Très Illustre l'ordre de demeurer en garde de la ville. Une bonne mesure de prudence. Il faudrait bien défendre Palmyre de la rapine des vainqueurs s'il advenait, hélas, que Shapûr, comme à son habitude, gagne la bataille que voulaient Odeinath et son épouse.

À peine la caravane royale fut-elle dissoute dans le tremblement de chaleur frôlant le désert que les rumeurs à nouveau tournoyèrent. Elles zigzaguaient entre l'inquiétude et l'espoir, pareilles à des chiens autour d'une pitance trop maigre.

2

OASIS DU BAISER DU CIEL

Lorsque Zénobie et Odeinath parvinrent en vue de l'oasis du Baiser du ciel, Nurbel avança à leur rencontre.

Après les salutations d'usage, il déclara :

— Tes guerriers sont prêts à se battre, Très Illustre. Du premier au dernier. Nous pourrons marcher vers le nord dès demain. J'ai envoyé des hommes en avant afin qu'ils nous guident au plus vite sur Shapûr.

Il se tourna vers Zénobie pour ajouter :

— J'ai suivi tes ordres. Pour cela aussi, tout est prêt.

Zénobie le remercia et pria son époux de l'autoriser à se baigner dans le lac de sa naissance. Elle le devait, dit-elle. Baalshamîn, son dieu, l'y attendait. Il lui donnerait l'onction nécessaire à la victoire.

Le Grand Odeinath était subjugué par la beauté de cette oasis dont on lui avait tant parlé et qu'il découvrait pour la première fois. Il ordonna que l'on tende des toiles sur les rives du lac afin que son épouse puisse se montrer à son dieu à l'abri des regards indiscrets.

Tandis que les esclaves s'affairaient, il se promena avec Nurbel sous les palmiers. Rosiers, lauriers, acanthes abondaient et se multipliaient librement dans la terre riche de l'oasis. Tout un jardin merveilleux qui, il devait le reconnaître, était plus admirable que ceux de Palmyre.

Il demanda à Nurbel :

— Ne trouves-tu pas que cet endroit ressemble à mon épouse ? Tout ici est liquide et feu, douceur au cœur de la dureté. Aussi étrange que tout ce qui n'est pas humain, et pourtant accueillant.

Nurbel sourit et se garda bien de répondre.

Zénobie resta dans le lac jusqu'à la nuit. Lorsque Odeinath osa jeter des regards entre les toiles retenues par les esclaves, il ne distingua que ses épaules et sa tête. Elles seules émergeaient de l'eau, et toujours à la même place.

Dans le crépuscule, le gros de la caravane des serviteurs ainsi que les chars des femmes arrivèrent à l'oasis. Ashémou, laissant les esclaves et les servantes préparer la tente, trouva Zénobie toujours immobile, tournant le dos à la rive et au paravent de toiles.

Le Très Illustre, apprenant qu'elle demeurait dans l'eau, montra à peine sa surprise. Il fit apporter des torches afin qu'elle puisse trouver son chemin vers la rive quand son dieu déciderait de la libérer.

Après quoi, il eut une œillade pour Dinah que seule Ashémou sut surprendre. Les pommettes de la jeune juive rougirent. Un sourire plein de sincère tendresse adoucit ses lèvres. Il s'y attarda jusqu'à ce que Dinah s'éloigne discrètement vers la tente du Grand Odeinath.

Les étoiles recouvraient l'immensité du Turaq Al'llab lorsque Zénobie quitta enfin la source de Baalshamîn. L'obscurité résonnait du grésillement inlassable des insectes, du claquement sec des pierres saisies par le froid, des mélopées accompagnées de flûtes et d'un instrument à trois cordes qu'affectionnaient les concubines et les épouses des hommes de guerre.

Ashémou se précipita, déployant les linges qu'elle tenait prêts depuis des heures. Elle en enveloppa Zénobie et la frotta tout le long du chemin jusqu'à leur tente.

Le cœur et la cervelle de l'Égyptienne bouillaient. Sans crier gare, alors qu'elle attendait Zénobie, les souvenirs l'avaient assaillie. Elle s'était retrouvée la gorge encombrée d'émotions. Cette nuit lui rappelait celle, prodigieuse, où elle avait tiré Zénobie du ventre béant de sa mère tandis que l'étoile de Baalshamîn déclenchait la presque fin du monde.

Ashémou savait depuis longtemps déchiffrer les humeurs changeantes de Zénobie. Il lui suffit d'un coup d'œil pour comprendre qu'elle devait se retenir d'évoquer le passé. Pourtant, alors qu'elle séchait et brossait les cheveux de celle qui avait été son tout petit enfant, ce fut plus fort qu'elle. Elle murmura :

— J'avais presque oublié cet endroit. Il y a si longtemps ! La dernière fois, tu te souviens, c'était pour ton treizième anniversaire ? Qu'Isis nous bénisse ! Tu étais si belle, là, debout sur l'eau ! Ton père en crevait de fierté. Tu te souviens ?

— Non, répliqua Zénobie dans un grognement. Ce qui était n'est plus, et je m'en moque. C'est demain qui compte. Et demain, nous aurons une longue chevauchée.

Elle dormait sans rêve lorsqu'une secousse la réveilla. Une main lui bâillonnait la bouche. Son corps et son esprit furent aussitôt lucides. Elle reconnut le parfum de la grosse Ophala avant même de la repousser.

— Tais-toi et écoute-moi, marmonna la tante d'Hayran.

Une lampe sourde, le volet entrouvert, était posée sur le sol près de la couche. La vaste tunique qui enveloppait Ophala formait une tache claire. On devinait à peine son visage. De la main droite, Zénobie chercha sans le trouver le manche de son poignard sous le traversin de son lit.

— Que veux-tu ? gronda-t-elle. Il suffit que j'appelle et la garde du Très Illustre sera ici.

— Il vaut mieux pour toi que tu ne fasses pas d'esclandre, répliqua Ophala, le fiel dans la voix. Je t'apporte seulement une nouvelle.

Zénobie quitta sa couche. Avant qu'Ophala pût réagir, elle attrapa la lampe. Elle en ouvrit le volet en grand. La flamme jaune éclaira le mauvais rictus de la tante d'Hayran.

— Quelle nouvelle mérite que tu me réveilles ?

Ophala gloussa sans se laisser impressionner.

— Oh, une grande et bonne nouvelle : j'ai la preuve que tu as menti au Très Illustre.

Un frisson serra la poitrine de Zénobie. Elle se tut.

Les ombres jouèrent sur le visage d'Ophala. Elle ricana, préparant son effet.

— Je sais où tu étais pendant que ton père et Odeinath te croyaient morte. Tu n'étais pas auprès de Baalshamîn ! Oh que non… Ton dieu, cette source, tes mots et ton arrogance… Le mystère de Zénobie perdue dans le désert et le miracle de son retour ? Des contes ! Je n'y ai jamais cru.

Il y eut un bruit derrière le pan de tissu qui séparait la tente en deux. Ashémou s'était réveillée. Ophala aussi l'entendit. Elle jeta un bref regard vers la toile.

— À Doura Europos avec les Perses, voilà où tu étais.

Ophala chercha une émotion sur les traits de Zénobie. Un tremblement sur ses lèvres. Elle n'en vit pas. Rien du visage ou du corps de Zénobie ne la trahissait.

— À Doura Europos, reprit-elle en martelant ses mots. Avec un homme !

Elle ne ricanait plus. La haine pure et brûlante la transformait en animal.

— Un homme qui n'était pas Baalshamîn.

Cette fois, Zénobie cilla.

Ainsi, Ophala savait et ne savait pas.

— Tu mens, dit-elle. Tu mens, tu inventes, comme toujours.

Ophala secoua la tête.

— Je dis ce qui est. Le préfet Aelius t'y a vue. Pourquoi un Romain mentirait-il ? Il t'a reconnue. Tu espionnais pour les Perses ! Et tu fricotais avec un chrétien !

Cette fois, la poigne invisible de la peur serra la nuque de Zénobie. Des images se levèrent dans son esprit. Des images maudites, longtemps refoulées. Maintenant, elles l'envahissaient. Vivantes, aussi vivantes que si le temps de Doura Europos existait encore.

Elle vit le visage du Romain qui avait cherché à la capturer alors qu'elle s'échappait des mines perses. Aelius ?

Aelius serait-il ce centurion à qui Schawaad avait volé son cheval pour leur permettre de fuir la razzia perse ?

Aelius, aujourd'hui préfet et intriguant à Palmyre dans l'ombre d'Hayran et d'Ophala ! Oh, la méchante ironie de Baalshamîn !

— Je vois que tu te souviens, persifla Ophala.

— Tu mens, répéta sourdement Zénobie.

Elle devait gagner du temps, mieux réfléchir. Aelius ne devait pas être bien certain de ses souvenirs, puisqu'il n'avait encore rien révélé au Très Illustre. D'ailleurs, il n'avait pour lui que sa parole. Que valait la parole d'un Romain au royaume de Palmyre ?

— Je t'ai dit que j'avais une nouvelle pour toi, susurra Ophala.

Elle ouvrit la main, offrit sa paume à la lumière de la lampe. Un médaillon d'argent y luisait.

Un poisson.

Un médaillon que Zénobie reconnut trop vite, trop bien.

— Aelius a pris cela au cou de ton chrétien. Il est mort. Parti en fumée sur un bûcher ordonné par l'Empereur en personne. À Antioche. Le préfet Aelius était là, il a tout vu.

Comment ne gémit-elle pas ? Comment ne s'écroula-t-elle pas ?

Ophala gloussa, vulgaire.

— J'en connais à Palmyre qui seront surpris d'apprendre qu'au lieu d'être dans la paume de Baalshamîn Zénobie complotait avec les Perses et les chrétiens ! On dit que ceux-là aiment par-dessus tout les vierges. Qui sait s'ils ne t'ont pas goûtée avant le Très Illustre ? Ça expliquerait bien des choses…

Peut-être cette haine si absolue, cette volonté d'humilier et souiller qui incendiait les yeux d'Ophala, contraignit-elle Zénobie à se tenir droite, silencieuse.

Ophala qui se régalait des mots qu'elle pouvait enfin lancer :

— Oh, pour être rusée, tu l'es ! Tu as si bien emberlificoté ce benêt d'Odeinath qu'il ne veut plus rien entendre de moi. Il se méfie même du Romain… Bah ! Les hommes sont stupides. Il suffit qu'une jolie fille leur fasse des caresses et ils se prennent pour des dieux. Tu peux lui mentir, peu m'importe. Odeinath n'a que ce qu'il mérite. S'il veut se perdre avec toi, tant mieux. Mais je ne te laisserai pas prendre ma place ni celle d'Hayran.

Ophala martelait ses mots. Elle aurait voulu qu'ils fassent mal à chaque intonation. Ses doigts boudinés agitaient le poisson d'argent, agitaient la mort de Schawaad devant le visage de Zénobie.

— Je vais te dire ce que tu vas faire, fille préférée de Baalshamîn ! Tu vas mourir devant les Perses. Si tu n'as pas le courage de mourir, tu fuiras. On te pleurera beaucoup. On fera de toi une légende. Je te le promets.

Ophala était, depuis toujours, une femme stupide. Elle ignorait la puissance du dégoût qu'elle déchaînait.

— Le Très Illustre ne t'écoutera pas, répliqua Zénobie. Il te connaît, Ophala. Il sait que ton cœur a la puanteur des cloaques. Il te méprise autant qu'il méprise Hayran.

— Détrompe-toi, sale petite vipère ! Je n'aurai pas un mot à prononcer. Le préfet Aelius est prêt à tout pour que toi et ton époux ne reveniez jamais à Palmyre. Penses-tu que les Romains veulent placer leurs légions sous la coupe d'un vieux fou ? L'époux d'une menteuse, d'une espionne perse ?

— Moi, une espionne ? Qui te croira ? Je vais me battre contre les Perses.

— Oh que non ! Tu ne vas pas te battre. Tout ça n'est qu'un stratagème pour trahir Palmyre. Shapûr est invincible et tu le sais. Mais tu as convaincu ce crétin d'Odeinath de faire massacrer ses guerriers. Heureusement, je suis là. Moi, tu ne me trompes pas. Tu vas mourir. Une fois vaincu, Odeinath devra bien accepter qu'Hayran et le préfet Aelius gouvernent Palmyre !

Zénobie tenta de deviner si Ophala croyait aux phrases qu'elle prononçait. Mais Ophala n'avait besoin de croire à rien pour menacer.

— Ce médaillon n'est la preuve de rien, répliqua Zénobie, la voix à nouveau froide et calme. Tous les chrétiens portent des poissons d'argent autour du cou. Celui-ci n'est à personne. Il ne signifie rien. Rien du tout ! Tu l'as acheté ou volé à des chrétiens venus à Palmyre. Ils y sont arrivés par dizaines ces derniers temps… Tu mens, Ophala. Tu empestes le mensonge, comme toujours.

— Comment oses-tu?

Zénobie immobilisa le poignet d'Ophala, attrapa un pan de sa tunique.

— Pourquoi attendre la bataille contre les Perses? Viens, suis-moi! Allons réveiller mon époux. Tu lui raconteras ton histoire. Tu lui montreras ton poisson d'argent. Il te rira au nez. Et moi, je lui expliquerai comment tu veux le trahir!

— Tu sais que je dis la vérité, protesta Ophala, roulant de l'œil et cherchant à se dégager.

— N'injurie pas les dieux, hyène puante! Jamais la vérité ne sort de ta bouche.

— N'imagine pas que tu pourras continuer à tromper le Très Illustre…

— Sors! hurla Zénobie.

Elle repoussa Ophala d'un coup sur la poitrine si violent que la grosse femme chancela et se rattrapa aux piliers de cèdre soutenant le tapis de la porte.

— Sors de ma tente avant que je t'étrangle!

Lorsque la portière retomba, Zénobie demeura vacillante, incapable de faire un pas ou de s'asseoir. On eût dit que des pointes de flèches étaient plantées dans ses reins. L'air ne passait plus qu'à peine entre ses lèvres. Elle aurait voulu prononcer le nom de Schawaad. Elle ne le pouvait pas.

Ophala était le mal. Elle mentait.

Elle mentait sur beaucoup de choses. Mais elle disait aussi une vérité.

Zénobie le savait. Jusque dans la moelle gelée de ses os, elle le savait.

L'ombre de la mort de Schawaad fut soudain là. Partout dans la tente. Partout dans la nuit autour d'elle. L'horrible vision d'un bûcher, d'un corps dévoré par les flammes, roula la nausée dans sa gorge. Ses paupières se serrèrent. Des larmes jamais venues mouillèrent ses joues.

Ô Schawaad! Schawaad mon bien-aimé, mon seul aimé!

Elle le revit, agenouillé devant elle dans le lac. Elle qui était couverte de boue et lui qui la suppliait. Lui qui lui racontait comment il les avait sauvés de Doura Europos. Lui qui lui offrait son médaillon d'argent, le poisson de son dieu : «Prends, c'est ce que j'ai de plus précieux. Prends!»

Elle ne lui avait pas répondu. Pas jeté un regard avant qu'il s'éloigne.

Il y avait longtemps.

Si longtemps que cela appartenait à une autre vie.

Maintenant, Schawaad était cendre.

Elle était seule. Seule comme elle ne l'avait jamais été.

Absolument seule parmi les hommes et les puissances du monde.

Un frôlement, une respiration la firent sursauter.

Ashémou chercha ses mains. L'Égyptienne l'attira contre sa vaste poitrine de vieille nourrice. Elle la fit asseoir sur sa couche. Zénobie ne résista pas. Elles se regardèrent dans la faible lumière de la lanterne. Ashémou murmura :

— Elle dit la vérité, n'est-ce pas? Cette démone dit la vérité?

Zénobie vacilla. Elle demeura longtemps sans répondre.

Puis enfin, les yeux secs, elle secoua la tête.

— Non. Pas un mot de vrai n'a franchi ses lèvres. Elle n'est que mensonge. Une pourriture de mensonge !

Ashémou voulut parler. Zénobie lui attrapa le menton et l'obligea à soutenir son regard :

— Une pourriture de mensonge, Ashémou. Rien d'autre.

3

NICOPOLIS

Clodia approuva d'un signe C'était parfait.

La vaste salle du *praetorium* brillait de cuirasses, de phalères et de manteaux brodés. Ils étaient tous là : tribuns, préfets, légats des légions du Danube. Tous ceux qui, cinq mois plus tôt, avaient assisté au triomphe d'Aurélien sur les Goths. Et à la tentative d'empoisonnement qui avait failli le tuer.

Aujourd'hui, les mêmes allaient saluer le bonheur nuptial de leur *dux majorum*. Les mêmes fidèles et les mêmes traîtres.

Maxime était prêt. Solide et très beau, en vérité. Très désirable dans un moment comme celui-ci.

Un court instant, elle soutint son regard afin qu'il perçoive son émotion, garde en lui ce trouble violent qui déjà les unissait. Puis elle se retourna vers Ulpia, que noyaient les pépiages excités des matrones prêtes à former le cortège nuptial.

La chère, la tendre Ulpia qui rougit lorsque la main de Clodia se tendit vers elle. Entre les traits de fard qui noircissaient ses paupières, ses iris brillaient de toutes ses craintes et de tous ses espoirs. Des bandelettes d'or recouvraient son front des six tresses rituelles de l'épousée. La chair de ses tempes et de ses joues était si pâle, si transparente, que les perles enroulées sur son cou paraissaient jaunes. Ses lèvres, mobiles, craintives, disparaissaient sous une épaisse couche de crème rouge.

La douce Ulpia ! Elle n'allait plus demeurer longtemps la jeune fille si mal, si rustiquement élevée par son vieux père !

Elle ne portait pas la tunique blanche traditionnelle des épousées. Cela avait été toute une bataille de la convaincre que l'usage en était désormais passé de mode et devenu trop médiocrement populaire.

Par bonheur, Aurélien, lui, n'avait pas été difficile à persuader. Bien que le chef-d'œuvre de robe commandé à Rome fût d'un prix équivalent à celui d'une maison ! Une soie ocre, du brocart brodé de scènes champêtres d'une précision inouïe. Tout un jardin de rêve qui se déployait sur le tissu rehaussé de motifs géométriques et de longues franges diaprées.

La coupe, manteau et tunique à la fois, en était nouvelle. Deux bandes, plissées et doublées, un peu rigides, couvraient les épaules. Elles laissaient la poitrine voilée d'une seule épaisseur de soie subtilement ajourée. Dessous, et mieux que s'ils fussent restés nus, on devinait les petits seins durs d'Ulpia. Un jeu de transparence et d'opacité si suggestif !

La ceinture qui serrait toute l'épaisseur de la tunique dans le dos était un simple cordon de pourpre. Il s'achevait par deux gros glands de perles et d'azurite qui battaient sur son pubis comme s'il le désignait. Des voiles bleus, souples et aériens, brodés d'arachnéennes figures de Junon et Vénus, s'étoffaient sur les hanches, cascadaient jusqu'aux chevilles. Ils ne laissaient qu'à peine voir les pieds de la mariée dans des sandales en fil d'or.

La plus belle robe que Clodia eût jamais vue. À en croire la mine des épouses présentes, elles-mêmes richement vêtues, fleurs et tiares piquées dans les chignons, des bijoux plein les bras et la poitrine, la plus belle robe qu'aucune femme, ici, ait jamais vue.

Le sourire de Clodia s'agrandit.

Suivant la tradition, elle recouvrit la tête d'Ulpia du « voile de l'aube ». Un voile aux reflets orangés qui se mariait parfaitement à la robe. Les matrones cessèrent leur caquetage pour se mettre en rang. Un esclave frappa un cymbalum de cuivre. Les doigts de Clodia se replièrent sur ceux d'Ulpia. Elle les baisa doucement.

— Il est temps, murmura-t-elle, suis-moi. N'oublie pas : la tête bien haute et sans crainte.

Parrain des noces, Maxime prit la tête du cortège. Il tira son épée, fit claquer la lame sur sa cuirasse en franchissant le premier les marches qui menaient à la grande salle du praetorium.

Le silence se fit.

Les mains jointes comme le voulait son rôle de marraine, Clodia entraîna la suite des femmes. Les regards glissèrent aussitôt vers Ulpia, fouillant entre les voiles de la robe. Il y eut des murmures. Des officiers tirèrent leurs glaives, frappant du pommeau leur cuirasse.

Un passage s'ouvrit qui conduisait à Aurélien. Debout près d'une grande statue de Junon, il n'était vêtu que d'une toge à frange pourpre sur une simple tunique. Il considéra Ulpia comme s'il la découvrait. Sa pupille frémit. Un éclat de fierté, peut-être même de désir, lui assouplit le visage.

La procession parvint jusqu'à lui, l'entoura. Ulpia s'immobilisa à ses côtés. Si fragile, frémissante, les paupières baissées malgré les conseils de Clodia. Aurélien sourit. Un sourire d'une étonnante tendresse. Un sourire affectueux que Clodia croyait ne pas lui connaître et qui leva en elle une pointe inattendue de jalousie.

Se pourrait-il que ces époux se prennent au jeu? Aurait-elle si bien préparé Ulpia que son frère soudain s'émeuve de tant d'innocence?

Les femmes commencèrent à chanter la prière à Junon. Tournant et dansant autour de la statue, elles en caressèrent les hanches et les seins de marbre. Les hommes lancèrent des plaisanteries provocantes.

Soudain, tous ensemble, ils s'écrièrent:

— Eiia! Eeiiia!

Les chants cessèrent. L'instant des offrandes était venu. Aurélien, le premier, déposa sur les pieds de marbre les testicules et le sexe noir d'un taureau qu'il avait au matin, de ses mains, dédié à Mithra. Il essuya ses doigts maculés de sang sur les cuisses de Junon. Il appuya son front contre le pubis bombé de la déesse. Il y demeura le bref instant d'une prière qui ne franchit pas ses lèvres.

Lorsqu'il s'écarta, chacun vint, à son tour, déposer des offrandes en célébrant la gloire de la déesse afin qu'elle assure le bonheur des époux. Des fleurs, des galettes de froment et de blé dur, du lait et des abats de génisse emplirent bientôt les paniers tressés de feuilles de laurier qui entouraient la statue. Puis les devins en toge blanche égorgèrent, pour les besoins de leurs haruspices, des colombes et des faisans. Maxime déchira d'un coup de dague la carcasse d'un jeune lynx qu'il avait capturé et dont les sages, tout à l'heure, tireraient les augures.

Quand le sang clair et odorant des bêtes sacrifiées eut couvert les pieds de la déesse, les deux époux se firent face.

Ulpia tendit les mains. Aurélien les enferma dans les siennes, si larges, si puissantes. Ulpia leva vers lui un regard bien droit. D'une voix forte, sans hésiter, elle prononça les paroles sacrées:

— Reçois-moi, mon époux. Je suis celle qui est à toi. Où tu seras, je serai. Dans l'ombre comme dans la lumière, tu trouveras mon regard et mon ventre. Tout ce qui est moi, mon époux, s'émeut de toi !

Ces mots lancés, Ulpia demeura quelques secondes les pupilles brillantes rivées sur le visage d'Aurélien. Chacun vit, sous les colliers de perles, palpiter les tendons de son cou. Un frémissement qui gagna ses lèvres autant que la pointe de ses seins.

Maxime, le premier, brisa la fascination des invités.

— Longue vie aux époux ! Longue vie à Ulpia femme d'Aurélien, longue vie à Aurélien époux d'Ulpia !

Jusqu'au soir, on se soûla. Les esclaves apportèrent des hanaps en forme de sexe d'homme ou de femme où chacun s'abreuva sans mesure. Les nouveaux mariés y trempaient leurs lèvres, tour à tour. Nul ne vit que Maxime et Clodia, eux, feignaient de boire.

Avec la nuit arriva l'heure de la procession.

Depuis un moment déjà, la musique couvrait à peine les rires et les grivoiseries. Épouses, servantes ou esclaves, les femmes étaient pourchassées à grands cris. Soudain, de tout jeunes esclaves vêtus de courtes toges surgirent des portiques entourant la salle.

Grimés en démons et en petits dieux, ils jetèrent des noix et des figues sèches sur les invités. Avec un enchantement qui fit scintiller leurs rires dans l'air gorgé de parfums et d'ivresse, ils s'élancèrent entre les invités. Avec agilité ils dépouillèrent les hommes d'une cuirasse délacée, les femmes d'un châle. Sous les protestations ravies, ils déchirèrent des tuniques, dévoilèrent des bustes, des hanches, des cuisses et des poitrines. Ici ou là, ils arrachaient un bijou ou les phalères d'un baudrier. Quelques-uns osèrent tirer des glaives des fourreaux abandonnés au pied des lits. Ils mimèrent des combats grotesques, dansant et virevoltant avec une adresse de singe, échappant aux mains qui cherchaient à les capturer.

Enfin, hurlant à pleine gorge, ils vinrent jeter leurs rapines aux pieds de la Junon de marbre. Dans la lueur des torches que les serviteurs venaient d'allumer, elle sembla se moquer. Après quoi, ils se saisirent des brandons d'aubépine préparés depuis la veille. Lorsqu'ils les firent crépiter sur le feu de l'autel, les cornes, les flûtes, les harpes et les tambours s'unirent dans un même vacarme.

Agitant leurs flambeaux jaillissants d'étincelles, les enfants s'égayèrent alors tout autour de la salle tandis que les invités entouraient le lit de repas où se tenaient Ulpia et Aurélien, clamant :

— Il est temps, il est temps ! Les époux dans le noir ! Il est temps ! Les époux dans le lit !

Se prêtant au jeu avec toute la grâce de sa jeunesse, Ulpia se leva, conservant les mains d'Aurélien bien serrées dans les siennes. Un Aurélien pour une fois sans réticence et gai. Précédant les enfants, ils se précipitèrent hors de la salle. Clodia et Maxime coururent comme les autres à leur suite, mais se firent aussitôt rattraper par la meute des invités.

Ils traversèrent la cour centrale du praetorium sous l'œil impassible des gardes. Le souffle déjà court, ils se ruèrent vers le grand bassin où donnait la villa du dux majorum. Les plus ivres n'y parvinrent pas. Chancelant entre les colonnes, ils encourageaient avec de grands rires ceux qui pourchassaient les femmes pour les pousser dans l'eau noire où se reflétaient les statues des dieux.

Comme le voulait la tradition depuis l'aube de Rome, le seuil du logement d'Aurélien avait été enduit d'une huile parfumée de thym et de myrrhe. Ulpia s'y immobilisa. Dans l'éclat des torches, Clodia surprit son visage redevenu sérieux et inquiet.

Aurélien, sous les bravos, la souleva comme si elle ne pesait rien.

Il franchit le seuil dans un tintamarre de vivats. Maxime, entouré de la garde qui patientait là depuis le milieu du jour, bloqua le vestibule de l'entrée. Ils repoussèrent sans ménagement les plus excités qui voulaient, gueulant des encouragements salaces, accompagner les époux jusque dans leur chambre.

Bousculée et hésitante, Clodia croisa le regard moqueur de Maxime. Elle aussi, elle plus que tous, aurait voulu se glisser à la suite des époux qui disparaissaient, là-bas, dans la nuit de leur noce.

Elle s'obligea à la sagesse. L'impatience était inutile. Le sang de ces épousailles coulerait aussi pour elle.

Le silence était revenu lorsqu'ils se retrouvèrent dans une petite pièce voisine des cuisines du praetorium.

Quand elle en poussa la tenture, Clodia devina à peine la silhouette de Maxime. Une seule lampe, posée sur un coffre, l'éclairait. Avant qu'elle puisse prononcer une parole, il fut contre elle, cherchant ses lèvres et la profondeur d'un baiser.

Elle ne se déroba pas. Au contraire, avec un soulagement gourmand, elle se laissa peser dans ses bras. Il avait ôté sa cuirasse. Sous sa tunique, sa chair brûlait. Elle fut heureuse de sentir son sexe durcir contre son ventre. Elle fit courir ses lèvres sur son cou, effleura la longue cicatrice qui serpentait sur sa joue.

La pensée d'Aurélien et d'Ulpia dans la chambre nuptiale ne la quittait pas. Elle avait besoin de calciner cette obsession dans des caresses violentes. Elle agrippa la chevelure bouclée de Maxime, encore odorante de la fumée des offrandes à Junon. Elle le contraignit à baiser sa nuque et ses seins. Cependant, lorsque les mains de Maxime cherchèrent ses fesses sous le tissu de la robe, elle se dégagea brutalement, maîtresse d'elle-même.

Maxime se figea, ombre tendue dans l'ombre. Il comprit. Il n'attendit pas qu'elle le questionne pour annoncer dans un chuchotement :

— Je suis prêt. J'ai trois hommes dehors.

— Qui ?

— Nul ne les connaît ici, n'aie crainte. Des hommes de l'arène, des Samnites qui me doivent beaucoup, et depuis longtemps. Ne t'inquiète pas.

— Sais-tu où ils dorment ?

Elle n'avait pas besoin de préciser de qui elle parlait. Elle crut deviner un sourire sur les belles lèvres de Maxime. Il devait se moquer de ce qu'elle voulût tout savoir, tout contrôler.

— Nous avons repéré les chambres. Nous avons aussi vérifié qu'ils ne se trompaient pas de couche. Ils étaient complètement ivres.

— Ils sont seuls ? demanda encore Clodia.

— Non, aucun. Quintillius est avec son épouse, comme il se doit. Les autres ont entraîné une esclave avec eux.

Clodia ne put réprimer une grimace. Avec une pointe d'ironie dans la voix, Maxime demanda :

— Veux-tu épargner la femme de Quintillius ?

— Elle a vingt ans à peine. Elle n'a épousé ce gros porc qu'il y a deux mois. Ce n'est pas elle qui a voulu empoisonner Aurélien.

— Pas plus que les esclaves qui subissent l'*ubris* des autres traîtres ! répliqua sèchement Maxime. Elle, au moins, a choisi d'épouser Quintillius. Un mauvais choix dont nous allons la délivrer.

Clodia se tut.

— Cette fille est innocente, tu as raison, reprit Maxime.

Cependant, elle a des yeux et sans doute assez de cervelle pour voir ce qu'elle ne doit pas voir. Veux-tu en prendre le risque ?

Clodia devina le mépris sur la bouche de Maxime. Il était redevenu le guerrier. La mort n'était pour lui qu'une rencontre ordinaire. N'était-ce pas pour cela qu'elle l'avait élu ?

— Fais comme tu voudras, chuchota-t-elle, frissonnante.

Ils sortirent du palais par la porte des cuisines. Sans une lumière, aussi silencieusement que des chats. Les Samnites allaient devant et semblaient connaître les allées du camp aussi bien que des légionnaires.

Ils longèrent les magasins, contournèrent les logements des *immunes*, les soldats de première classe, où des sentinelles se tenaient toujours en faction dans le halo des torches. Clodia ne percevait même pas le frottement des sandales des gladiateurs devant elle. Elle marchait tout près de Maxime, le frôlant sans cesse pour ne pas le perdre dans l'obscurité.

Se glissant dans l'étroit passage séparant les logements des fantassins, ils se retrouvèrent dans la rue principale du camp. De loin en loin des torches étaient maintenues allumées toute la nuit. Entre elles, l'obscurité était assez complète pour qu'ils puissent atteindre les logements des officiers sans être vus.

Le premier fut Antonin Versillius, légat de la *Legio Macedonia*.

Maxime écarta sans un bruit la tenture de la porte. Le légat ronflait. Le souffle régulier de la fille, à ses côtés, était à peine perceptible.

L'un des Samnites avança dans la pièce, ouvrit à demi le volet d'une lanterne sourde que Clodia ne lui avait pas vu porter. La mèche projeta une lueur jaune sur le lit. L'esclave était une toute jeune fille à la chair abondante et brune. Ses cheveux, très longs et dorés, dessinaient une ample tache lumineuse sur le haut de la couche. Elle dormait tout contre le mur, ses fesses dodues appuyées contre la cuisse droite du légat étalé sur le dos. Un petit homme, musclé, la bouche ouverte sur des dents abîmées ou absentes. Il tenait encore un hanap de corne en forme de phallus. Une intimité paisible se dégageait de leur abandon et troubla Clodia. On eût dit un couple véritable, amoureux et repu de désirs.

Maxime fit un signe de tête. Le plus grand des Samnites pointa la lame étroite de son épée entre les épaules de la fille. Le troisième s'agenouilla à la tête du lit. Il plaça sur le cou du légat de la *Legio Macedonia* un filin de soie aux extrémités munies de poignées d'ivoire.

Maxime se pencha. La pointe de son poignard piqua le sein de Versillius sous l'aréole rose et poilue. Le légat se réveilla à demi, grommelant et protestant. Maxime appuya assez fort pour que le sang apparaisse. Versillius poussa un cri aigu, les yeux grands ouverts, affolé, les doigts serrant la lame qui le blessait. Il découvrit le visage de Maxime. Il voulut se redresser. Le cordon de soie s'enfonça dans sa chair.

L'esclave s'était réveillée, elle aussi. Elle n'eut le temps ni de se retourner ni d'avoir peur. L'épée du Samnite la traversa de part en part, tranchant son cœur et sa vie avant de la clouer sur la couche.

Le gladiateur retira sa lame. Le sang sombre de la jeune esclave jaillit sur le ventre du légat. Versillius gémit, perdu, confus, happant le peu d'air que le filin lui abandonnait. Dans un geste instinctif de répulsion il chercha à repousser le cadavre de l'esclave qui glissait sur lui. Maxime plia le genou, capta son regard.

— Tu sais pourquoi tu meurs, légat. Tu n'as pas plus de cervelle que d'honneur. Tu n'aurais pas dû écouter les promesses de Gallien.

Le légat fit un effort désespéré pour hurler. D'une secousse, Maxime poussa la dague entre ses côtes.

Cette mort ne fut pas aussi rapide que celle de la jeune fille. Les yeux écarquillés, Antonin Versillius eut le temps de comprendre ce que les dieux allaient faire de lui. Clodia fut certaine que cette lenteur nourrissait le plaisir de Maxime.

Les meurtres suivants ne furent pas plus difficiles.

Chaque fois, l'homme et l'esclave, tirés de leur sommeil, n'avaient que le temps de voir la mort les emporter. Chaque fois, l'esclave mourait la première. Sans comprendre, sans conscience, peut-être sans regret.

L'une d'elles ne devait pas avoir quinze ans. Son corps de femme était à peine formé. Dans le repos, ses hanches et sa poitrine faisaient autant songer à celles d'un garçon qu'à celles d'une fille. Clodia fut émue par la grâce proche de la perfection de ce jeune corps. Elle devina l'hésitation du Samnite avant qu'il plonge son épée dans cette vie si fraîche, si innocente. Maxime grogna, impatient. Le gladiateur obéit. Il tua, son scrupule déjà oublié.

Pas plus que Versillius avant eux, les autres traîtres ne firent preuve de grandeur en recevant leur sentence. Si le filin de soie ne les en avait pas empêchés, ils auraient supplié comme des enfants pour être épargnés.

Une étrange déception gagna Clodia. L'odeur du sang, la pestilence de la peur étaient moins répugnantes que la faiblesse pitoyable de ces hommes. Arius Procibien, tribun de la XIIe *Gemina*, l'écœura plus les autres. Il la supplia, elle, et non Maxime. Un homme de trente ans, beau garçon, qui combattait près d'Aurélien depuis toujours et qui, de nombreuses fois, avait tenté de la séduire.

Il la reconnut dans la pénombre. Ses lèvres parvinrent à former son nom. Au lieu d'écarter la lame de Maxime, comme les autres, il tendit les mains vers elle, les yeux mouillés de larmes. Sa bouche se tordait sur le nom de Clodia qui ne passait pas sa gorge.

Elle lui tourna le dos, grimaçant de dégoût.

Pourquoi avait-elle imaginé qu'il y aurait, dans ces assassinats, une sorte de rage purificatrice pareille aux offrandes faites aux dieux ? Pourquoi ces condamnés ne luttaient-ils pas davantage ? Pas un ne montrait un orgueil, une haine qui justifiât un peu plus leur condamnation. Chaque mort, au contraire, était si médiocre que Maxime lui-même semblait y perdre de sa beauté.

Celle du préfet Quintillius ne fut guère différente. Sinon que sa jeune épouse ne dormait pas. Elle les accueillit les yeux grands ouverts dans le noir, un cri déjà sur les lèvres. La lame du Samnite lui trancha si bien la gorge que sa tête se décolla de son buste, tomba sur la poitrine de son vieil et gros époux.

Clodia s'enfuit, nauséeuse, incapable d'assister au dernier geste d'une vengeance qu'elle avait pourtant voulue, ordonnée et minutieusement organisée.

Plus tard, sous le portique du praetorium, Maxime la retint. Il chercha à l'embrasser. Elle le repoussa. Il agrippa son manteau. Ses mains puaient encore le sang des morts. Il insista :

— Viens !

Il avait cette voix rauque, lourde. La voix urgente du désir à laquelle, en toute autre circonstance, elle n'aurait pas résisté. Mais pas après ce qui venait d'être accompli.

Par chance, il faisait assez noir pour qu'il ne puisse voir sa répulsion.

— Non ! Pas cette nuit, protesta-t-elle.

Elle devina le tremblement de colère avant que les mots sifflent entre les lèvres de son amant.

— N'aurais-je pas payé un prix assez fort ?

Il y avait du dédain dans la voix de Maxime, pas seulement de la fureur. Elle devait l'apaiser. Elle posa les doigts sur sa bouche, s'appuya contre lui malgré le dégoût qui lui glaçait les reins.

— Pas ce soir. Je veux rester près d'Ulpia.

— Leur nuit d'épousailles !

Clodia trouva la force de persifler.

— Et alors ? Serais-tu jaloux ?

— Que t'importe Ulpia. C'est Aurélien que tu veux avoir sous les yeux. Sous les yeux, et plus s'il se peut.

Elle esquissa une caresse apaisante. Ce fut Maxime, cette fois, qui la rejeta.

— Sois prudente, Clodia. Je ne suis pas ton esclave. Ni une lame que l'on use et que l'on oublie.

Le ton était glacé. La menace n'était pas vaine.

Elle s'obligea à rire. Un rire prometteur.

— Je sais qui tu es, tribun Maxime. Je n'oublie rien.

Elle jeta une caresse sur les lèvres qui avaient su si bien, en d'autres nuits, enflammer son plaisir.

— Dors. Reprends des forces pour moi, mon guerrier, chuchota-t-elle en s'élançant dans le noir.

Elle ne fut pas surprise de trouver Ulpia seule, agenouillée sur le lit. Sa robe d'épouse l'enveloppait toujours, froissée autour de son corps à la manière d'un immense et bizarre chiffon.

Elle releva le visage, découvrant Clodia dans l'orbe jaune des flambeaux. Elle grimaça, la bouche défaite, pareille à celle d'une enfant prise en faute. Les larmes avaient creusé le fard sous ses paupières, y drainant de petits éclats brillants de khôl. Elle tendit les mains.

— Je savais que tu allais venir.

— Où est-il ?

— Aux thermes.

Les lèvres d'Ulpia tremblèrent. Elle ferma les paupières, souffla d'une voix à peine audible :

— Je n'ai pas su le retenir. Dès que nous sommes entrés dans la chambre, il... il a paru si embarrassé ! Il est reparti presque aussitôt en annonçant qu'il allait aux thermes. Qu'il avait besoin d'un bain très chaud car le vin lui avait tourné la tête.

Clodia masqua un sourire dans une moue.

— Oh, mon frère ! Mon frère !

Elle s'approcha, s'assit sur lit, tout près d'Ulpia qui sentait encore ce parfum de jeune épouse dont on lui avait huilé le corps dès l'aube. À le respirer, la pensée des morts qui attendaient dans le noir, roulés dans leur sang, là-bas, de l'autre côté du praetorium, quitta enfin Clodia.

Elle enlaça Ulpia, l'attira contre elle, appuyant son front contre sa tempe chaude. Ulpia lui enserra la nuque. Elle s'y agrippa, la bouche humide de sanglots, palpitante de honte autant que de désirs inassouvis.

Clodia rit, répondit affectueusement à ses caresses. Tout se déroulait exactement comme elle l'avait pressenti.

— Là... Là ! Ne pleure pas, douce Ulpia. Ne pleure pas ! Tu n'es pas en faute. Rien n'est perdu, au contraire.

Elle n'ajouta pas qu'il était parfait qu'Aurélien se montre aux thermes en ce moment même. Il devait y avoir avec lui des esclaves, des servantes et sans doute quelques officiers avinés. On devait déjà ricaner dans son dos. Le dux majorum préférait se baigner dans la piscine plutôt que dans le sexe vierge de son épouse ! De cela au moins, demain, lorsque les cadavres seraient découverts, chacun se souviendrait. Chacun comprendrait alors qui avait porté les coups. Ce serait elle que l'on craindrait.

— Il y a encore des choses que tu dois apprendre. Dès ce soir, murmura Clodia.

Du bout des lèvres, elle baisa les tempes d'Ulpia, ses yeux, sa bouche, buvant les larmes à petits coups de langue.

— Le bonheur t'attend, ma douce. Rien n'est perdu !

Ulpia, dans une impulsion enfantine, plaqua sa joue contre sa poitrine. Clodia l'écarta, lui soutenant le menton et cherchant son regard. Les pupilles d'Ulpia étaient si grandes, leurs iris si sombres, qu'il était impossible de les distinguer. Ce n'étaient que des yeux béants et offerts comme le vide obscur de la nuit.

— Laisse-moi faire.

Adroitement, Clodia décrocha la fibule d'argent et de corail qui retenait le haut de la robe.

— Aurélien sera là dans un instant, affirma-t-elle. Il ne t'a pas fuie. C'est seulement de lui qu'il a peur. Mais il va revenir, n'en doute pas. Tu dois être prête.

Elle fit glisser le tissu sur l'épaule. Ulpia ferma les paupières tandis que la soie dénudait sa poitrine. Clodia s'inclina et déposa un baiser entre les seins menus. Son souffle suffit à en dresser les pointes. Ulpia ne montrait aucune résistance. Elle cambrait les reins, offrant mieux son buste aux caresses. Un sourire apaisé, étrangement victorieux, apparut sur ses lèvres.

D'une voix à peine audible, elle déclara :

— Oh, je savais que tu le voudrais ainsi. C'est bien, c'est bien !

Ses lèvres attendaient un baiser que Clodia ne lui accorda pas.

Elle s'écarta, tourna sur le côté, faisant glisser la robe sur les hanches, les cuisses d'Ulpia. Elle la dénuda en quelques gestes agiles et sans précipitation. Elle la fit pivoter sur le lit, afin de la placer face à la porte de la chambre, dans la lumière. Puis Clodia se mit nue elle-même en un tournemain avant de s'asseoir dans le dos d'Ulpia. Elle se plaqua contre elle aussi étroitement qu'une seconde peau, enveloppant de ses hanches et de ses cuisses les fesses et les cuisses de la jeune épousée.

Ulpia s'abandonnait à ses mains avec un soulagement épuisé, reconnaissant. La tête rejetée en arrière, à nouveau elle chercha un baiser sur les lèvres de Clodia qui, cette fois, céda, amusée.

Un instant, les mains plus audacieuses, Clodia joua sur le corps vierge d'Ulpia ainsi que sur un instrument dont elle savait, par avance, provoquer les frissons et les plaintes de plaisir. Alors que le désir irisait les reins de la jeune fille, elle murmura :

— Tu verras comme le corps d'Aurélien est beau. J'en connais toutes les cicatrices, je sais comment il les a reçues. La plus terrible est celle de Mithra. Il se l'est infligée lui-même avec un fer ! Mon frère est fou, mais il est le plus beau et le plus courageux des hommes de Rome. Il n'est pas une femme, dans tout l'Empire, qui ne t'enviera…

Un gémissement sourd roula dans la gorge d'Ulpia. Elle noua ses doigts à ceux de Clodia, accompagnant les caresses qui tiraient d'elle un tremblement, le propageant, à l'unisson, dans leurs deux corps.

— Il a été choisi par les dieux, reprit Clodia dans un chuchotement entrecoupé de baisers. Le laurier se posera sur son front. Notre mère l'a vu dans les augures. Et toi, mon Ulpia, tu lui donneras le plaisir et les fils qui seront son éternité dans Rome.

Encore, Ulpia approuva d'un grognement. Elle arcbouta

son corps gracile contre celui de Clodia comme si elle voulait se fondre en elle.

C'est ainsi qu'Aurélien les découvrit. Il apparut d'un coup dans la lumière des torches. L'eau de la piscine perlait encore ses cheveux. Son érection tendait comiquement son pagne court. Sur son torse nu, la cicatrice de Mithra, le grand soleil rayonnant, recouvrait son épaule et paraissait aussi vivante qu'un troisième œil.

Ulpia eut un cri de peur. Dans un geste de pudeur elle chercha à se détourner. Clodia la retint, impérieuse. Avec la même autorité, elle lui ouvrit en grand les cuisses alors qu'Aurélien s'approchait, offrant à l'époux toute l'intimité de son épouse.

Les mains d'Ulpia s'agrippèrent aux poignets de Clodia. Elle avait peur et peut-être honte, mais elle avait compris. Elle laissa Aurélien se fasciner de ce qu'elle lui offrait.

Enfin, d'une voix bien claire qui surprit Clodia, elle déclara :

— Viens, mon époux. Viens. Je suis à toi autant que ta sœur est ton amour.

4

EUPHRATE

La servante poussa la porte de la tente. Jetant des regards effarés vers Dinah et Ashémou qui s'affairaient autour de Zénobie, elle annonça :

— Le seigneur Nurbel demande à voir l'épouse du Très Illustre.

Ashémou fut la plus prompte à répondre.

— Tout à l'heure. Elle n'est pas prête.

— Qu'est-ce que tu racontes ?

Zénobie baissa brutalement les bras, obligeant Ashémou et Dinah à interrompre leur tâche.

— Attends au moins d'avoir passé une tunique sur cette chose ! protesta Ashémou, le visage rouge de sueur autant que d'indignation.

Zénobie resserra les coques de sa cuirasse de cuir à demi lacée et s'écarta avec un rire provocant.

— Que veux-tu que je fasse d'une tunique ?

— Tu veux te montrer nue ?

— Suis-je nue ?

— Pire que nue !

Zénobie chercha le soutien de Dinah. Elle ne trouva qu'un sourire embarrassé. En vérité, Ashémou avait raison. La cuirasse moulait si bien son buste qu'elle la dévoilait plus qu'une vraie nudité.

— Aujourd'hui, ils vont être des milliers à me voir dans cette cuirasse, répliqua-t-elle. C'est pour cela que je la porte. Pour qu'ils me voient tous. N'attends pas que je me cache sous une robe.

Comme la rumeur de Palmyre l'avait affirmé, le bourrelier perse avait réalisé un chef-d'œuvre. C'était une carapace dure comme du fer, composée de plusieurs épaisseurs de cuir, de l'agneau d'une finesse inouïe. Le toucher en était soyeux comme une peau de bébé. Teintée d'un rouge aussi éclatant qu'un pétale de colchique, la fleur du pays de Médée, elle recouvrait Zénobie depuis le bombé du pubis jusqu'à la naissance du cou. L'incurvation du nombril, la beauté haute et ferme de la poitrine, jusqu'aux ondulations des côtes ainsi que les nervures élancées des omoplates, rien n'était dissimulé.

Se déployant depuis la pointe des seins, un minutieux ouvrage de gravure rehaussé d'or dessinait les ailes de la déesse de la guerre, Alath, celle que les Grecs appelaient Athéna. Le visage de la déesse, très semblable à celui de Zénobie, était modelé de profil sur sa poitrine, son corps, enveloppé d'une toge comme par la flamme d'une torche, prenait naissance dans le creux délicat épousant le nombril où l'on avait incrusté une perle en forme de goutte.

L'ultime perfection de cette cuirasse était de demeurer souple aussi bien que protectrice. Elle permettait les torsions nécessaires au tir de l'arc et pesait beaucoup moins que les cuirasses d'acier qui devenaient brûlantes sous le soleil. Teinte, selon la volonté de Zénobie, d'un rouge aussi éclatant que la pourpre, elle allait en stupéfier plus d'un.

Zénobie foudroya la servante du regard.

— Qu'attends-tu ? Que les dieux te coupent en petits morceaux ? Fais entrer le seigneur Nurbel.

— Tu n'es pas encore dans la bataille, tu peux parler à cette fille aimablement, grommela Ashémou quand la porte de toile fut retombée derrière l'esclave.

— Ashémou ! protesta Dinah avec une grimace qu'elle voulait apaisante.

— Quoi, « Ashémou ! » ? s'écria l'Égyptienne en se tournant vers Dinah, les mains tendues comme si elle allait la frapper. Toi aussi tu veux que je me taise ? Tu es comme eux tous ? Si impatiente que Zénobie aille se faire massacrer par les Perses en se pavanant dans cette cuirasse ridicule ?

— Ashémou, insista Dinah en gardant son calme. S'il te plaît, ne prononce pas des mots que tu regretteras plus tard.

— Oh, je ne vais rien regretter, crois-moi ! Il y a bien trop de jours que je les ai sur le cœur.

La fureur lui écarquillait les yeux. Elle se tourna vers Zénobie.

— Si personne n'ose te dire la vérité, moi je ne vais pas me gêner. Ce sont les hommes qui font la guerre, ma fille. Pas les femmes. Pas même toi, Zénobie. Et nue, encore ! Si tu ne meurs pas, tu te couvriras de honte. Voilà ce qui se passera. Et ce sera bien pire. D'autant que, si tu meurs, tu sais que le Très Illustre…

— Ça suffit ! la coupa Zénobie sèchement. Je ne veux plus t'entendre. Je n'ai pas besoin de tes jérémiades.

Ashémou hésita entre la fureur et les sanglots. Elle eut un grand geste de dépit et fila vers la portière de la tente.

— Oh, je sais ! Je sais : Ashémou n'a le droit que de se taire. Voilà tout ce qu'on lui demande, à l'Égyptienne. Même un jour comme celui-ci. Qu'Isis me protège de t'aimer, Zénobie !

Ses paroles s'achevèrent dans un cri. La porte de toile bascula devant elle alors qu'elle allait s'en saisir.

Nurbel apparut, revêtu de la cuirasse des cavaliers de Palmyre. Des écailles d'acier, cousues sur une tunique et un pantalon de lin matelassé, protégeaient ses épaules, sa poitrine et ses cuisses. Un grand caftan ocre et bleu était roulé sur son épaule droite. Le baudrier lui ceinturant la taille, clouté d'argent ainsi que la double sangle du fourreau de son épée à pommeau d'ivoire, était plus large que la main. Il portait sur son bras un casque en ogive, décoré d'une queue de tigre et de tresses de perles d'or, de coraux et de verre. La langue de bronze du nasal était aussi tranchante qu'un bec d'aigle.

Tout en lui, du visage aux sandales, était prêt pour la fureur du combat.

Nurbel leva un sourcil, considéra Zénobie lentement, des pieds à la chevelure. Il approuva d'un hochement de tête, admiratif autant qu'incrédule.

— Les dieux te verront depuis le fond du ciel! remarqua-t-il.

Zénobie lui offrit son grand sourire.

— Les dieux peut-être, mais les archers perses certainement. Toute l'armée perse, en vérité. N'est-ce pas le but? Que tous me voient? Que Shapûr lui-même sache qui le combat?

Nurbel ne répondit pas. Il observa Dinah qui tentait, sans y parvenir, d'achever le laçage abandonné par Ashémou. Ses doigts tremblaient si fort que les liens de cuir lui échappèrent.

— Veux-tu que je t'aide? proposa Nurbel. C'est une corvée que mes doigts connaissent depuis longtemps.

Dinah ne fit pas attention à lui. Elle leva un regard désespéré vers Zénobie.

— Ashémou a peur, et moi...

Zénobie l'attira contre elle.

— Je sais, Dinah. Je sais.

— Moi aussi, j'ai peur ! Je ne veux pas que tu meures ! Si tu mourais, je ne pourrais plus... Oh, il ne faut pas que tu meures ! Je ne pourrais plus aimer le Très Illustre !

Il y eut un instant d'embarras. Nurbel passa la main sur son crâne chauve, détourna les yeux vers la table de campagne où étaient posés le casque et les armes de Zénobie.

Zénobie redressa le visage de Dinah.

— Je ne mourrai pas. Je serai vivante ce soir ! Vivante et victorieuse. Tu ne dois pas en douter.

Dinah ferma les yeux pour mieux implorer l'Éternel. Zénobie serra durement les doigts sur ses épaules.

— Il faut me croire, Dinah. J'ai besoin de ta confiance. Je vais vaincre le Perse, et toi, tu vas m'y aider par tes pensées.

Dinah approuva d'un petit signe de tête. Avec une esquisse de sourire, elle sécha ses joues d'un revers de la main.

— Pardonne-moi. Je vais finir de lacer ta cuirasse.

— Laisse. Le seigneur Nurbel la nouera. Va rejoindre Ashémou. Elle a besoin de toi.

Lorsque Dinah eut disparu, Zénobie offrit son flanc au vieux guerrier.

— C'est un honneur pour moi, marmonna-t-il, amusé, que d'habiller l'épouse du Très Illustre.

— Ashémou et Dinah manquent d'habitude, soupira Zénobie. Aujourd'hui, ils seront nombreux à être surpris.

Nurbel tira sur les lacets avec vigueur sans répliquer. Zénobie demanda :

— Toi aussi, tu as peur pour moi ?

Le visage rusé de Nurbel se plissa de ce fin sourire qui la ravissait.

— Je suis allé trop de fois au combat pour ne pas avoir peur. Ni ignorer que la peur est inutile devant la volonté des dieux.

Il acheva de nouer les liens. Zénobie vérifia que le cuir ne la gênait pas.

— Les Perses sont-ils déjà en place ?

— Depuis la première lueur du jour. Plus de dix mille.

— Les chevaux cuirassés aussi ?

— Ils ont passé le fleuve à l'aube. Cinq ou six cents. Là où nous l'imaginions.

— Leur disposition ?

Nurbel eut un petit rire sec.

— Celle que je t'ai enseignée. Shapûr est prévisible, il aime reproduire toujours la même bataille. Les guerriers de pied devant, et derrière les lignes d'archers. Nous avons bien fait de monter si loin au nord. Le champ de bataille est convenable. Nous aurons toute la place nécessaire pour les combats, et les failles du plateau, à l'ouest, dissimuleront parfaitement nos chameaux. Je ne pense pas que les espions de Shapûr les aient découverts. La surprise des Perses sera grande, je te le promets !

Zénobie opina.

— Nous sommes en nombre suffisant, reprit Nurbel. Mais le nombre n'est pas tout. Les guerriers de Shapûr ont une grande habitude de ces batailles. Pas les nôtres. Sans compter les chevaux cuirassés...

— Au zénith, tu seras bien heureux de ne pas en avoir, je te le promets, moi aussi !

Nurbel approuva, la regarda ceindre son baudrier.

— Ne t'illusionne pas, Zénobie. Shapûr ne change rien à ses positions de bataille parce qu'il a toujours été victorieux ainsi. Ses archers tuent un cheval à cinquante pas. Et ceux qui parviennent quand même à affronter ses monstres cuirassés sont vaincus d'avance.

— Et moi qui te demande de les attaquer avec des chameaux ! railla Zénobie, le visage clos et dur. Deviendrais-tu comme les autres ? Douterais-tu ?

— Non. Je suis comme le Très Illustre. Curieux de voir si les mots de Zénobie vont devenir une réalité.

— Si je me trompe, je meurs. Si je meurs, tu meurs. Nous

n'aurons pas le temps d'avoir des regrets ni de nous faire des reproches.

Nurbel sourit, désinvolte.

— Les guerriers de Palmyre ont peur, eux aussi ? s'inquiéta encore Zénobie.

— Bien sûr. Mais ils sont fiers. Ils ne veulent pas le montrer. Pas encore.

— Ont-ils peur d'être conduits par une femme ou craignent-ils seulement les Perses ?

— Ils préféreraient que tu sois un homme, s'amusa Nurbel, avant d'ajouter, les lèvres tirées par le mépris : La clique d'Ophala et d'Hayran a raconté assez de mensonges et de vilenies, ces derniers mois, pour les inquiéter.

— Crains-tu qu'ils ne suivent pas les ordres ?

Nurbel hésita à répondre. Sa main fourragea dans sa barbe soigneusement tressée.

— Lorsque les combats s'engageront, il vaudrait mieux que la charge des Perses soit aisée à repousser.

— Que le Très Illustre et son seigneur Nurbel me fassent confiance ne leur suffit pas ? grinça Zénobie.

— Ce sont des guerriers. Leur sagesse est celle de l'expérience. Que des rois et des généraux perdent la raison pour une jeune épouse, cela s'est déjà vu.

Zénobie saisit son casque. Un casque de cuir aussi rouge que sa cuirasse, piqué de deux grandes plumes de paon aux reflets orange et bleu.

— Il faudra qu'ils obéissent ! Qu'importe si les Perses nous prennent pour des pleutres : il faut les faire attendre assez pour que le soleil les cuise. Nous les vaincrons à cette seule condition.

Elle serra sous son menton les brides des plaques d'or et d'argent qui protégeraient ses joues, et ajouta :

— Ce soir, chacun saura si Zénobie a menti.

Ce fut ainsi que les guerriers de Palmyre la virent pour la première fois : le torse écarlate et comme nu, la chevelure flottante sous le casque où ployaient les plumes de paon.

Elle poussa Yedkivin dans un long galop. Frôlant archers et cavaliers, elle atteignit une bosse caillouteuse où se tenait le Grand Odeinath entouré de ses chefs de guerre.

Là, elle sauta à bas de sa monture, s'inclina dans un profond salut devant le Très Illustre. D'une voix forte, elle lança le serment des guerriers, des mots que l'on n'avait jamais entendus dans la bouche d'une femme :

— Ma vie est à toi, ô Grand Odeinath. J'irai où ton épée me conduira.

Les paupières plissées, les protège-joues si larges qu'ils lui couvraient tout le bas du visage, le Très Illustre approuva sans laisser paraître la moindre émotion.

D'un bond, Zénobie fut à nouveau sur Yedkivin. Cette fois, elle fila entre les lignes des guerriers afin que chacun puisse l'admirer. Elle brandit un arc dont le bois était aussi épais que son poignet serré dans un gant de cuir. Les archers se tordirent le cou pour la voir tournoyer, leur offrant son buste impudique de déesse rouge où flottait l'image d'or d'Alath. Ils sentirent peser sur eux son regard noir de khôl et qui brillait déjà autant que si le combat avait commencé.

Une couverture étrange enveloppait le dos de Yedkivin. Zénobie y épousait le galop nerveux du cheval, l'apaisait d'une pression des genoux, le faisait virevolter d'un coup de reins avant de le relancer sans violence. Le cheval semblait précéder sa volonté. Cela, chacun le reconnaissait : c'était la marque des plus grands cavaliers.

Ils tressaillirent quand la voix claqua :

— Guerriers de Palmyre, les dieux sont avec vous. Ce soir, Shapûr repassera le gué de l'Euphrate en vaincu !

Ce corps de femme au buste de cuir rouge dressé au-dessus de la masse des cuirasses leur parut soudain moins humain et plus menaçant. Ce feu du visage, ce bras qui brandissait l'arc n'appartenaient ni à une épouse ni à une simple femme.

— Guerriers de Palmyre, les dieux sont avec vous. C'est moi, Zénobie, fille de Baalshamîn, épouse du Très Illustre, votre roi, qui vous le dis. Ce jour verra la victoire du Grand Odeinath. Shapûr ne le sait pas encore, mais il est vaincu ! Les dieux se détournent de lui...

Elle galopait, filant d'un bout à l'autre des rangs, se montrant aux milliers de guerriers du Très Illustre, leur offrant sa beauté et sa puissance, les haranguant d'une voix qui ne faiblissait pas.

— Ne craignez pas leurs chevaux, ni leurs cuirasses. Aujourd'hui, les Perses maudiront Shapûr de leur faire porter tant de ferraille. Nous allons les raser comme le vent du désert.

Une voix cria. Puis quelques autres. Puis toutes ensemble, telles les flammes de paille s'embrasant dans le même feu.

— Longue vie à Odeinath ! Que Baalshamîn étende sa main sur Zénobie !

À cet instant, Nurbel apparut comme par enchantement au côté de Zénobie. Il ne montait pas un cheval mais un chameau de combat aux flancs protégés de larges pans de cuir. Son poing serrait une longue lance, bizarrement munie, à son extrémité, non d'une pointe mais d'une masse cloutée de fer. Sur un chameau lui aussi, son lieutenant de combat le suivait, la tête couverte d'une peau de lion et brandissant un étendard à glands d'or. Dans la soie orange étaient brodés le feu d'une étoile, le bleu d'une oasis et le palmier : l'emblème de Palmyre et de la naissance de Zénobie.

— Longue vie à Zénobie ! hurla Nurbel. Longue vie au Très Illustre ! Que les dieux cuisent le sang des Perses !

Les milliers de guerriers de Palmyre hurlèrent avec lui.

Shapûr, le Roi des rois, qui était encore à quelques milles, tout à l'arrière de ses troupes, entendit la rumeur qui vibrait dans le ciel.

Il en devina la source et se mit à rire, entraînant le rire de ses courtisans.

Tout le temps que le soleil s'éleva de l'horizon, s'amincissant en une prunelle de feu, ce fut d'abord un étrange ballet qui désorienta les lignes perses. Accoutumés à la rigueur obstinée et répétitive des batailles frontales, les guerriers de Shapûr ne comprirent rien à la versatilité des troupes d'Odeinath.

Dans un premier mouvement, les cavaliers de Palmyre affluèrent par centaines face aux carrés perses. Leur double ligne, avançant au trot, épousait les reliefs du terrain, botte contre botte.

Les généraux perses ironisèrent, songèrent qu'Odeinath, comme tous les guerriers du désert en avaient le goût et l'habitude, s'apprêtait à lancer une charge aussi bruyante qu'inutile. C'était une manœuvre que l'on connaissait bien. Les cavaliers poussaient leurs montures dans une galopade éperdue, braillaient des insultes, obscurcissaient le ciel de flèches. Leur ligne, d'abord double puis unique, s'étirait à perte de vue pour se refermer sur l'ennemi comme les pointes d'un croissant de lune.

Mais la réplique, lorsqu'elle venait des Perses, anéantissait d'un coup leurs efforts.

Formant une voûte obscure, les archers de Shapûr engloutissaient les flèches des assaillants par des salves plus serrées et toujours plus puissantes. La ligne d'attaque se disloquait, s'amenuisait.

Les monstres de la cavalerie cuirassée s'avançaient alors. Hommes et chevaux disparaissaient sous les écailles d'acier cousues sur les bandes de cuir qui les enveloppaient. Pareils à des rocs de métal, imperméables aux flèches et aux lances, ils progressaient dans un trot lourd. Sans jamais faillir, ils brisaient les hommes et les chevaux qui, épuisés par les longues et vaines charges précédentes, parvenaient encore à se jeter contre eux.

Ainsi, et depuis longtemps, Shapûr avait assuré ses victoires sur les seigneurs du désert. Odeinath, le Grand Odeinath, on n'en doutait pas, allait reproduire l'erreur de ces rois des sables, plus accoutumés aux razzias et aux chasses qu'aux grandes batailles.

Pourtant, alors que les cavaliers de Palmyre semblaient sur le point de lancer leur charge, des trompes résonnèrent. Les guerriers d'Odeinath firent volter leurs montures. Sans hésiter, ils brisèrent leur ligne pour se retirer à un demi-mille, bien au-delà des portées de flèches.

Les Perses ricanèrent. Odeinath faiblissait. Peut-être n'y voyait-il plus aussi bien et lui fallait-il la pleine lumière du jour pour lancer son attaque?

Cependant, après une heure d'attente, rien ne bougeait dans les lignes de Palmyre. Il n'y avait eu ni cris, ni trompes, ni tambours. L'incompréhension fit froncer les sourcils des officiers de Shapûr.

La chaleur étouffante d'une journée sans air s'installa. Le soleil était déjà haut dans le ciel sans nuage, les ombres dures et sombres.

Les généraux perses se consultèrent. Ils n'étaient pas assez loin des lignes de Palmyre pour changer de tactique sans risquer d'être assaillis alors qu'ils se réorganisaient. Par ailleurs, prendre l'initiative de la charge était impensable, cela eût affaibli les chevaux cuirassés. C'était là leur défaut. Les carapaces d'acier étaient bien trop pesantes. Les chevaux surchargés ne pouvaient soutenir un galop de combat sur une longue distance.

On décida d'attendre que ces pleutres de Palmyre se décident eux-mêmes. L'impatience s'agaça avec la chaleur. Le mépris envers Odeinath aigrit les humeurs. Pas un instant on ne songea à un piège. La puissance et l'orgueil perses étaient trop habitués aux victoires et seulement capables d'imaginer le roi de Palmyre, là-bas, sur son tumulus de commandement, pétrifié de peur devant leur force.

Enfin, excédés, pour savoir de quoi il retournait, on envoya deux ou trois escouades légères vers les Palmyréniens.

Elles s'y précipitèrent telles des mouches sur une charogne. Reçus par des salves de flèches bien ciblées et serrées, les chevaux s'égratignèrent boulets et paturons aux hampes que brisaient leurs sabots.

Elles rapportèrent des informations qui ne firent qu'accroître la perplexité irritée des généraux. Odeinath était toujours sur un monticule d'où il pouvait voir large et loin. Il n'était pas même à cheval, mais assis sur un tabouret. Il buvait et riait avec ses chefs de guerre comme si le combat était déjà achevé. Et en sa faveur. Cependant, ses lignes d'archers s'avéraient moins fournies qu'on n'avait pu le croire. Moins de deux mille hommes, alors qu'on les imaginait le double.

Les commandants perses eurent une même pensée. Odeinath, confit d'orgueil, avait voulu impressionner ses alliés romains en provoquant le Roi des rois. Hélas pour lui, ses yeux se révélaient plus gros que son ventre. Ses troupes bien trop maigres étaient incapables de supporter un pareil affrontement. Voilà la cause de cette bizarre bataille : Palmyre en était réduite à un front de défense qui serait bientôt une ligne de fuite. En guise de guerre, le Grand Odeinath faisait des mines comme une pucelle qui redoute l'instant de vérité !

Jusque-là, Shapûr n'avait pas jugé nécessaire de quitter sa tente. Il fut prévenu, se montra courroucé avant d'être amusé. Odeinath redoutait les chevaux cuirassés ? Il avait bien raison !

Un vague sourire aux lèvres, il laissa ses généraux diverger sur le moyen de châtier la vanité des Palmyréniens. Lorsqu'il parut s'impatienter, chacun se tut et attendit sa décision, qu'il donna en trois ordres succincts.

Il fallut plus d'une heure pour que les officiers redisposent les lourdes lignes perses selon la volonté du Roi des rois. Ensuite, il fut nécessaire d'abreuver les montures qui patientaient depuis l'aube dans une chaleur déjà forte.

Si bien que le soleil était proche du zénith lorsque l'appel rauque des cornes de bélier sonna le début des combats.

Ce fut alors autour d'Odeinath qu'on sourit. Les Perses jouaient leur rôle à la perfection : suffisants, les yeux si pleins de morgue qu'ils en devenaient aveugles pour de bon.

On sauta prestement en selle, soulagé qu'il en soit fini de ce jeu de dupes et que l'on approche du jugement des dieux.

Trois centaines d'archers perses se portèrent contre les troupes de Palmyre. Derrière eux, trois autres centaines se tenaient prêtes à charger à leur suite. Une troisième vague, à peine plus nombreuse, devait progresser devant les chevaux cuirassés, les conduisant dans un trot mesuré près des lignes ennemies. Ainsi, quand la dernière salve de flèches s'abattrait sur les Palmyréniens, les redoutables cuirassés se trouveraient à une distance suffisante pour lancer leur charge et briser d'un coup ce qui subsisterait des forces d'Odeinath.

Telle était la volonté du Roi des rois. Mais les dieux en décidèrent autrement.

À peine la première charge ordonnée par Shapûr arriva-t-elle à distance de tir que le ciel retentit de mille cris démoniaques.

Toutes les cordes des arcs de Palmyre s'étaient détendues d'un coup. Contrairement à l'habitude, les archers d'Odeinath ne s'étaient pas dispersés mais rassemblés, pied à terre, dès la sonnerie perse. Basse et tendue, la salve fit voler une ombre de mort sur le sol. Elle déchiqueta les chevaux en plein galop, alors que les cavaliers levaient seulement leurs arcs.

Anéantie aux deux tiers, cette première vague s'éparpilla, stupéfaite. Bêtes et hommes jonchaient le sol, accroissant le chaos de la retraite et dressant autant d'obstacles devant la deuxième vague déjà lancée.

Un vent de panique saisit les archers perses. Comment placer un tir, alors que les montures bronchaient et sautaient fébrilement par-dessus les cadavres ? Ce fut le moment que choisirent ceux de Palmyre pour faire de nouveau pleuvoir la mort.

Ce qui restait d'élan pour la troisième vague d'assaut sombra dans la confusion. Le sol vibrait sous la chaleur. L'odeur du sang et de l'urine acide des chevaux épaississait l'air saturé.

Les officiers de Shapûr, dans un instant d'effroi, s'attendirent à voir la cavalerie d'Odeinath fondre sur eux. Ordre fut aussitôt lancé aux chevaux cuirassés de charger. Eux seuls pouvaient encore massacrer les archers de Palmyre !

Disposés en quinconce par lignes de cinquante, hérissés de longues lances à hampe multicolore, ils s'élancèrent. Impeccables et inhumains. Piétinant cadavres et blessés. Repoussant devant eux leurs propres troupes décimées. Le galop pesant de leurs montures brisa les pierres, creusa la poussière. Le crissement des écailles d'acier recouvrit tous les bruits. Le soleil se refléta sur les plaques de leurs cuirasses. Ils furent soudain aussi aveuglants que la fureur d'un dieu. On eût cru des dragons voraces, des chimères maléfiques surgies d'un autre monde.

C'est alors qu'il y eut des braillements sur la droite.

Avec stupeur, Shapûr et ses généraux virent apparaître des chameaux de guerre. Mille chameaux la tête empanachée de plumes rouges, qui semblaient sortir du sol même.

Le cou tendu, blatérant à plein gosier, les bêtes fonçaient, magnifiques et furieuses. Tout devant, on reconnut la queue de tigre du casque de Nurbel, le premier des chefs de guerre d'Odeinath. Il ne chercha pas l'affrontement direct. Au contraire, il entraîna ses guerriers entre les lignes désorientées des Perses.

Et c'est ainsi qu'il atteignit à revers les monstres cuirassés.

Brandissant leurs lances munies d'une masse cloutée à leur extrémité, sans ralentir l'élan de leurs bêtes, les chameliers de Palmyre frappèrent les cuirasses des chevaux et des hommes. La vitesse des montures décuplait la puissance des coups. Les lances ordinaires des Perses étaient impuissantes à les arrêter. Les flèches, ajustées dans la panique, glissaient sur les robes de cuir. Le front des chevaux cuirassés se disloqua.

Ligne après ligne, contraints au combat singulier, tournoyant sur eux-mêmes tels des insectes devenus fous, les monstres d'acier qui avaient fait la puissance du Roi des rois tombèrent dans le piège de Zénobie.

Shapûr et ses généraux comprirent enfin pourquoi le Grand Odeinath avait si longtemps retenu son attaque.

Chevaux et hommes s'asphyxiaient sous leur carapace d'acier que le soleil chauffait désormais autant que les briques d'un four.

Des hommes rejetèrent leurs casques pour ne pas étouffer. Ce n'était qu'un répit mortel. Les masses cloutées des chameliers de Nurbel leur éclatèrent la tête.

Quand la vingtième cuirasse craqua sous le poids d'un cheval abattu, les soldats de Palmyre déferlèrent. Le carnage commença.

À côté de Shapûr, un officier pointa le doigt sur une ombre rouge. Virevoltant avec une adresse démoniaque, elle entraînait toute une meute dans une galopade effrénée. Son grand arc lâchait des traits si violents que les cavaliers perses qui en étaient victimes semblaient arrachés de leur monture.

Shapûr ôta la visière de son casque pour mieux voir.

L'ombre s'incarna. Devint un corps de guerrier. Un corps de femme.

Il y avait une grâce terrible, fascinante, dans cette fureur rouge. Lorsqu'elle se dressait au-dessus de sa monture pour tendre son arc, son buste nu survolait la bataille. Sa flèche atteignait chaque fois un cou, une cuisse, le défaut d'une cuirasse.

Alors qu'il assistait, pour la première fois depuis dix ans, à la défaite de ses troupes, il admira cette beauté de femme. Cette fureur de femme à la poitrine aussi rouge que le sang qu'elle faisait couler lui procura un plaisir violent qu'il se reprocha souvent par la suite.

Il ne douta pas de son identité. C'était la jeune épouse d'Odeinath. Cette fille dont ses espions lui avaient rapporté le nom, Zénobie, et les rumeurs qui l'entouraient. Se pouvait-il qu'elles fussent aussi des vérités?

Les dieux l'abandonnaient-ils? Avaient-ils lancé sur terre

un démon d'une autre sorte que ses chevaux couverts d'acier ?

Il tourna le dos à la bataille. Il évita de donner lui-même l'ordre de la retraite, se hâta de franchir l'Euphrate avant que les eaux en soient rougies par ses guerriers.

— Alath ! Alath !

Le mot courut sur toutes les lèvres avant que les guerriers soient revenus au camp. La joie de la victoire effaçait la fatigue, estompait la douleur fiévreuse des muscles après la tension du combat.

Ils avaient encore dans les yeux la fuite précipitée des Perses. Ils brandissaient les épées prises sur les cadavres des vaincus. Quelques-uns piquèrent du bout des lances les lourdes robes d'acier des chevaux persans. Les promenant comme des dépouilles, ils hurlèrent les noms victorieux de Palmyre et du Grand Odeinath. Les chameaux de Nurbel furent acclamés alors qu'ils rejoignaient la cohorte de la victoire, mâchant des broussailles, la paupière nonchalante, ainsi qu'au retour d'une simple promenade.

En cet instant, on oubliait les blessures, le sang, les compagnons morts. On se racontait les exploits et laissait déborder la joie d'être vivant et fort. Ceux qui avaient suivi la cuirasse rouge de Zénobie montrèrent une joie plus nerveuse. Ce qu'ils venaient de vivre était trop immense pour qu'ils puissent le partager avec de simples mots.

Ce fut sur leurs lèvres que vint d'abord le nom de la déesse des guerriers :

— Alath, Alath ! Alath nous a conduits !

Le cri glissa de bouche en bouche.

— Gloire à Zénobie ! Gloire à Alath !

Zénobie chevauchait au côté d'Odeinath et de Nurbel. Elle ôta son casque, le dressa sur la pointe de son poignard. Elle se hissa sur ses étriers afin que tous reçoivent l'éclat de son sourire. La splendeur rouge de son buste n'était plus celle d'une poitrine de femme mais celle d'une déesse. Elle était la marque d'un destin que seuls les dieux dirigeaient.

La voix de mille guerriers clama encore :

— Alath, Alath! Gloire à Alath!

Alors ils virent le Grand Odeinath brandir son épée, ils l'entendirent qui acclamait son épouse avec autant de ferveur que ses guerriers.

— Alath! Alath, reine de Palmyre!

Il y eut les chants, les feux, le vin du festin, les grands rires des victoires.

Longtemps Zénobie demeura près du Très Illustre, acceptant les hommages que son époux, avec soin, lui offrait autant qu'il les recevait.

Quand on alluma les torches, lorsque la musique lancinante des danses recouvrit le camp, Odeinath fit un signe aux esclaves. Sur deux longs brancards portés par des serviteurs apparut tout le contenu de la tente de guerre de Shapûr, Roi des rois.

Il y avait de la vaisselle de verre et d'or, des couvertures et des tapis de soie, deux armures aux filigranes d'or, trois spathas à pommeau d'ivoire et de gemmes. Et encore des manteaux, des peignes, des coussins de plumes, un bassin de bronze et de cuir ainsi qu'une demi-douzaine de jeunes esclaves d'à peine une dizaine d'années, à la peau plus noire que la nuit et douce comme des rêves.

Le Très Illustre saisit un manteau aux broderies de glycine

et d'oies sauvages d'une finesse si prodigieuse que nul n'aurait pu le décrire. On disait que Shapûr s'en couvrait la cuirasse après ses victoires. Il allait, ainsi vêtu, décider de la mort ou de l'esclavage des vaincus qui respiraient encore.

— Shapûr a fui si vite la bataille que ses serviteurs n'ont pas même eu le temps de démonter sa tente de combat, se moqua Odeinath. Assurément, jusqu'à ce jour, il a vécu dans l'aveuglement de celui qui vaincra toujours. Pour entasser tant de trésors sur le champ de bataille, il faut avoir perdu la raison. Aujourd'hui, sur ces brancards, il ne manque que son corps !

Quolibets et vivats résonnèrent dans l'air enfumé. On conspua le nom du Roi des rois. Lorsque le calme revint, dans un mouvement très rare, le Grand Odeinath s'inclina. Il déposa le manteau puis l'une des épées de Shapûr aux pieds de Zénobie, désigna les trésors entassés sur les brancards.

— Ceci est ton butin, Zénobie, dit-il bien fort en se redressant. Aujourd'hui, c'est l'épouse d'Odeinath qui a gagné la bataille, plus que son époux.

Zénobie s'inclina avec respect avant de brandir l'épée de Shapûr, le pommeau en l'air, pour saluer les guerriers. De nouvelles ovations retentirent, les cris se renouvelant chaque fois que Zénobie agitait le pommeau de la spatha.

Alors qu'elle s'apprêtait à reprendre sa place près du Très Illustre, elle surprit le regard d'Ophala.

Elle se tenait en retrait, à quelques pas d'Hayran, devant le groupe de femmes. La haine figeait ses traits épais. Ses mains se crispaient, chiffonnant la pointe d'un voile brodé d'anneaux d'or.

Un bref instant, Zénobie soutint son regard. Le Très Illustre, Nurbel et les officiers s'en aperçurent. À leur tour, ils dévisagèrent Ophala. Le Très Illustre eut un grognement agacé. Il saisit les mains de sa reine, en baisa les doigts avec douceur, murmurant, un éclat comblé dans les yeux :

— Les guerriers de Palmyre croient qu'Alath vit dans ton

corps. C'est peut-être vrai. Moi, je sais que mon épouse ne m'a pas menti.

Sans lui lâcher la main, il l'entraîna vers la tente du repas.

Dans leur dos, le visage en feu, Ophala bouscula les femmes, disparut derrière les servantes et les épouses qui apportaient les plats et les cruches de bière.

La nuit était en paix depuis longtemps lorsqu'elle se faufila hors de sa couche. Ashémou ne l'entendit pas. Pas plus que les gardes, ronflant d'ivresse et de fatigue. Elle ne fut qu'une ombre noire courant sous le ciel d'étoiles où la lune avait disparu depuis des heures.

Devant la tente d'Ophala, elle eut la patience d'attendre, couchée sur le sol à peine humide de rosée. Tout était silence.

Pareille à un serpent, avec un calme aussi ferme que sa volonté, elle se coula dans la tente. Le poignard à la main, elle rampa entre les tapisseries qui doublaient les pans de cuir.

Le parfum d'Ophala était si puissant qu'elle sut sans hésiter où se trouvait son lit. Elle s'allongea contre le dos de la grosse femme. Sans un mouvement, elle attendit.

Quand elle fut prête, ses mains jaillirent d'un même élan. L'une sur la bouche d'Ophala, l'autre appuyant la pointe du poignard entre les plis de sa gorge. Ophala s'éveilla. Dans un sursaut paniqué, elle tenta d'arracher la main qui la bâillonnait.

Les lèvres contre son oreille, Zénobie chuchota :

— Tu vas mourir pour la mort de Schawaad, mon bien-aimé. Le seul et l'unique qui a reçu l'amour de Zénobie.

L'effroi donna à Ophala une ultime force. Elle voulut se

débattre, s'arracher à l'emprise de Zénobie. Ses coups de reins enfoncèrent plus profondément la lame. Zénobie sentit les chairs grasses s'ouvrir pour suinter la mort entre ses doigts.

Ophala était déjà inconsciente lorsque Zénobie chuchota encore :

— Tu emportes mon secret, Ophala. Offre-le aux démons qui t'attendent de l'autre côté.

Le gros corps s'affaissa. Zénobie roula sur le côté. Les battements de son cœur résonnaient si fort dans sa poitrine qu'ils semblaient vibrer contre les toiles de la tente.

Le visage de Schawaad apparut dans la nuit très obscure. Elle eut le désir de lui sourire. Les larmes l'obligèrent à fermer les paupières.

La grande fatigue de la bataille s'abattit enfin sur elle. Elle pressa son poignet sur ses lèvres pour que ses dents ne s'entrechoquent pas. Un parfum fade, puant, lui envahit les narines. Le sang d'Ophala maculait sa main, coulait sur sa bouche. La nausée la prit. Elle cracha sur le sol, se frotta les lèvres avec son manteau.

Elle eut un vertige. La nuit parut un instant s'ouvrir devant elle ainsi qu'un puits.

Si seulement Schawaad, dans la cour de Doura Europos, ne s'était pas détourné !

Si seulement.

Tout, alors, aurait pu être une autre histoire.

Elle ne rejoignit pas sa propre couche, mais marcha jusqu'à la tente du Très Illustre. Elle y entra avec autant de discrétion que dans celle d'Ophala. L'intérieur, cependant, en était éclairé de deux vasques de bitume. Des gardes veillaient, couchés devant la tenture de la porte.

Ils se dressèrent d'un bond en devinant sa présence. Zénobie s'approcha dans la lumière, leur sourit. Un sourire qu'elle crut apaisant.

Ils la dévisagèrent avec stupeur. Ses joues, son front, ses mains, sa tunique, même ses bottines étaient maculés de sang frais. Impressionnés, pleins de respect, ils ployèrent le buste. Peut-être songèrent-ils qu'Alath, dans les nuits qui suivaient ses combats, se nourrissait de sang.

Ils murmurèrent que le Très Illustre dormait. Elle répondit dans le même chuchotement qu'elle en était heureuse et n'avait pas l'intention de le réveiller.

Ils s'écartèrent et retinrent la portière lorsqu'elle passa.

Les gardes avaient dit vrai. Le Très Illustre dormait profondément, la hanche pressée contre celle de Dinah. Ils étaient nus tous les deux. Au côté de la chair délicate et pâle de Dinah, le corps velu d'Odeinath paraissait aussi sombre et menaçant que celui d'un fauve. Jusqu'à leurs sexes qui semblaient si peu faits l'un pour l'autre.

Comment les hanches si étroites de Dinah ne se déchiraient-elles pas sous la puissance du Très Illustre ?

Pourtant, il y avait dans leur abandon cette paix qui n'appartient qu'aux amants repus.

Zénobie demeura un instant immobile, tremblante. Les larmes lui montèrent aux yeux. Elle voyait une douceur qu'elle ne pourrait jamais vivre. Une paix qui ne l'accueillerait jamais.

Elle hésita. Eut le désir de s'enfuir, de retrouver le froid obscur et indifférent de la nuit. En gestes nerveux, elle se dépouilla de ses vêtements souillés. Nue à son tour, elle s'allongea tout contre le corps de Dinah.

La jeune juive se retourna, se réveilla à demi. Zénobie lui ferma les lèvres d'une caresse, baisa la chair fine de son cou et de ses aisselles. Dans un murmure, elle supplia :

— Laisse-moi dormir contre toi.

Avec un sourire de sommeil, Dinah l'enveloppa de ses bras. Elle l'enserra entre ses cuisses afin qu'elle puisse, pour quelques heures, puiser en elle la douceur de l'oubli.

Au matin, il y eut un grand vacarme dans le camp. Les hurlements d'Hayran réveillèrent ceux que le vin engourdissait encore.

Devant la tente du Très Illustre, il fallut que Nurbel et quelques seigneurs interviennent pour retenir la fureur du neveu d'Ophala qui en appelait tout à la fois à la justice, aux dieux, aux foudres de Jupiter et au fleuve de sang de la vengeance.

Le Grand Odeinath, encore vêtu de sa tunique de nuit, parut devant son fils et demanda la raison de ce tintamarre.

— Elle a tué Ophala ! brailla Hayran. La gorge coupée ! La main qui a tenu le poignard je la connais !

La surprise défripa les traits du Très Illustre. Il dévisagea Hayran sans affection. Les amis de son fils, tous ceux qui profitaient du bonheur de ses jeux et de ses nuits, se pressaient maintenant derrière lui. Odeinath les toisa, ils baissèrent le front.

— Ophala a été assassinée, mon père ! gémit Hayran. Toi aussi, tu connais celle qui l'a tuée !

Son poing se dressa vers Zénobie et Dinah qui venaient d'apparaître sur le seuil de la tente. Le Grand Odeinath se tourna, chercha le regard de son épouse. Ils se considérèrent un instant. Nurbel crut deviner l'éclat d'un sourire dans les yeux du Très Illustre, mais n'en fut pas certain.

Le Grand Odeinath tendit la main, saisit celle de son épouse pour la poser sur sa poitrine. Il fit face à ceux qui accouraient encore, haussa des sourcils pleins de courroux. Son visage était rouge de fureur lorsqu'il répondit à son fils :

— Qui crois-tu être pour oser insulter Alath ?

S'adressant à tous, il cria :

— La reine de Palmyre était cette nuit dans ma couche. Que celui qui osera lever le soupçon contre elle sache qu'il mourra avant d'avoir pu souiller le nom de Zénobie. Qu'on emporte la poussière d'Ophala dans le tombeau de sa sœur.

5

SAMOSATHE

La pression des doigts s'estompa. La caresse s'interrompit. Les yeux clos, Valérien perçut le léger assouplissement de la couche alors que l'esclave s'écartait.

Il souleva les paupières, marmonnant une protestation. Nue, Iflava s'éloigna vers une table couverte de pots et de fioles. Devinant le regard qui pesait sur elle, elle se retourna, sourit.

Valérien oublia sa réprimande. Que tous les dieux, sans en oublier un, soient remerciés d'avoir créé une femme aussi belle, fût-elle une esclave !

— Ta peau est trop sèche, Augustus, murmura Iflava en revenant avec une fiole en verre épais. Le climat de Samosathe n'est pas bon pour toi.

— Rien n'est bon pour moi, ici, grommela Valérien. Sans toi, Samosathe serait la plus détestable des villes.

Pure vérité ! Samosathe, ville de garnison, de marchands et de paysans, n'était pas Antioche. Ça allait et venait, ça éructait de l'aube à la nuit. Le climat y était une horreur.

Glace ou canicule, sécheresse ou pourriture. Aussi violent que les habitants, toujours dans l'excès. La beauté de la mer, bien sûr, y manquait cruellement. Et la douceur et la grâce. Samosathe n'avait que l'intérêt d'être près des troupes de Shapûr le Perse, celui qui se croyait le Roi des rois et l'était chaque jour un peu moins.

— Je déteste cette ville, soupira Valérien en refermant à demi les paupières.

Sans parler de cette prétendue villa impériale, songea-t-il. Un palais à la manière des Perses, en vérité. Murs de briques vernies, toits en coupoles, bas-reliefs de céramique. Il n'était que cette pièce qui fût un peu romaine, avec ses portiques, son marbre, son plafond peint et la vaste terrasse donnant sur le jardin et les collines poussiéreuses. Il en avait fait son unique logement.

Le vent claqua dans les voiles de lin tendus entre les colonnes ouvrant sur la terrasse. Les tentures tournoyèrent. De brèves notes de lumière ornèrent les marqueteries de marbre sur le sol. L'éclat fut intense. La peau mate d'Iflava l'absorba.

D'une cambrure des reins, elle s'assit tout contre lui. Un rai doré agrippa l'aréole bistrée de son sein droit. La pointe se détacha sur la demi-ombre de la pièce, semblable au son profond et net d'une corde de harpe. Sa taille était assez fine pour être enserrée à deux mains. Le buisson de son pubis scintillait, pareil à ces laques obscures que l'on rapportait parfois d'Orient. Lorsqu'elle se redressait, l'ombre rose du sexe apparaissait, doux brasier dans l'opacité de la toison.

Oh, Iflava ! Beauté d'Iflava !

Les dieux n'avaient-ils créé les femmes et leurs sexes étranges que pour parvenir à la splendeur d'Iflava ?

Et lui, pourquoi était-il Empereur et non peintre ou poète ? Il n'aurait eu alors d'autre souci que de passer ses jours et ses nuits à s'enivrer de la beauté d'Iflava. Mais non, il fallait qu'il soit l'Augustus Valérien ! Enfin, cela, il l'avait voulu.

Avant d'en connaître le poids harassant et stupide des désagréments.

Au moins les dieux lui accordaient-ils, malgré son grand âge, tout ce qu'il était possible d'admirer de la beauté de l'univers.

Iflava lui sourit. Elle étira avec douceur cette bouche qui lui rappelait Baubo, la fascinante gorgone des Grecs.

Avec un brutal, un irrépressible effroi, Valérien se demanda si Iflava l'aimait.

Oui : l'esclave Iflava aimait-elle ce vieillard qu'elle caressait chaque jour avec tant de doux savoir ? Serait-il possible ?

Comment connaître les sentiments d'Iflava ? Hors sa beauté, elle ne laissait jamais rien paraître, pas même si elle avait froid ou chaud.

Pourtant, il désirait qu'elle l'aime. Oui, oui ! Il désirait son amour plus encore qu'il ne désirait son corps.

Stupide, bien sûr. Mais vrai.

L'incertitude coula dans ses reins comme un vinaigre. Il se retint à temps de lui poser la question.

Que Mithra le protège ! Iflava était bien capable de lui faire perdre le sens du ridicule.

Un grondement d'orage vibra dans le lointain. Les voiles se tordirent à nouveau entre les colonnes, laissant percevoir la masse grise qui bornait le ciel à l'ouest. L'air qui tourbillonna dans la pièce était déjà plus frais.

— Il va pleuvoir, annonça Iflava de sa voix indifférente.

Ses paumes huilées glissèrent sur la peau rêche de Valérien. Il chercha ses poignets, les serra entre ses doigts. À mi-voix, nerveusement, il laissa couler de ses lèvres une citation d'Horace qu'il connaissait hélas par cœur, tant il avait eu d'occasions de se la répéter :

« *Eh quoi ? Le corps d'une princesse est-il plus beau, plus désirable, que celui d'une courtisane ? Saisis la beauté lorsqu'elle t'approche, ne la laisse pas s'échapper. Il n'est pas extase plus grande. Tout le reste n'est qu'illusion, caprice d'imagination déréglée, ignorance des volontés de la nature et détournement du bonheur véritable.* »

Iflava lui jeta un bref regard. Ses yeux paraissaient plus brillants.

Peut-être émus.

Ou moqueurs.

— Aurais-tu peur de ne pas être assez aimé, Augustus ? demanda-t-elle alors qu'il n'attendait plus de réponse.

— De toi, Iflava. Seulement de toi, avoua-t-il avec un terrible sérieux.

Elle secoua son beau visage, dubitative, sans lever les yeux vers les siens. Elle s'agenouilla, enjambant son corps. Elle reposa son sexe ouvert sur sa cuisse, si étroitement qu'il put en deviner, avec une extase infinie, la chaleur sourde et humide.

— Tu dis cela parce que tu as reçu de mauvaises nouvelles de César, murmura-t-elle sagement.

L'extase de Valérien se brisa comme un verre trop fin. Il lui en voulut de cette réponse. C'était un coup bas.

Certes, il lui avait confié l'affaire de Nicopolis. La coupe empoisonnée qu'Aurélien avait manqué de boire lors de son triomphe sur les Goths, les officiers égorgés dans leur couche, en représailles et la nuit même de son mariage !

Quelle sauvagerie. Tous ces meurtres visant Gallien. Son César de fils ! Coup de semonce contre coup tordu. Mais habile. Désignant, sans le besoin d'un mot, César à toutes les légions et à tout l'Empire comme la main qui avait voulu la mort du bien-aimé dux majorum Aurélien.

— Tu es inutilement cruelle, Iflava, remarqua-t-il en secouant la tête. Je les avais presque oubliés, ces deux-là.

Ce qu'il avait craint en laissant Gallien et Aurélien derrière lui était advenu. Oh, il ne doutait pas que son César Gallien ait cherché la mort d'Aurélien. Il connaissait mieux que personne — et peut-être même redoutait plus que tout ! — l'esprit froid et calculateur de son fils.

Il ne pouvait en vouloir au dux majorum. Aurélien se devait de répliquer. L'honneur, la puissance, l'orgueil... Toutes ces choses si importantes dont il avait cru pouvoir les combler en les conduisant tous les deux devant le taureau de Mithra.

Pure vanité d'Augustus. Avant même qu'ils en boivent le sang pour devenir *courriers d'Hélios*, il avait su que ces deux furieux ne seraient jamais frères mais toujours ennemis. Prêts à s'entre-tuer pour devenir Augustus à sa place.

Plonger les légions du Rhin et du Danube dans une guerre qui livrerait Rome aux Barbares, voilà ce qu'ils allaient faire. En l'obligeant, lui, à quitter l'Orient. À abandonner son Antioche bien-aimée pour remettre de l'ordre avant qu'il soit trop tard.

Iflava avait raison. Les nouvelles de Nicopolis le laissaient amer, fatigué et désabusé.

Si, au moins, il avait l'assurance qu'elle l'aimait, les décisions seraient plus aisées à prendre. L'abandon des douceurs de l'Orient moins contraignant.

Il scruta le visage d'Iflava avec encore l'espoir d'y découvrir une petite lueur d'émotion. Mais non.

— Je ne peux plus me passer de toi, constata-t-il sans plaisir.

— Bien sûr que tu le peux, Augustus, s'amusa Iflava. Tu possèdes des milliers d'esclaves. Je ne suis que l'une d'elles.

— Mais non ! Non, non, Iflava ! Ne dis pas d'âneries, s'énerva-t-il. Tu n'as rien de comparable avec les autres esclaves. Tu es la beauté même. Tu...

Il s'interrompit avant de dire que rien en elle ne pouvait être esclave.

Que Jupiter le protège ! Il vieillissait. Par le sang de Mithra, il vieillissait. Il s'amollissait à faire peur.

Le vent, à nouveau, claqua dans les rideaux. Le craquement du tonnerre fut plus proche. Le vacarme de la ville faiblit soudain et on entendit les premières gouttes de pluie sur le marbre de la terrasse.

Valérien agrippa la taille d'Iflava, l'attira près de ses lèvres pour baiser la peau délicate de l'aine. Elle s'inclina, obéissante, courbant son buste au-dessus du visage qu'il levait vers elle. D'une secousse espiègle de l'épaule, elle lui effleura la bouche et les paupières de la pointe d'un sein. Valérien perçut le picotement annonciateur du réveil de son membre.

Pour cela, aussi, Iflava était magicienne. Elle n'eut guère à faire pour le raffermir. Lorsqu'elle l'enfourcha, le plongea en elle comme dans un rêve moelleux, il murmura :

— Demain, tu ne seras plus esclave.

Il ne perçut aucune surprise sur ses traits d'ébène. Pensant qu'elle n'avait pas compris, il ajouta plus fort :

— Je vais t'affranchir, Iflava.

Pas même une joie particulière. Sa beauté demeurait impénétrable.

— Je vais le faire, je te le promets.

Si elle répondit, ce ne fut que par le mouvement plus ample et plus profond de ses reins. Valérien cessa de lutter. Il jouit de la regarder danser sur lui, s'absorbant dans cette merveille comme si cela pouvait durer une éternité.

Alors qu'il n'était plus que bonheur, la foudre frappa, aussi aveuglante que si elle sortait droit du poing de Jupiter. Avant que son éclat s'évanouisse, Valérien devina une silhouette dans la pièce.

— Par le foutre des dieux, qui...

Sa voix se perdit dans le fracas du tonnerre. Il immobilisa les fesses d'Iflava. Tout son bien-être n'était déjà plus qu'un souvenir. Avec soulagement, il reconnut celui qui les regardait.

— Axtex, gémit-il. Tu ne pouvais pas attendre un peu ?

Le vieux sage s'approcha, le regard rivé sur le corps d'Iflava.

— Tu m'as dit le plus vite possible, Augustus. J'en ai fini avec les augures.

Valérien ferma les paupières. Iflava se dégageait de son membre avec tendresse. Il se sentit soudain terriblement nu, fragile et solitaire. Une immense tristesse lui brouilla la gorge. Au moins, songea-t-il pour se réconforter, Axtex n'allait pas manquer de répandre cette bonne nouvelle : l'Augustus bandait encore durement. Il s'enveloppa la taille du linge qu'Iflava lui tendait.

— Alors ?

— J'ai consumé dix-huit herbes, ouvert sept foies des volailles de...

— Pas les détails, Axtex. Le résultat. Seulement le résultat.

Le vieux sage secoua la tête avec accablement mais annonça :

— Il ne faut pas combattre, Augustus. Les dieux ne sont pas avec toi.

Valérien se redressa, attentif.

— Tu es sûr ?

— Tu ne veux pas les détails, Augustus.

— Complètement sûr ?

— Je pourrais te le prouver. Il ne faut pas affronter le Perse.

— Pas de combat ?

— Ni pour toi ni pour tes légions. C'est ce que disent les dieux.

La pluie tombait dru maintenant. Valérien se tourna vers la terrasse inondée. Les tentures noircissaient, déjà gorgées d'humidité. Iflava rangeait les fioles, tirait sur les draps de la couche. Toujours nue, sans même avoir passé une tunique. Le buisson de son sexe brillait, impudique. Le regard d'Axtex y louvoyait, tout vieux sage et débris d'homme qu'il fût.

Qui sait, l'impudeur d'Iflava était peut-être sa manière à elle de conserver le plaisir qui ne s'était pas accompli. Rien n'était perdu.

Un sourire involontaire effleura ses lèvres. Si les dieux ne voulaient pas qu'il combatte, il ne combattrait pas.

— Les dieux expriment aussi leur volonté avec cet orage, remarqua-t-il à l'attention d'Axtex.

Le vieux devin haussa les épaules, marmonna que les orages n'étaient pas aussi sûrs que les entrailles. Valérien le laissa parler un bref instant avant de le congédier et faire venir des esclaves.

— Je veux des musiciens. Tout de suite. Je veux que la musique accompagne cet orage et mes pensées.

Tandis que l'on courait chercher les musiciens, il demanda si le procurateur Macrien était arrivé d'Antioche.

— Il attend depuis hier, Augustus.

— Alors il peut attendre encore un peu. Je le recevrai avec le secrétaire Pulinius. Dans une heure. Non, plus tard… Avant la nuit peut-être.

Quand les musiciens lancèrent les premiers sons de harpe et de flûtes sur le bruit de la pluie, il retrouva le corps d'Iflava. Il baisa la pointe lustrée de ses seins et murmura :

— Je tiendrai ma promesse, demain tu seras affranchie.

À l'approche du crépuscule, si les éclairs et les coups de tonnerre avaient cessé, la pluie n'avait pas faibli, au contraire. Les musiciens jouaient toujours. Valérien, assis dans un large fauteuil disposé entre les colonnes donnant sur la terrasse, la couronne de laurier sur le front, observait le déluge qui crépitait sur les bassins du jardin. Iflava, silencieuse comme toujours, vêtue de voiles, cou et poignets couverts de colliers d'or, demeurait étendue sur la couche. Une vingtaine de gardes étaient disposés telles des statues le long des murs.

Le secrétaire du sénat, Pulinius Aventilius, et le procurateur Macrien durent traverser toute la pièce pour venir saluer l'Augustus. Valérien répondit à leur salut en pointant l'index sur le ciel tourmenté.

— Les dieux me parlent.

Macrien fronça les sourcils, ajoutant de nouveaux plis à son visage trop maigre et qui n'en manquait pas. Comme il l'avait pressenti, on n'avait pas prévu de siège pour que le secrétaire du sénat et lui-même puissent s'asseoir.

Valérien répéta avec un soupçon d'ironie :

— La pluie, les éclairs, l'orage ! Vulcain, Junon, Cérès et Jupiter, ils me parlent. Ils veulent savoir, comme tout le monde, ce que je déciderai.

Le secrétaire Pulinius approuva d'un signe de tête.

— Le fait est, Augustus, que le temps est venu.

Premier secrétaire du sénat nommé à vie, Pulinius était à peine plus âgé que Macrien et offrait l'image peu réconfortante d'un homme épuisé. Cheveux rares, yeux fatigués, joues molles, peau tantôt blême, tantôt rubiconde. L'Orient ne lui valait rien. Il ne rêvait que de Rome et de son palais du mont Opius, voisin du bois sacré de l'Esquilin.

Mais l'apparence de Pulinius était plus trompeuse que celle d'une Gauloise dans les farces de Lamantinius Sulicius.

Parfois, à le voir, Valérien songeait avec une ombre de remords qu'il n'aurait pas dû le contraindre à venir en Orient. Puis il se souvenait que le secrétaire Pulinius était un être unique : fidèle, indifférent aux intrigues de pouvoir et plus résistant aux épreuves de la vie qu'une poignée de bronze. Un vrai serviteur de l'Empire.

Tout le contraire de ce grand échalas de Macrien. Famélique à vous dégoûter de le nourrir, même avec des noyaux d'olive. Et aussi comploteur que s'il pouvait se dissimuler dans sa propre ombre. Il fallait donc bien quelqu'un pour surveiller de près les pensées du procurateur. Pulinius était parfait pour ce rôle. Son esprit, sa volonté et sa ruse étaient infiniment plus vastes que son allure ne pouvait le laisser croire. Plus d'un s'y était laissé prendre.

Un éclair frappa la pente d'une colline proche. Son éclat à peine estompé, le roulement du tonnerre leur martela la poitrine. Les murs et les colonnes du palais vibrèrent. Les musiciens s'interrompirent avec un sursaut d'effroi.

— Ah! souffla Valérien, assez heureux de l'effet, vous voyez comme ils me parlent! Quelle impatience!

Macrien remonta le pli de sa toge sur son épaule avec un vague signe d'acquiescement avant de diriger un regard inquiet vers les collines. L'air était froid maintenant, la lumière basse et terne.

Valérien demanda :

— Crains-tu l'orage, Macrien?

— Je crains les dieux, Augustus. Je crains seulement les dieux, mais je les crains beaucoup. Comme tous les hommes et tous les bons Romains!

Valérien approuva d'un sourire.

— Tu as raison. Alors, quelles nouvelles d'Antioche?

— Les chrétiens refusent toujours de payer l'impôt de guerre. J'ai dû condamner l'évêque Dymitrios au bûcher. Ce vieux fou n'a rien voulu céder. Je ne l'aurais pas cru si tenace.

— Chacun craint son dieu, procurateur Macrien, remarqua Pulinius de sa voix sans timbre. Dymitrios craint son dieu plus que toi. Un dieu unique et solitaire, mais qu'il imagine plus puissant que les nôtres. Je le dis depuis longtemps, nous n'obtiendrons rien des chrétiens par la force.

Valérien eut une grimace agacée. Le seul défaut de Pulinius était sa faiblesse incompréhensible envers les chrétiens.

— Nous réglerons la question des chrétiens plus tard. Parle-moi de Shapûr, procurateur.

— Oh, le Perse... Tu devrais plutôt me demander quelles nouvelles nous arrivent d'Odeinath et de sa furie d'épouse, Augustus!

— Toujours vainqueurs?

— Les chevaux cuirassés de Shapûr ont cédé une nouvelle fois devant Odeinath. Si j'ose dire. Selon ce qu'on m'a rapporté, son épouse conduisait elle-même les archers pendant le combat, tout comme la première fois. En cuirasse rouge !

— Une cuirasse rouge ? s'étonna Pulinius avec un intérêt enfantin.

— En cuir, secrétaire. Qui lui moule les tétons et la montre aussi nue que nue. Avec un peu d'or, à ce qu'il paraît, pour que ça brille au soleil et se voie de loin. Galopant ainsi en pleine bataille.

Valérien sourit.

— Voilà qui mériterait d'être admiré. Bonne cavalière, bonne archère et bonne stratège. Odeinath a de la chance. Qui sait s'il ne vaut pas mieux avoir une épouse pour général que son fils ou l'un de ces brillants dux intrigants.

La remarque engendra un court silence, rempli du bruit de la pluie. Macrien secoua son squelette, admit sans conviction :

— Une bonne archère, peut-être, Augustus. Mais il faut rester prudent avec ces Barbares du désert. Ils aiment dorer les faits. Les guerriers de Palmyre la traitent déjà comme une déesse.

— Vraiment ? s'étonna de nouveau Pulinius.

Macrien roula ses lèvres dans cette expression de mépris soucieux qui n'appartenait qu'à lui.

— *Alath* ! ricana-t-il. C'est ainsi qu'ils l'appellent, secrétaire : Alath. Un nom de déesse. Un peu comme notre Diane. En plus sauvage. Qui aurait beaucoup de Mars dans le sang. Crois-moi, secrétaire Pulinius, Odeinath a beau être citoyen de Rome, ces gens-là sont surtout des Barbares.

— Chaque fois que l'on me parle d'elle, remarqua Valérien, songeur, cette Zénobie semble avoir réalisé un nouveau prodige. Il y a eu cette histoire d'étoile de sa naissance, de source dans le désert. Puis sa mort et sa réapparition. À présent, la voici en guerrière qui fait plier Shapûr. Je crains que ton jugement ne soit trop hâtif, procurateur Macrien. Ton préfet, ce jeune Aelius que j'ai nommé selon ton désir à Palmyre, ne te donne-t-il pas des informations plus sérieuses ?

— Au contraire, Augustus. Mon jugement se fonde sur ce qu'il me rapporte. Aelius est convaincu que Zénobie n'est pas celle qu'elle prétend être.

— Ah ? demanda Pulinius, levant un sourcil.

— Non ! Il pense qu'elle est une espionne perse.

— Vraiment ? gloussa Valérien. Une espionne qui combat Shapûr à la tête des armées d'Odeinath ? Qui combat et vainc les Perses ? Ton Aelius n'aurait-il pas abusé des douceurs de Palmyre, procurateur ?

— Je crois qu'il voit juste, Augustus. Cette Zénobie nous fait du théâtre.

— Du théâtre rudement joué. Les méandres de ta pensée me sont opaques, Macrien.

— Ces étranges victoires de Palmyre sur Shapûr ne sont que des simagrées. Shapûr fait semblant. Il veut nous faire croire à sa faiblesse. Il use de cette fille qui est devenue l'épouse d'Odeinath et reine de Palmyre pour nous attirer dans une bataille où il révélera alors toute sa puissance d'un coup en anéantissant nos légions.

Pulinius émit un petit sifflement admiratif.

— Ton préfet n'est pas dénué d'imagination, procurateur.

— Qui peut croire qu'une femme saurait vaincre les formidables armées du Roi des rois ? répliqua sèchement Macrien. Alors que toi-même, Augustus, toi, avec toute la puissance de nos légions, tu n'y es pas parvenu ? Ces batailles sont une simagrée. Shapûr veut nous attirer auprès d'Odeinath et nous briser avec ses chevaux cuirassés !

— Et pour cela il a mis cette Zénobie dans le lit du Très Illustre Odeinath ? susurra avec amusement Pulinius. Il humilie ses armées, défaite après défaite, jusqu'à ce que nous nous décidions à pousser les légions contre lui ? Je crains,

Macrien, que tu ne te laisses emporter par ton goût des trahisons subtiles.

— Ne sois pas insultant, secrétaire, grogna Macrien sans masquer sa fureur, retrouvant tout son aplomb maintenant que l'orage s'éloignait. Je sais de quoi je parle. Je dis qu'il faut se méfier de la faiblesse de Shapûr. Ce n'est qu'un leurre. Il n'est pas assez défait pour que les légions soient assurées de le vaincre.

Pulinius chercha le regard de Valérien. L'Augustus contemplait à nouveau la pluie, les sourcils froncés. Il songeait aux augures qu'Axtex lui avait rendus quelques heures plus tôt. Les arguments de Macrien, pour échevelés qu'ils fussent, allaient dans le même sens. Un constat désagréable. Il n'aimait pas être d'accord avec le procurateur.

— Mais selon toi, Macrien, Odeinath nous est fidèle ? C'est seulement de son épouse que tu te méfies ?

— Qui peut être certain de notre alliance avec un petit roi d'Orient, Augustus ?

— Il est sénateur autant que moi, remarqua Pulinius.

Macrien balaya l'objection d'un geste de la main.

— Pardonne-moi d'être brutal, secrétaire, mais des sénateurs qui se retournent contre Rome, il en naît tous les jours. Il n'est pas de mois sans que nous apprenions des rébellions ici ou là. En Pannonie, sur le Danube, en Gaule. Où César lutte sans vaincre, si tu me permets, Augustus. Même en Afrique, il y a des soulèvements. Il n'est qu'ici que je parviens à faire rentrer les têtes dans les épaules. Cependant, c'est l'autre aspect de la menace que je vois dans Palmyre. Si cette Zénobie n'est pas ce que je crois, si ses victoires sur Shapûr sont véritables, alors nous pouvons nous attendre que le Très Illustre Odeinath et sa déesse rouge s'imaginent bientôt aussi puissants que nos dieux.

— En ce cas, nos dieux les puniront, répliqua froidement Valérien, que la pique sur Gallien avait vexé. Ton préfet peut avoir raison, procurateur, mais j'en doute. Si j'en crois ce qu'on me dit, il s'est surtout fait une ennemie de la reine de Palmyre. Et donc un ennemi d'Odeinath, notre ami.

— Augustus, s'insurgea Macrien, Aelius ne fait qu'accomplir ta volonté! Regardons les choses en face. Si Odeinath est vaincu par Shapûr, si cette Zénobie nous trahit, les Perses seront en mesure de prendre la ville! Ce serait une catastrophe. Pour notre commerce, pour Émèse, pour Antioche. Nous ne recevrons plus ni poupre ni...

— Une grande catastrophe, certainement, le coupa Pulinius. Mais qui nous arrive avec beaucoup de suppositions, procurateur. Pour l'heure, sur le champ de bataille, les Perses fuient.

Valérien suspendit la réplique de Macrien d'un geste.

— Cette dispute est inutile. Ma décision est prise. Nous n'affronterons pas Shapûr.

La carcasse efflanquée du procurateur frémit sans que l'on sût si c'était de soulagement ou de déception. Valérien s'agaça de l'impression qu'il avait de ne jamais parvenir à percer l'esprit retors de Macrien. Sèchement, il ajouta :

— Les dieux n'en veulent pas. Axtex interroge le ciel et les entrailles depuis deux jours. Les dieux ne nous sont pas favorables. Cependant, tu te trompes, procurateur. Odeinath et son épouse en cuirasse rouge ont bel et bien affaibli Shapûr.

Il tendit la main vers Pulinius. Le secrétaire tira un petit rouleau de papyrus de la manche de sa tunique. Il le déposa dans la paume de Valérien avec circonspection.

— Ceci est une lettre de Shapûr. Il demande la paix.

— Ah!

Cette fois la surprise était assez grosse pour déplier en entier le visage du procurateur. Valérien sourit.

— La paix et de l'or.

La face de Macrien s'épanouit à nouveau.

— Ah, je comprends.

— J'ai toujours été contre cette pratique, reprit Valérien.

Payer les Barbares pour qu'ils nous laissent en paix n'a rien de glorieux.

— Ni rien d'absolument efficace, rappela doucement Pulinius.

Valérien le foudroya du regard.

— Je veux en finir vite avec Shapûr. Il me faut retourner en Europe où César a beaucoup à faire, comme tu me l'as si bien rappelé, procurateur. Si les augures avaient été favorables, nous aurions marché contre les Perses dès demain, malgré tes arguments, procurateur. Je ne crois pas que cette Zénobie soit une traîtresse. Elle est trop… singulière. Et je m'y connais en femmes. D'un autre côté, tu as en partie raison. Cela ne me plaît guère qu'elle devienne une déesse aux dépens de Rome. Elle et son époux sont en train de vaincre les Perses, inutile qu'ils se couvrent de trop de gloire. Donc, nous allons donner son or à Shapûr et je vais aller rejoindre César sur le Rhin par voie de mer. Tu seras en charge des affaires de Rome ici en attendant mon retour, Macrien. Tu prendras soin de conserver les meilleures relations avec le roi de Palmyre et son épouse, à qui nous devons beaucoup.

Macrien n'avait plus le goût à la dispute au sujet de Palmyre. De son index pareil à un bout de bois, il pointa la lettre de Shapûr.

— Combien veut-il?

— Quatre chars d'or.

— Quatre…!

Il dut reprendre son souffle.

— Augustus! La solde entière de tes légions n'y suffirait pas!

— Tu as sans doute raison. Voilà pourquoi je t'ai fait venir d'Antioche, Macrien. Tu es le procurateur de Rome en Syrie. Nul mieux que toi ne sait ce qui se trouve dans nos caisses et… hors de nos caisses.

— Que veux-tu dire?

— Tes propres caisses, Macrien, sont parfois si proches de celles de l'Empereur...

— Augustus !

— Mais si. Grassement remplies par les chrétiens, par exemple, dont tu as saisi les biens en mon nom.

Il y eut un silence. Valérien souriait. Pulinius écoutait les musiciens.

— Tu pourras disposer de deux chars et demi, tout au plus, Augustus, marchanda aigrement Macrien.

— Je doute que Shapûr s'en satisfasse.

— Sur la foudre de Jupiter, Augustus, je ne parviendrai pas à faire mieux en si peu de temps. L'or est l'or. Ce ne sont ni des paroles ni du papyrus, ça ne se réunit pas dans un soupir. De plus, il en faut garder pour les légions. Nous n'avons pas remis de solde depuis deux mois. C'est malsain...

L'argument pesait. Valérien marmonna :

— Shapûr doit être satisfait.

Le visage de Macrien s'épanouit étrangement.

— Il le sera si c'est toi qui lui remets cet or, Augustus. Ta présence et ton geste en doubleront la valeur.

Le sourire de Macrien disait tout ce que ses mots taisaient. Pulinius fut le premier à réagir :

— Il n'en est pas question, Augustus ! Ce serait plus qu'imprudent.

— Que crains-tu, secrétaire ? s'étonna Macrien. Shapûr veut de l'or, il en aura. Si l'Augustus le lui donne de ses mains, il devra lui aussi respecter sa parole de paix. Au moins, nous saurons qu'il ne s'agit pas d'un simple vol.

Pulinius roula des yeux.

— Non, non, procurateur ! Cette rencontre peut être un piège. L'Augustus, le sénat, Rome ne peuvent prendre un risque pareil.

Macrien plissa les paupières, dissimulant son regard.

— C'est à toi de décider, Augustus. Refuser la rencontre

avec Shapûr et refuser de le combattre laissera croire que l'Empereur craint les Perses.

— Non pas, s'obstina Pulinius avant que Valérien réponde. Tu es le procurateur de l'Orient, Macrien. Après tout, ici, en Syrie, ta parole vient juste après celle de l'Empereur. C'est à toi de porter cet or.

Macrien eut une perceptible hésitation.

— Je le pourrais, assura-t-il gravement. Il n'en demeurerait pas moins qu'on pourrait prendre cela pour une faiblesse de l'Empereur de Rome.

Valérien, d'un signe agacé, fit signe à Pulinius de se taire. Inutile de creuser la plaie. Macrien avait fort bien manœuvré. Pis encore : il avait raison.

Il y eut un léger froissement de tissu dans son dos. Il devina qu'Iflava quittait sa couche. Il devait tenir sa promesse. L'affranchir dès le lendemain, avant toute autre chose. Cette pensée, étrangement, l'attrista. Il se sentit soudain agrippé par le chagrin, comme lorsqu'on s'apprête à abandonner ce qu'on a de plus cher. Le gris du ciel et cette épouvantable ville de Samosathe étaient une manière de poison. Au moins, il serait bon de s'en éloigner.

D'un ton tranchant et sans réplique, il annonça :

— J'irai. J'irai devant Shapûr et nous en finirons. Réunis l'or au plus vite, procurateur.

6

SISOGODON

— Comment va-t-elle? demanda Dinah avec angoisse.

— Elle dort, chuchota Ashémou. Je lui ai fait boire des herbes. Il faut qu'elle dorme.

Le ton d'Ashémou n'était pas accueillant. Dinah ne put retenir la question qui lui brûlait les lèvres :

— C'est grave?

Avec une grimace agacée, comme si cette question ne méritait pas même une réponse, Ashémou se détourna. Ignorant Dinah, elle appela à voix basse une esclave. Elles enfournèrent des linges maculés de sang dans un couffin.

Elles se trouvaient dans l'antichambre de jute et de tapis qui précédait la pièce centrale de la tente. Malgré l'épaisseur des toiles de lin et des bandes de cuir, la chaleur à l'intérieur de la tente était intense.

Pour la toute première fois, Dinah ne sentait aucune tendresse, aucune amitié dans la présence de l'Égyptienne. Elle a peur, songea-t-elle. Aussi peur que nous tous!

— Elle va vivre, chuchota Dinah. Je le sais. Ses dieux ne peuvent pas l'abandonner.

Ashémou se redressa et la fixa durement. Le rouge de ses yeux disait tout de son épuisement. Avec un gémissement, elle ouvrit les bras pour attirer Dinah contre sa poitrine. Elles demeurèrent enlacées quelques secondes, se soutenant l'une l'autre, des sanglots dans la gorge. Ashémou finit par murmurer :

— J'ai cru toute la nuit qu'elle allait mourir. Je ne raisonne plus bien.

Elle repoussa doucement Dinah et ajouta :

— Il ne faut pas la réveiller. Sinon la douleur reviendra.

— Je ne veux pas la déranger. Je veux seulement être à son côté.

Ashémou soupira, se massa les paupières et observa Dinah avec un peu de méfiance.

— Ç'a été toute une affaire de la soigner et de lui faire prendre ses potions. Elle dort, il ne faut pas me la réveiller, insista-t-elle.

— Je te le promets. Je vais seulement la veiller. Le Très Illustre lui-même me l'a demandé.

Ashémou secoua la tête en bougonnant. Elle lança des ordres aux esclaves pour qu'elles préparent linges et pommades. Quand elle en eut fini, elle se retourna vers Dinah.

— Tu ne viens pas pour le Très Illustre, tu viens pour toi. Tu veux lui parler, je le sais bien. Je sais aussi de quoi.

Dinah la dévisagea avec stupeur.

— Ce n'est pas à moi qu'on peut faire des cachotteries, ma fille, grommela Ashémou. S'il y a quelque chose à savoir dans ce camp, Ashémou le sait.

Une lueur de tendresse et de moquerie éclairait à présent ses traits fatigués. Dinah s'empourpra.

— J'attendrai qu'elle se réveille, je te le promets.

— J'espère bien. Il n'y a rien de si urgent.

D'un coup de menton elle désigna le ventre de Dinah, qui sentit le feu de ses joues s'amplifier.

— Je voulais attendre que les batailles finissent pour le lui dire, mais maintenant ce n'est plus pareil. Je lui apprendrai la nouvelle à son réveil. Cela peut lui faire du bien.

Ashémou haussa ses larges épaules, dubitative.

— Si ça ne lui plaît pas et qu'elle se met en colère, ce ne sera pas bon pour sa blessure.

— Elle en sera heureuse, je le sais.

Ashémou dressa un index menaçant.

— Prie ton Dieu des juifs de ne pas te tromper. Si sa fièvre augmente, je te tue.

Dinah rit, bien qu'elle sût que la menace de l'Égyptienne contenait une grande part de vérité.

Zénobie dormait bien à plat sur le dos. Un drap recouvrait ses hanches et ses jambes. Un bandage serrait étroitement son buste juste sous les seins. Il était assombri sur le côté droit, là où il comprimait l'emplâtre qu'Ashémou et la sage-femme avaient appliqué sur la blessure.

Ce que Dinah avait appris, comme tout le camp, c'était que la pointe de la lance n'avait, par chance, pas pénétré profondément. La cuirasse l'avait sauvée de la mort.

En vérité, sans l'orgueil de Zénobie, cela aurait dû n'être qu'une blessure légère. Mais elle n'avait pas voulu montrer qu'elle était blessée. Ni aux Perses ni aux guerriers de Palmyre.

Alors qu'elle entraînait ses archers dans une charge violente, l'un des Perses à terre avait levé sa lance à son passage. La hampe s'était brisée sous le choc. Faisant volter Yedkivin, Zénobie avait pris le temps d'abattre le guerrier d'une flèche dans la bouche avant de retirer le fer de sa cuirasse.

Tandis que les cavaliers de Palmyre, inquiets, l'entouraient pour la protéger d'un nouveau coup, elle avait jeté avec mépris la pointe meurtrière. Le sourire qu'elle affichait dissimulait sa douleur. Nul n'avait remarqué que le fer s'était brisé dans le cuir, incrustant dans l'épaisseur de la cuirasse un fragment de métal qui avait déjà pénétré sa chair.

Sans une grimace, Zénobie avait combattu tout le temps de la bataille avec ce fer qui lui tailladait le flanc. Ce ne fut qu'après la victoire que Nurbel découvrit le sang qui poissait le rouge de sa cuirasse et de son pantalon. Un sang dont elle avait perdu une si grande quantité qu'elle ne tenait plus qu'à peine sur son cheval. Blême sous le casque emplumé, elle avait cependant voulu rester en selle jusqu'au retour au camp. Là, enfin, elle s'était évanouie.

Le Très Illustre lui-même l'avait portée sur sa couche. Depuis, il multipliait les sacrifices sur l'autel de Baalshamîn. Nulle offrande n'était trop belle pour que le dieu du désert soutienne Zénobie et ne la lui vole pas.

Bien sûr, lorsqu'elle avait repris ses esprits, Zénobie avait voulu se lever. Ashémou, Nurbel et la sage-femme avaient eu le plus grand mal à la convaincre de se laisser soigner. Nurbel, en riant, lui avait lancé :

— Dors ! Alath n'est pas morte dans son sommeil ! Tu devras encore combattre pour lui ressembler tout à fait !

Et maintenant, grâce aux herbes d'Ashémou elle dormait.

Un sommeil si lourd qu'il soulevait à peine sa poitrine.

Prise d'une crainte nouvelle, Dinah approcha sa joue des lèvres entrouvertes. Elle ne se redressa qu'après avoir perçu le souffle ténu.

Derrière la couche, veillant sur Zénobie tels des fantômes, deux cuirasses étaient suspendues à des trépieds. L'une, déchirée, était celle qui lui avait sauvé la vie. Le sang coagulé y faisait une tache noire, voilant l'image d'or d'Alath comme en un présage maléfique. La forme si parfaitement reproduite du buste de cuir en devenait effrayante. Dinah crut voir la poitrine même de Zénobie déchiquetée.

À côté, sur un trépied semblable, trônait une autre cuirasse, identique à la première et intacte. Elle semblait attendre le corps de Zénobie, déjà prête à reprendre un combat qui, Dinah le comprenait à présent, n'en finirait jamais.

Oui, Dinah n'en doutait plus. Que Zénobie fût Alath, la déesse des guerriers, ou une simple fille du désert, elle menait une guerre qui ne cesserait qu'avec elle. Un jour, les Perses seraient vaincus. Alors, elle trouverait d'autres ennemis.

Zénobie devait combattre pour vivre, telle était la vérité.

Une vérité terrifiante.

Dinah s'assit sur un tabouret près du lit. Elle contempla le visage de son étrange et impénétrable amie. Au fil des combats, la bouche de Zénobie s'était amincie, durcie. Maintenant, la fièvre craquelait ses lèvres autant que celles d'un vieux caravanier. Elle ne possédait plus la douceur de son âge. Même dans ce sommeil proche de l'inconscience, elle conservait l'expression sévère et violente avec laquelle elle haranguait ses guerriers avant les combats. La fatigue et la blessure auraient dû rendre ses traits plus tendres, fragiles. Mais non.

Depuis la nuit du meurtre d'Ophala, Zénobie venait souvent, au cœur de la nuit, dormir près d'elle, tandis qu'elle partageait la couche du Très Illustre. Le plus souvent elle le faisait avec tant de discrétion que ni Dinah ni le Très Illustre ne se réveillaient. Elle disparaissait à l'aube avec la même habileté, laissant Dinah se réveiller avec la sensation incertaine que le corps de Zénobie était longuement demeuré contre le sien.

D'autres fois, alors que le Très Illustre tirait d'elle le chant du plaisir, il lui semblait aussi deviner le regard de Zénobie, tout près, derrière une tenture ou un coussin, qui les observait.

Mais peut-être n'était-ce qu'une illusion. Au matin, elle peinait à distinguer le rêve de la réalité. Jamais elle n'avait osé poser la question à Zénobie.

En vérité, jamais, depuis la première nuit, celle des noces, Dinah n'avait regretté le rôle étrange que Zénobie lui avait confié. Dans le secret de leurs nuits, le Très Illustre la traitait avec ce respect qu'inspirait aux hommes la satisfaction paisible de leur désir. Même le souvenir des horreurs auxquelles Hayran l'avait contrainte s'était affaibli sous les caresses du Grand Odeinath.

Mais Zénobie ? Ne souffrait-elle pas de n'être jamais femme entre les bras de son époux ? Comment allait-elle accueillir la nouvelle qu'elle allait lui annoncer ?

Ashémou avait raison : nul ne savait à l'avance ce qui plaisait ou déplaisait à Zénobie. Pourquoi s'en étonner ? Nul ne pouvait saisir ce qu'étaient les désirs, les sensations et les bonheurs d'une déesse.

Dinah demeura une longue heure sans que Zénobie se réveille. Parfois, ses yeux bougeaient sous ses paupières. Ou sa bouche s'entrouvrait comme si elle cherchait à souffler quelques mots. Mais pas un son ne passait ses lèvres sèches.

Ashémou revint, lui mouilla le visage et la poitrine à l'aide d'un linge.

— La fièvre est toujours là, remarqua-t-elle.

— Crois-tu qu'elle dort vraiment ?

— Que veux-tu qu'elle fasse d'autre ? grogna Ashémou en haussant les épaules.

— Je ne sais pas. On dirait qu'elle est chez les dieux plus que chez les humains.

Elles se tinrent un instant désemparées. Dinah agrippa la main d'Ashémou et la garda dans la sienne afin de l'empêcher de trembler.

Zénobie dormait encore lorsque la nuit tomba. L'inquiétude commençait à rôder sur le camp. Ceux qui allumaient les torches murmuraient la nouvelle : la blessure d'Alath était plus grave qu'on ne l'avait cru. Le Très Illustre ne quittait plus l'autel de Baalshamîn. Il en renouvelait les offrandes toutes les heures. Tout le camp était silencieux. Il ne subsistait rien de la joie qui avait suivi les précédentes victoires.

Sous la tente, Ashémou, de temps à autre, humectait les lèvres de Zénobie à l'aide d'une cuillère en bois. Dinah gardait les yeux rivés sur son amie. Elle cherchait à dire une prière, mais il y avait si longtemps qu'elle n'avait rien demandé à Yhwh le Tout-Puissant qu'elle ne se souvenait plus des mots par lesquels on attirait ses grâces. Elle s'en voulut amèrement, songea que peut-être cela pourrait porter malheur à Zénobie.

À la lumière des lampes, les cuirasses suspendues au-dessus du lit de Zénobie prirent une autre apparence. Dinah les vit moins comme des fantômes menaçants que comme des anges gardiens attendant avec patience que leur reine revienne à la vie. Sous la lumière ocre des lampes, la pâleur, la faiblesse de Zénobie s'estompaient. Elle retrouvait sa beauté sans pareille. Ses lèvres cessaient d'être craquelées par la fièvre, l'ombre de ses paupières mettait en valeur le dessin parfait de son front. Ses épaules, ses bras révélaient la puissance des muscles qui pouvaient tendre la corde d'un grand arc, brandir et frapper de l'épée des heures durant.

Sans aucune autre raison, Dinah se reprit à espérer.

Zénobie allait se réveiller. Son sommeil paraissait étrange car elle puisait chez les dieux la force de guérir.

Zénobie ne se pouvait comparer à aucune autre femme, aucun autre humain. Elle ne les abandonnerait pas. Elle vivrait.

Nurbel vint prendre des nouvelles. Ashémou lui interdit d'approcher Zénobie, lui fit seulement savoir qu'elle n'avait pas repris conscience. Alors que la nuit s'épaississait, terriblement silencieuse, Nurbel revint. Cette fois, il n'attendit pas l'avis d'Ashémou pour repousser la portière de la tente. Malgré leur propre épuisement, Dinah et Ashémou furent frappées par l'anxiété qui le vieillissait plus que tous les combats. On eût dit que sa barbe toujours impeccablement tressée était plus blanche.

Il se tint debout devant la couche de Zénobie, l'observa sans un mot, longtemps. Dinah devina qu'il l'admirait comme elle l'avait admirée quelques heures plus tôt. Comme elle, il voulait se rassurer et se rassasier de l'étrange beauté qu'elle offrait.

— Le Très Illustre craint pour la vie de son épouse déclara-t-il enfin à voix basse. Il a décidé de demeurer devant l'autel de Baalshamîn aussi longtemps que Zénobie n'aura pas rouvert les yeux.

Pour une fois, son ton manquait d'assurance. L'appréhension du Très Illustre était la sienne. Ashémou grommela :

— Je connais les blessures et je connais Zénobie. Il ne faut pas perdre confiance. Elle va se réveiller.

Nurbel caressa la peau lisse de son crâne, les traits crispés. Lui aussi connaissait les blessures de combat. Plus souvent qu'à son tour, il en avait vu qui semblaient bénignes et qui avaient tué.

Dinah dit :

— Je crois qu'elle ne dort pas vraiment. Je crois qu'elle se repose et qu'elle reprend des forces auprès des dieux.

Nurbel lui jeta un coup d'œil étonné. Puis il contempla à nouveau Zénobie. Lentement, un peu hésitant, mais avec l'esquisse d'un sourire, il hocha la tête.

— Oui, peut-être. Peut-être bien.

7

SIRMIUM

Tandis que le char les ballot-
tait sur les routes encombrées
entrant dans Sirmium, Clodia
s'était laissée aller au bonheur
nostalgique de retrouver les
paysages de son enfance. Son
plaisir et plus encore la perspec-
tive d'achever leur éprouvant
voyage depuis Nicopolis avaient
enfin tiré Ulpia de sa morosité.

Hélas, les retrouvailles avec
sa mère, dans la maison qu'elle avait pris tant de soin à
embellir quelques années plus tôt, s'étaient vite teintées de
déception. Les cris de joie, la stupéfaction ravie du vieil
Aelcan, le fidèle régisseur, les embrassades joyeuses et les
offrandes aux lares des ancêtres et de son père n'avaient pas
longtemps dissimulé ce qui ne pouvait être caché. Julia
Cordelia était malade, terriblement vieillie et fatiguée.

Clodia crut d'abord que c'était seulement l'effet de l'émotion qui pâlissait le visage de sa mère. Mais ni les sourires ni
la joie d'entendre de fraîches nouvelles d'Aurélien ne détendirent le masque de chair livide plaqué sur ses joues et ses
tempes ainsi que la pierre d'une statue. Malgré les fards, ses

paupières étaient lustrées d'ombres creusées. Des veines d'un bleu presque noir serpentaient sur le front ridé. Jusque dans le regard de sa mère, Clodia ne retrouvait plus l'éclat d'énergie et de puissance qui l'avait tant de fois impressionnée.

Alors qu'elles visitaient les jardins, sa démarche paraissait lasse, réticente. La main osseuse et tavelée qui serrait le bras d'Ulpia semblait s'y appuyer plus que l'entraîner. Pourtant, elle plaisantait avec la vivacité d'esprit d'autrefois. La même ironie perçait sous sa tendresse pendant qu'elle contait tout le mal que Clodia s'était donné pour embellir la villa afin qu'elle soit digne de la gloire d'Aurélien. Cependant, malgré la lumière du crépuscule, Clodia remarqua que le sang ne teintait guère ses lèvres. Pis encore, la si belle chevelure de la grande prêtresse de Sol-Invictus, cette chevelure qu'elle avait jalousée jeune fille, s'était clairsemée, les boucles devenues sèches et cassantes.

Le bonheur et les espoirs de Clodia s'estompèrent avec l'amertume impuissante qu'engendre la promesse gâtée d'une fête. Elle avait poussé Ulpia jusqu'ici afin de la confier à la puissance de sa mère. Pas un instant, depuis qu'elle avait convaincu Ulpia d'entreprendre ce voyage jusqu'à Sirmium, elle n'avait douté de l'aide de Julia Cordelia.

Maintenant, avec une froideur qui glaça ses traits autant que son cœur, elle se demandait si Mithra et Sol-Invictus écouteraient encore une vieille prêtresse. Se satisferaient-ils de l'offrande d'un corps usé et souffreteux ?

Si Julia Cordelia devina la froideur de sa fille, elle n'en montra rien. Dans la dernière lumière du jour, sous les portiques du temple de la Magna Mater, elle saisit les mains d'Ulpia, les pressa contre sa maigre poitrine. Le geste était tendre mais impérieux. Le regard de Julia Cordelia retrouva sa force. Ulpia, intimidée, le soutint en se mordant les lèvres.

— C'est un bonheur de te contempler, Ulpia. Aurélien ne peut qu'être heureux de lever les yeux sur son épouse. Mais toi, heureuse, tu ne l'es pas. Je le sens. Il y a des semaines qu'un rire n'est pas sorti de ta belle poitrine, n'est-ce pas ?

La rougeur qui couvrit le visage d'Ulpia ne devait rien à l'incandescence du soleil. Elle baissa les paupières. Julia Cordelia interrogea avec beaucoup de douceur :

— Est-ce pour cela que Clodia t'a conduite près de moi ?

Un sanglot lui répondit. Ulpia se dégagea de l'emprise de Julia Cordelia et lui tourna le dos, les épaules secouées par les pleurs.

Clodia, soulagée, observa sa mère. Ainsi, elle avait deviné. Ainsi, la vieillesse n'emportait pas tout. Elle esquissa une caresse sur la nuque d'Ulpia, qui s'écarta avec un mouvement coléreux.

— Ulpia ne parvient pas à être enceinte, soupira Clodia en la regardant s'éloigner vers l'*atrium*.

Julia Cordelia hocha la tête calmement.

— Je m'en doutais.

— Aurélien doit avoir un fils. Un Augustus sans descendance ne sera pas respecté, insista Clodia sans autre précaution et bien certaine que sa mère comprenait sa crainte.

— Sait-il que vous êtes ici ?

— Non. Il est à Rome. Nous avons suivi de peu son départ.

— Aurélien à Rome ?

Clodia préféra taire la vraie raison de ce voyage. Après l'assassinat des officiers le jour de ses épousailles, l'indifférence de Gallien avait paru recouvrir de silence l'affront. Mais soudain, après sept mois, le sénat avait réclamé la présence du dux majorum de Mésie au Capitole. Julia Cordelia ne savait rien, ni de la tentative d'empoisonnement d'Aurélien ni de la vengeance sanglante que sa fille avait assouvie avec l'aide de Maxime. Et il valait mieux qu'elle demeure dans cette ignorance.

— Cela arrive parfois qu'on le réclame au sénat, assura Clodia avec désinvolture.

Julia Cordelia désigna Ulpia.

— Sait-il que son épouse est stérile ?

— Non. Ulpia voulait le lui annoncer avant son départ. Elle a encore l'innocence d'une jeune fille. Elle croit que la vérité est toujours bonne à dire.

Ulpia les avait peut-être entendues. Elle se retourna, s'avança en séchant maladroitement son visage défait.

— Pardonne-moi, mère, bredouilla-t-elle. J'ai tellement honte ! Clodia a raison. Je me comporte comme une enfant. Mais c'est… si difficile à accepter… et Aurélien qui ignore…

À nouveau les larmes coulèrent, noyant ses paroles. Sans un mot, Julia Cordelia l'attira dans ses bras.

— Clodia a eu raison, murmura-t-elle. Ton époux n'a pas besoin de l'apprendre. Pas encore… Et peut-être jamais, si les dieux le veulent.

— Le sang n'est pas venu quand il fallait, marmonna Ulpia à travers ses larmes. Puis, soudain, j'ai saigné si fort et si longtemps que j'ai eu peur de me vider !

Clodia observa les caresses que sa mère prodiguait à Ulpia. Elle se souvint d'avoir eu besoin, il y avait très longtemps, des bras de Julia Cordelia pour éteindre une douleur aussi ravageuse que celle qui consumait aujourd'hui sa belle-sœur. Une douleur qu'elle aussi voulait, tout à la fois, cacher et dévoiler à Aurélien. Lui qui était la source et le baume de son mal. À l'époque sa mère avait, sans s'offusquer, trouvé l'aide des dieux pour l'apaiser. Clodia était devenue forte. Plus jamais depuis elle n'avait craint de souffrir à cause de son frère.

— Rien n'y fait, bredouillait encore Ulpia à travers ses sanglots. Je suis allée implorer Cérès, notre déesse de la fécondité, dans tous les temples de Nicopolis. Rien, rien n'y fait. Ni les herbes ni les tisanes. Ni…

N'osant prononcer le mot, elle suspendit sa phrase. Clodia intervint :

— Nous avons consulté des matrones. Des Grecques, des Syriennes et même une Égyptienne. Elles ont toutes essayé leurs magies. Les saignements sont revenus. C'est pourquoi j'ai décidé que nous devions te voir, mère.

— J'ai si honte, répéta plaintivement Ulpia. Si honte !

— Tu ne dois pas, répliqua Julia Cordelia d'une voix ferme. La honte ne t'aidera pas. Elle te rendra injuste envers toi-même.

— Les dieux me punissent, s'obstina Ulpia. J'ai fauté ! Sinon, je serais comme toutes les femmes.

— Si tu as fauté, tu connais ta faute et tu peux la réparer.

Ulpia leva son visage raviné de larmes vers Clodia. Elle la regarda avec intensité, comme si elle attendait d'elle une réponse. Les lèvres de Clodia demeurèrent closes. Ulpia enfouit son visage entre ses mains.

— Oh, si seulement je savais ce qui est le mal…

Julia Cordelia lui attrapa les épaules avec une brutalité inattendue.

— Écoute-moi, épouse de mon fils. Chaque chose qui advient à Aurélien est la volonté des dieux qui le protègent. Depuis le premier jour où il a respiré l'air de ce monde, Mithra et Sol-Invictus se sont saisis de son destin. Tu es son épouse. Tu ne le serais pas sans leur volonté. Ton sang va et vient selon ce qu'ils ont décidé. S'ils ne veulent pas que tu portes un enfant aujourd'hui, il faut leur rendre grâce et savoir se plier avec patience à leur dessein.

Ulpia secoua la tête.

— Aurélien n'aura pas cette patience. Il va être déçu, je vais lui répugner.

Julia Cordelia eut un petit rire apaisant.

— Tu connais mal ton époux, ma fille. Nul n'est plus

fidèle qu'Aurélien. Ce qu'il a reçu une fois par amour, jamais il ne pourra s'en séparer.

Clodia baissa les yeux, devinant que les mots de sa mère s'adressaient tout autant à elle.

— Viens, dit encore Julia Cordelia en entraînant Ulpia vers les lumières qu'Aelcan avait allumées dans l'atrium. Tu dois prendre des forces et te reposer. Demain, dans le temple de Sirmium, à l'heure du zénith, je te présenterai à la toute-puissance du Grand Soleil.

8

SISOGODON

Zénobie dormit encore deux jours et deux nuits. La stupeur figeait le camp. Les guerriers n'osaient plus tourner les yeux vers les tentes des femmes ni même prononcer le nom d'Alath.

Nurbel ployait la tête. Pour la première fois de sa vie, il ne savait comment se battre ou réconforter le Très Illustre. Au milieu de la deuxième nuit, celui-ci vint à son tour voir Zénobie.

Il entra en silence. Son épouse reposait exactement comme Nurbel le lui avait décrit : sur le dos, le buste serré dans un large pansement. Elle était plus pâle qu'il ne l'avait jamais vue, la bouche entrouverte sur un souffle que l'on devinait à peine.

Il ne prononça pas une parole tandis qu'il la contemplait, mais songea combien, malgré la pâleur, malgré le pansement et les tempes brillantes de fièvre, Zénobie demeurait belle. Une beauté qu'il n'avait jamais tenue dans ses bras. Mais qui, dans l'abandon de la maladie, inspirait moins le désir que la crainte respectueuse.

Toujours silencieux, il s'approcha de la couche, fit glisser sa paume au-dessus du visage de son épouse bien-aimée sans l'effleurer. Il n'osait pas la toucher mais voulait sentir la chaleur de cette vie qui lui était devenue si précieuse.

Alors qu'il allait quitter la tente, Ashémou, s'agenouillant avec humilité, lança :

— Ton épouse vivra, Très Illustre !

Le Grand Odeinath baissa les yeux vers elle. Des yeux où rien ne pouvait se lire.

— Zénobie se réveillera, insista Ashémou. Demain elle ouvrira les yeux, je le sais.

Le Très Illustre ne demanda pas comment ni d'où la nourrice tenait cette certitude. Il quitta la tente et appela Dinah près de lui. Lorsqu'elle le rejoignit, il observa ses traits épuisés par les veilles, lui caressa la joue. Un geste pareil à celui qu'il avait esquissé sur le visage de Zénobie mais qui, cette fois, frôla la peau tendre de la jeune concubine.

— Pourquoi la nourrice égyptienne est-elle si certaine que Zénobie va se réveiller ?

Dinah hésita avant de dire la vérité :

— Parce qu'elle est comme moi. Elle ne peut pas imaginer que les dieux ne nous la rendent pas.

Le Très Illustre entendit la terreur qui s'était emparée d'elle. Il hocha la tête avec un faible sourire.

Dinah murmura :

— Elle doit vivre pour que l'enfant du Très Illustre devienne son enfant et que tout ce qu'elle a prédit s'accomplisse.

Odeinath ne répondit pas. Il fit allonger Dinah près de lui sur la couche royale. Il prit sa fine main dans sa poigne de guerrier et garda les yeux ouverts jusqu'à l'aube.

Lorsque l'angoisse ou la tristesse empêchait Dinah de respirer, les doigts d'Odeinath se resserraient un peu. Il la tenait comme on retient un enfant qui s'apprête à tomber dans le vide.

Mais, fût-ce la peur qui avait fait parler Ashémou ou sa science de nourrice, elle avait eu raison.

Zénobie se réveilla aux premières lueurs de l'aube, alors que le soleil était encore rouge et énorme sur les plateaux du désert. Elle eut un instant de surprise et d'égarement en découvrant le visage d'Ashémou ruiné par l'inquiétude. Elle palpa le tissu qui serrait sa blessure.

— Ah, elle est toujours là, murmura-t-elle avec un étonnement déçu.

Ashémou vacilla, appela les servantes d'une voix à peine audible. Les larmes si longtemps contenues coulèrent enfin, dénouant sa gorge. Elle poussa un grand cri. Dehors, on crut qu'il annonçait le pire. Mais des servantes jaillirent de la tente. Zénobie était réveillée ! Alath était vivante !

Il y eut un temps de confusion joyeuse. Les guerriers s'attroupèrent devant la tente et menacèrent de l'investir. Ashémou retrouva ses esprits, remit de l'ordre, convainquit Nurbel et le Très Illustre d'attendre le soir pour visiter Zénobie. Elle n'allait pas s'envoler ni se rendormir de sitôt, mais avait besoin de calme autant que de soins qu'on ne pouvait exposer à l'attention des hommes.

Dinah dut, elle aussi, patienter. Le soleil pesait déjà lourdement sur les toiles de la tente lorsqu'elle put enfin s'asseoir sur le lit de Zénobie. Elle la dévora des yeux. Et fut incapable de prononcer une parole. Elle avait attendu depuis si longtemps cet instant que le regard de Zénobie, aussi incisif qu'il l'était avant sa blessure et son long sommeil, l'impressionnait.

Dans son dos, Ashémou s'agaça de son silence.

— Eh bien, ne vas-tu pas lui dire ?

— Me dire quoi? demanda Zénobie d'une voix engourdie.

Dinah referma les mains sur son ventre.

— Cela fait quatre lunes que mon sang n'a pas coulé!

— Oh!

— Quatre lunes! persifla Ashémou en frottant ses yeux cernés de bistre. Quatre lunes, et ni toi ni le Très Illustre ne vous en êtes aperçus! À part la guerre, rien ne vous intéressait.

Zénobie ignora le sarcasme et sourit avec douceur. Dinah saisit ses mains et les posa sur son ventre.

— Ce sera le tien autant que le mien.

Zénobie approuva.

— Bien sûr que ce sera le sien autant que le tien, intervint Ashémou. Mais je ne te conseille pas de t'en vanter, ma fille. Il devra surtout être le fils du Grand Odeinath et de son épouse Zénobie.

— Tu penses que ce sera un garçon? interrogea Dinah sans se laisser intimider.

— Si ça n'en est pas un, tu n'auras plus qu'à aller te cacher au fond du désert, répliqua Ashémou.

Avec une grimace de douleur, Zénobie roula sur le côté. Elle posa sa tête au creux des cuisses de Dinah, baisa son ventre à travers le tissu. Un geste de tendresse si rare qu'il prit Dinah au dépourvu. Elle hésita à caresser les tempes de Zénobie que la fièvre abandonnait doucement.

— C'est bien, murmura Zénobie d'une voix blanche. C'est bien que tu portes la vie. Fille ou garçon, je serai heureuse. Il y a eu tant de sang sur mes mains, tant de morts, que j'ai besoin d'un peu de vie nouvelle.

— Pour ça, oui! Il est temps que tu t'en rendes compte.

— Nous aurons toutes les deux un gros ventre, s'amusa Dinah.

★_★★

Ashémou rit.

— Sûr ! On lui fichera des coussins sur le ventre, de grandes tuniques, et personne ne doutera qu'elle soit enceinte. Mais tu ne pourras plus te montrer avec cette horreur, Zénobie ! s'exclama Ashémou en désignant les cuirasses dressées derrière le lit. Une épouse enceinte ne va pas faire la guerre.

Zénobie ne répondit pas tout de suite. Dinah devina la raideur nouvelle de son corps. Elle dit avec calme :

— Ashémou a raison. D'ailleurs, tu ne peux plus combattre. Il faut soigner ta blessure.

Zénobie s'écarta, reprit sa place sur la couche. Son visage disait tout ce qu'elle taisait. Comme en réponse, des cris retentirent. Les guerriers attroupés autour de la tente depuis le matin s'énervaient sous le soleil, mais n'avaient pas l'intention de s'éloigner.

Exaspérée, Ashémou lança :

— Ah, voilà qu'ils recommencent. Alath ! Alath ! Ils vont brailler ça jusqu'à la nuit.

— Oui, dit Zénobie. C'est ainsi qu'ils ont besoin de moi. Comme d'une déesse.

— Une déesse ! siffla Ashémou. Ce sont des hommes ! Ils croiront toujours tout ce qu'on leur racontera. Mais moi, ma fille, je sais qui tu es. Et depuis le premier jour de ta vie ! Une fille. Qui a besoin de repos maintenant, et de se comporter comme une vraie femme. Voilà la vérité.

— Alors tu es aveugle et ignare, nourrice, répliqua sèchement Zénobie. J'ai promis au Très Illustre que je vaincrai les Perses. J'accomplirai ma promesse. Personne ne doit en douter. Pas même toi.

— Dans ton état ?

— Dans mon état, oui. N'es-tu pas là pour me soigner ?

Dinah se leva de la couche, saisissant les mains d'Ashé-

111

mou pour apaiser sa colère. Mais l'épuisement et la crainte rendaient l'Égyptienne imperméable à la raison.

— S'il en est ainsi, qu'Isis te vienne en aide, grinça-t-elle avec rancœur. Moi, c'est fini. Je ne pourrai pas te sauver des démons une nouvelle fois.

Alors que le soleil s'abaissait sur l'horizon, le Très Illustre se fit annoncer auprès de Zénobie. Ses esclaves vinrent semer les tapis de la tente de pétales de rose que l'on était allé cueillir au grand galop dans les jardins de l'Euphrate. Lorsque le sol en fut recouvert et que leur parfum embauma, il passa la portière de toile et exigea qu'on le laisse seul avec son épouse.

Ils demeurèrent un instant embarrassés par l'émotion. Le visage du Grand Odeinath montrait si bien son bonheur que Zénobie en fut plus émue qu'elle n'était capable de le reconnaître.

Le Très Illustre détendit sa puissante poitrine et s'inquiéta d'une voix tendre :

— Souffres-tu ?

— À peine. Rien qui mérite que l'on s'y attarde beaucoup.

Odeinath approuva d'un signe de tête. Il demanda encore :

— As-tu vu ton dieu pendant que tu dormais ?

Zénobie le dévisagea avec étonnement. Avec une moue amusée, Odeinath ajouta :

— Cette pensée est venue à Dinah. Elle t'a beaucoup regardée pendant que tu dormais de ce sommeil interminable. Elle en a conclu que tu étais devant Baalshamîn. Sans doute l'a-t-elle confié aux servantes : il n'est plus un guerrier de Palmyre qui en doute. Ils assurent que c'était la raison de ta blessure et de ton absence de conscience. Peu importe.

Notre désir, à tous, est qu'Alath soit grande et aimée des dieux...

Les yeux d'Odeinath pétillaient de malice. Zénobie rougit.

— Ce long sommeil devait plus à la maladresse d'Ashémou qu'aux dieux, Très Illustre. Elle a dû se tromper dans les potions qu'elle m'a fait boire et m'a étourdie plus sûrement que la lance du Perse ! Si Baalshamîn m'a appelée près de lui, je n'en ai pas le souvenir.

Le Très Illustre ouvrit la bouche pour répliquer. Ce fut un énorme rire qui sortit de sa gorge. On l'entendit jusqu'audehors de la tente. Chacun prêta l'oreille, comprenant que le Grand Odeinath retrouvait le bonheur de vivre auprès de son épouse et que tout danger était écarté. Le rire se propagea de bouche en bouche. Tout le camp jeta au ciel cette joie qui effaçait les heures sombres.

— Je suis heureux que tu me dises encore la vérité, fit Odeinath en reprenant son souffle.

Zénobie affronta son regard.

— Ne t'ai-je pas promis la vérité ?

Odeinath l'observa pensivement. Zénobie devina qu'il aurait aimé prendre sa main. Peut-être même aurait-il aimé poser ses lèvres sur elle. Elle n'en éprouva pas de répulsion, simplement un étrange regret. Elle aussi, elle aurait voulu pouvoir, un instant, fermer les yeux, détendre son corps endolori entre les bras puissants de cet époux qui avait appris à l'aimer avec tant de respect. Hélas, il demeurait dans sa poitrine une pierre de glace qui le lui interdisait.

Avec toute la douceur dont elle était capable, elle dit :

— Il est bon d'avoir un époux comme toi, Très Illustre. Je suis heureuse de savoir que Dinah va te donner un fils.

Le Très Illustre secoua la tête. Très sérieusement il répliqua :

— Non, ce n'est pas Dinah qui me donne ce fils, c'est toi.

C'est le lendemain, au milieu du jour, qu'arriva la terrible nouvelle.

Ashémou et Dinah se reposaient encore lorsque Zénobie devina une agitation inhabituelle dans le camp. Elle demanda à une esclave d'aller s'enquérir de la raison de ce tapage. La fille revint aussitôt, tout excitée.

— L'Empereur des Romains est prisonnier des Perses !

Zénobie se figea.

— Es-tu certaine de ce que tu racontes ?

— C'est ce qu'ils disent, maîtresse. Les Perses ont pris l'Empereur de Rome, répéta l'esclave.

Zénobie demeura sidérée un instant. Enfin elle ordonna :

— Appelle d'autres servantes. Sans faire de bruit.

Elle désigna d'un coup d'œil le grand corps assoupi d'Ashémou.

— Vous allez m'habiller sans réveiller la nourrice.

L'esclave la dévisagea d'un œil rond.

— Maîtresse, ton pansement…

Zénobie posa un doigt sur ses lèvres.

— Parle bas et obéis.

S'appuyant aux bras de deux robustes servantes, le buste tenu dans sa cuirasse serrée avec précaution sur son pansement, Zénobie sortit de sa tente pour rejoindre celle du Très Illustre.

Avant qu'elle ait fait vingt pas, les guerriers l'entourèrent, formant une haie humaine, les yeux béants de bonheur autant que de stupeur. Les cris jaillirent, aussi drus qu'une salve de flèches.

— Alath est de retour, Alath est invaincue !

Zénobie plaqua un sourire sur ses lèvres. La douleur lui cisaillait la poitrine. À chaque pas, des pointes et des tenailles invisibles fouillaient son côté, lui coupant le souffle. Mais il n'était plus question de montrer sa faiblesse. Des guerriers en cuirasse tirèrent l'épée pour s'en frapper la poitrine, d'autres firent cliqueter des hampes de flèches contre le bois des arcs, hurlant encore à travers le vacarme :

— Alath est avec nous! Alath est invaincue!

Nurbel accourut, le glaive à la main. Cognant du pommeau les épaules et les reins pour qu'on lui cède le passage, il surgit devant Zénobie.

— Es-tu devenue folle? Par tous les dieux, tu vas rouvrir ta blessure à marcher comme ça!

— Inutile de me parler comme Ashémou. Aide-moi plutôt à rejoindre la tente de mon époux.

Soulevant une tempête de vivats, Nurbel la prit dans ses bras. Du coin de l'œil, Zénobie devina que ce contact, si rare entre eux, n'était pas sans troubler le vieux guerrier.

— C'est Alath que tu portes et non une femme, lui rappela-t-elle, moqueuse.

Fendant la foule agitée, Nurbel feignit de ne pas entendre. Le Très Illustre, en simple tunique et pantalon bouffant, les attendait devant la portière de cuir de sa tente.

— Sur ma couche, porte-la sur ma couche! cria-t-il à Nurbel.

Zénobie y fut allongée, livide, la sueur perlant sur ses lèvres et son front. Le Très Illustre ordonna qu'on apporte des compresses fraîches, du vin et des jus de fruits, du lait de chamelle, des dattes et des pains.

Nurbel surprit le sourire tendre et si inhabituel qui ondoyait sur le visage rugueux d'Odeinath. Il baissa le regard. Ses propres yeux brillaient plus qu'ils n'auraient dû.

— Est-il vrai que l'Empereur de Rome est entre les mains de Shapûr? demanda Zénobie après avoir bu l'eau d'un gobelet d'argent.

Nurbel raconta ce que l'on avait appris. Plutôt que de lancer ses légions contre les Perses affaiblis par les victoires de Palmyre, le vieil Augustus Valérien avait choisi d'offrir de l'or à Shapûr. Dans son inconscience, il était allé en personne remettre ce butin entre les mains du Perse. Une maigre garde l'accompagnait. Les Perses n'avaient eu aucun mal à s'emparer de lui.

— Il fallait être romain pour ne pas deviner le piège, gronda Nurbel. L'Empereur a peut-être été fort et rusé dans le passé. Aujourd'hui, il n'est qu'un vieillard usé et ramolli !

— Que les dieux soient cléments et le fassent mourir vite, soupira le Très Illustre. S'il vit, Shapûr saura être plus cruel avec lui que mille démons.

— Que font les Romains pour délivrer l'Empereur ? demanda Zénobie.

— Rien !

Nurbel lissa sa barbe avec un ricanement de dégoût.

— Ce sont les Romains d'aujourd'hui. Ils fuient devant les Perses aussi vite que leurs jambes les portent. Ils filent sur Émèse alors que Shapûr sera bientôt dans Antioche, massacrant et pillant comme il sait le faire quand il n'a que des faibles devant lui ! Les Romains n'ont que ce qu'ils méritent.

On savait maintenant que le procurateur Macrien, au lieu de secourir Valérien, s'était empressé de prendre le pouvoir sur les légions d'Orient afin de se faire acclamer Augustus, usurpant ce titre sans vergogne. D'Antioche à Palmyre, depuis des années il régnait sur l'argent de l'Empire. Nul ne se faisait d'illusions sur la valeur du procurateur Macrien.

— Serpents et scorpions, mensonges, hypocrisies et trahisons, voilà de quoi est faite Rome ! lança Nurbel. L'Empire est un arbre trop vieux. Ses racines sont pourries et ses branches trop longues. Il ne faut plus rien en attendre. À quoi bon avoir vaincu trois fois ce rat de Shapûr ?

Odeinath leva une main apaisante.

— Une bataille gagnée n'est jamais sans effet. Valérien n'est pas un sot. S'il est tombé dans le piège du Perse, c'est parce qu'il a été trahi par ceux à qui il se fiait.

116

— Que veux-tu faire, maintenant ? demanda Zénobie à son époux.

Ce fut Nurbel qui répondit, avec violence :

— Pourquoi nous battre encore contre les Perses ? Rentrons à Palmyre. La ville et ton fils ont besoin de ta présence, Très Illustre, plus que les Romains. Zénobie pourra y soigner sa blessure dans un peu de confort.

— Nous sommes aussi Rome, Nurbel. Je suis membre du sénat.

— Pardonne-moi, Très Illustre, s'obstina Nurbel, mais à Rome tu n'as jamais posé le bout de ta botte !

— J'ai juré fidélité à l'Empereur devant les dieux. Le Grand Odeinath ne revient pas sur sa parole. Quand Shapûr humilie l'Empereur, il me trouve sur son chemin. Veux-tu que nous devenions comme les Romains, pressés d'oublier nos devoirs ?

Le ton était cinglant. Nurbel baissa la tête, amer, ses joues tannées fonçant sous le reproche.

Le Très Illustre se tourna vers Zénobie.

— Nurbel a cependant raison pour une chose. Il faut remettre de l'ordre à Palmyre. La trahison de Macrien entre dans ma propre maison. En usurpant le titre d'Augustus, Macrien prend le pouvoir sur toutes les légions d'Orient...

— Ah ! souffla Zénobie, comprenant aussitôt. Voilà pourquoi le préfet Aelius tenait tant à demeurer dans Palmyre au lieu de nous suivre contre les Perses !

Le Très Illustre approuva dans un rire aigre.

— Oui, nous n'avons pas été moins aveugles que le vieux Valérien ! Cela nous amusait de penser le préfet trop couard pour se battre contre Shapûr. Mais son maître Macrien avait déjà songé à sa trahison.

— Et voilà pourquoi ton fils Hayran s'est empressé de le rejoindre à Palmyre quand sa chère tante Ophala n'a plus été là pour le protéger de ta colère, murmura Zénobie avec mépris.

Le Très Illustre se tut, ainsi que Nurbel. Ils n'avaient pas besoin de poursuivre. Chaque pièce du piège était désormais en place.

Shapûr pouvait ruiner Antioche comme les Perses en avaient la coutume, se retirant avec des milliers d'esclaves après avoir mis à sac la ville. L'usurpateur Macrien s'en moquait. Les routes du commerce qui le rendait riche n'étaient pas coupées. Il occupait Émèse, les pistes d'Égypte, les ports et, surtout, grâce au préfet Aelius, Palmyre.

Odeinath, pas plus que Zénobie et Nurbel, ne doutait qu'Hayran se vende avec joie aux Romains. Ainsi, il pourrait usurper le titre de son père qu'il convoitait depuis si longtemps. Il allait en fermer les portes, en interdire l'accès à Odeinath et à Zénobie. Il faudrait un long siège et la destruction d'une bonne part de la cité pour le chasser. Hayran savait que jamais le Très Illustre ne se livrerait au sacrilège d'un pareil saccage.

— Pourquoi les dieux m'infligent-ils la honte d'un fils pareil ? interrogea Odeinath avec un étonnement sincère.

— Les dieux n'ont pas encore décidé, répliqua Zénobie avec un sourire.

— Ce n'est ni sur Shapûr ni sur Palmyre qu'il faut marcher, déclara-t-elle, mais sur Émèse et les Romains.

— Sur les Romains ?

— Oui, sur les légions de l'usurpateur, Très Illustre. Tu le dis : Macrien et sa clique ne sont que des traîtres ! Il nous faut marcher sur eux avant qu'ils puissent asseoir leur force.

Nurbel siffla entre ses dents :

— Ce ne sera pas plus aisé que devant les Perses. Pour ce que j'en sais, quatre légions au moins ont acclamé Macrien.

— Il a acheté leur soumission, pas leur courage, objecta Zénobie. Que valent les mots d'un faux Augustus devant l'armée du Grand Odeinath qui vient de vaincre les chevaux cuirassés de Shapûr ? De plus, le Très Illustre fera savoir avant le combat qu'il est fidèle à l'Augustus Valérien et non à l'usurpateur Macrien. Si les officiers de ces légions possèdent encore un peu d'honneur, ils se soumettront au roi de Palmyre sans combattre.

Odeinath croisa le regard de Nurbel. Ce que Zénobie ne disait pas, c'était que les légions, comme tout l'Orient, avaient entendu le nom d'Alath. Les guerriers admiraient les vainqueurs... et préféraient vaincre avec les vainqueurs !

— Cela aurait été possible, admit le Très Illustre avec tristesse, si les Romains ne savaient aussi que tu es blessée et qu'Alath ne sera pas en tête de mes guerriers.

— Abattre Macrien n'empêchera pas Hayran de s'enfermer dans Palmyre pour nous interdire un retour dans la ville, renchérit Nurbel. Il est assez fou pour s'obstiner...

— Alors Hayran et son préfet se trompent autant que les Romains.

Nurbel et le Très Illustre observèrent Zénobie sans comprendre.

— Toi, Nurbel, tu peux rejoindre Palmyre avec tes chameliers dès cette nuit. Si tu fais vite et discrètement, la surprise sera ta plus grande force. Hayran et son préfet sont des imbéciles présomptueux. Tu tiendras la ville avant qu'ils s'en rendent compte. Pendant ce temps, nous marcherons sur Émèse, Très Illustre. Je serai à ton côté comme je l'ai été dans toutes les batailles passées.

— Tu n'y penses pas ! s'écria Odeinath. Ta blessure ne te permet pas de chevaucher avant des jours ou des semaines...

— Ma blessure ne compte pas. C'est maintenant que nous devons frapper.

— Non ! Ce serait te tuer.

— Très Illustre, Alath doit aller devant tes guerriers.

— Ne méprise pas le mal, ou c'est une Alath mourante qui se présentera devant Émèse ! Je te perdrai et je perdrai le combat, car les soldats de Palmyre croiront que les dieux m'abandonnent.

Zénobie saisit la main de son époux et la posa sur sa poitrine. Le contact le fit tressaillir.

— Fais-moi confiance. S'il le faut, j'irai en char ou en chariot les premiers jours. J'aurai tout le temps de me soigner lorsque nous aurons conquis Émèse.

Encore, Odeinath secoua la tête, effrayé par l'obstination folle de Zénobie. Alors, s'appuyant à sa main, elle se redressa sans une grimace.

— Tu m'aideras comme tu m'aides en cet instant, dit-elle d'une voix sourde.

Elle reprit son souffle, caressa de sa main libre le cuir rouge de sa cuirasse qui comprimait son pansement.

— Comme tu le sais, il est une autre raison pour laquelle il faut abattre sans tarder Macrien et faire de toi le roi le plus puissant d'Orient.

Odeinath, autant que Nurbel, fronça le sourcil.

— Zénobie, bientôt, ne pourra plus porter sa cuirasse ni combattre. Son ventre sera gros. Elle devra donner la vie plutôt que la prendre et offrir un fils au roi de Palmyre.

9

SIRMIUM

En gestes précis, Julia Cordelia disposa les encens sur les braises. La fumée odorante s'éleva des coupes de bronze.

Julia Cordelia fit face à l'énorme disque d'or suspendu au-dessus de l'autel. Elle étira les bras, offrit sa poitrine en fermant ses paupières, renversa le visage, les reins cambrés. Les voiles fixés par des épingles d'or à sa chevelure blanche coulèrent dans son dos. Elle demeura immobile, maintenant son corps dans cet arc renversé, pareille à une parfaite statue de l'accueil.

En haut de la voûte du temple, un rai de soleil jaillit d'une fente sculptée. Il scintilla sur la bordure du disque, l'inondant d'une tache éblouissante. Lentement, lentement, il progressa sur le bord du disque, chauffant l'or comme s'il s'y fondait.

Pas un instant Julia Cordelia ne bougea. Sous la vaste toge de grande prêtresse, en soie bleu et or, son corps mince semblait de bois. La ceinture à glands, décorée par les figures gémelles du Soleil Dieu et de Mithra, retenait un souffle invisible. Seules ses lèvres frissonnaient d'une prière à peine audible, souhaitant la bienvenue à Sol-Invictus, au Grand Dieu Invincible du Soleil.

Irrémédiablement, le soleil plongeait vers le cœur du disque. La pénombre de la petite basilique se réchauffa, dépouillée de ses ombres, une à une.

Clodia guettait sur le visage de sa mère ces signes de vieillesse et de faiblesse qu'elle y avait décelés la veille. Était-ce la soudaine violence de cette lumière d'or ? Ou l'intensité de la tension qui vibrait dans le corps de Julia Cordelia, étiré en cette posture extrême d'offrande à son dieu ? Alors que le soleil coulait sur l'or lisse du grand disque, elle lui apparut, à son grand soulagement, aussi forte et digne de l'attention d'un dieu que dans son souvenir.

Lorsque enfin le soleil eut envahi la moitié du disque, éblouissant les murs de ses éclats d'or, Julia Cordelia se redressa.

Les mains tendues en avant, elle sembla absorber la lumière précieuse et violente. D'un souffle rauque, elle prononça plusieurs fois le nom du dieu. Sa bouche s'arrondit, un son pareil à une note de musique vacillante en sortit.

— Eeeooo ! Eeeeeyohoyooho !

Il se modula, plus aigu, vibra contre le disque qui y répondit d'une onde grave. Clodia en perçut la vibration contre sa poitrine. Le frémissement qui l'avait tant de fois saisie, enfant puis jeune fille, lorsque sa mère officiait, lui mordit la nuque et les reins. Elle s'y abandonna avec délice. Oui, sa mère était encore capable de faire naître le chant du disque d'or !

Julia Cordelia reprit son souffle brièvement. Clodia se laissa porter par sa voix aux accents sensuels et envoûtants.

— Eeeooo ! Eyeehhoeeheooo !

Le chant devint des mots qui se fondaient dans la toute-puissance du soleil.

— Seigneur du feu ! Cœur des braises du vivant, entends-moi. Dieu des dieux, écoute le souffle de ta servante. Viens en moi, Corps de feu! Eeeooo! Beauté de la lumière, écoute la plainte d'Ulpia, fille d'Ulpius Crinitus, épouse de Lucius Domitius Aurelianus! Ô Seigneur des braises de la vie, accorde-lui le jugement du disque.

Encore et encore, Julia Cordelia psalmodia. Puis elle se prosterna, le buste incliné si bas que ses voiles et sa chevelure effleurèrent les dalles du sol. Saisie d'un frisson de transe, elle se mit à trembler avec tant de brutalité qu'un instant, on put croire qu'une main invisible la secouait comme si elle n'était qu'une boule de tissus.

De jeunes servantes, aides prêtresses de l'autel, s'approchèrent, formant un demi-cercle derrière elle. À leur tour, elles dressèrent les mains vers le disque d'or, reprenant le son guttural qu'avait lancé la grande prêtresse. La basilique s'en emplit, résonna de chacune de ses pierres.

Sur l'or poli du disque, l'onde du soleil frémit. Les secousses de Julia Cordelia s'amplifièrent. La main invisible imposait à son corps chétif des soubresauts terribles. Son visage, livide, la chair tendue et luisante de sueur, apparut d'une beauté qui, cette fois, émut le cœur de Clodia.

Une porte s'ouvrit derrière le disque. Guidée par les servantes du temple, la chevelure ceinte d'un diadème portant un soleil d'or, Ulpia s'avança. De longs voiles rouges dissimulaient entièrement son corps. Dans la lumière étincelante de l'or, elle ressemblait à un fantôme sanglant. Les servantes l'allongèrent sur un long banc de pierre disposé dans l'ombre du disque.

Alors seulement, la transe de Julia Cordelia s'apaisa tandis que, derrière elle, les chants des servantes redoublaient d'intensité.

Le soleil maintenant recouvrait les deux tiers du disque.

À l'aide d'une cuillère en bois, Julia Cordelia puisa dans la bassine contenant les encens. Elle les dispersa dans les braises avant de contourner l'autel pour s'approcher d'Ulpia. La respiration saccadée de la jeune épouse agitait les voiles couleur de sang qui recouvraient son visage. Munie d'un couteau à lame de bronze, Julia Cordelia les trancha un à un.

Ulpia poussa un cri aigu de terreur. Elle fit mine de se redresser, de repousser la grande prêtresse. Les servantes, alignées de chaque côté du banc de pierre, guettaient son geste. Elles lui attrapèrent poignets et chevilles, pesèrent sur ses épaules pour la maintenir contre la pierre. Avec de petits coups secs de sa lame de bronze, Julia Cordelia lui dénuda la poitrine, le ventre et les cuisses. Les yeux écarquillés, Ulpia balbutiait un long gémissement d'effroi.

Deux jeunes prêtresses tendirent un plat d'argent à Julia Cordelia. Clodia frémit en y devinant la masse sombre et rose d'un sexe de taureau.

Avec l'adresse de qui a répété cent fois un geste, la grande prêtresse se saisit du membre mort. Elle le déplaça en larges mouvements au-dessus du corps d'Ulpia qui ferma les paupières, la bouche ouverte sur un cri de dégoût qui se brisa dans un abîme d'horreur lorsque Julia Cordelia déposa le sexe du taureau sur son bas-ventre.

Les prêtresses approchèrent une coupe. Julia Cordelia y plongea les mains. Elle les ressortit maculées du sang encore tiède du taureau sacrifié. Du bout des doigts, elle en déposa des gouttes épaisses sur le ventre d'Ulpia, étouffée de sanglots.

Replongeant ses doigts dans le sang, en usant comme d'un pinceau, Julia Cordelia y dessina des lignes entrecroisées.

— Eeeooo! Eeeooo! Eyyyoo, Seigneur du feu, ô Seigneur des braises de la vie, donne à mes paumes la lumière de tes volontés!

Sans se soucier des soubresauts du ventre d'Ulpia, elle massa fermement le sexe du taureau. Le sang et les humeurs qu'il contenait s'écoulèrent entre les cuisses de la jeune épouse.

Se détournant brusquement d'Ulpia à demi évanouie, Julia Cordelia rejoignit les servantes qui chantaient et atteignaient la transe à leur tour. Écartant les bras, elle appliqua ses paumes gluantes de sang sur le disque d'or. Une odeur âpre, nauséeuse, s'en échappa, se mêlant à celle des encens.

— Seigneur du feu! Écoute la plainte d'Ulpia, ô Seigneur de la lumière, donne-lui le pouvoir d'être mère!

Julia Cordelia s'écarta du disque pour aller vers Ulpia. Deux bols d'argent lui furent présentés par les jeunes prêtresses. L'un contenait du sperme de taureau, l'autre du lait de génisse. Indifférente aux pleurs et aux supplications de sa bru, elle commença à en enduire son corps secoué de spasmes.

Cela dura tout le temps que le soleil glisse jusqu'au bas du disque d'or et disparaisse aussi brutalement que si on en avait tranché le rai.

Alors seulement Clodia, comme sa mère, perçut l'agitation de la rue qui résonnait dans les salles du temple. Julia Cordelia acheva sans ciller la cérémonie. Les servantes emportèrent Ulpia, balbutiant de terreur, vers une piscine derrière la basilique où on allait la baigner et l'endormir à l'aide d'une tisane somnifère.

Lorsque la porte fut refermée, les sourcils froncés, Julia Cordelia demanda :

— Que se passe-t-il dehors? Pourquoi tout ce vacarme?

Des jeunes filles coururent vers les marches du temple où une foule s'amassait. L'une d'elles revint presque aussitôt, épouvantée.

— L'Augustus est prisonnier des Perses! Les Barbares ont capturé l'Empereur de Rome…

— Que dis-tu ? s'écria Clodia en l'attrapant durement par le bras.

— C'est ce que l'on raconte devant le temple, assura la jeune fille, les larmes aux yeux. L'Augustus Valérien est prisonnier des Perses depuis les ides de septembre.

Machinalement Clodia fit le calcul. Plus de six jours. Juste avant qu'Aurélien quitte Nicopolis. La nouvelle devait avoir atteint Rome plus vite que Sirmium. Il devait déjà savoir. En vérité, tout l'Empire devait apprendre la nouvelle d'heure en heure !

Elle chercha le regard de sa mère. Julia Cordelia, les rides creusées par la fatigue, hocha la tête comme si elle avait lu dans les pensées de sa fille.

— Les dieux décident, murmura-t-elle. Le Soleil décide du temps, Mithra décide de la puissance. Les humains ne sont que la chair de leur volonté. Un Empereur comme les autres.

Dans la ville et les campagnes alentour, dans l'Empire tout entier, la nouvelle de la capture de l'Augustus Valérien sema l'effroi et la folie. Par bandes, hommes et femmes, riches ou pauvres, libres citoyens de Rome ou affranchis, parfois même esclaves, tous se précipitaient dans les temples bondés.

On y hurlait sa terreur autant que si la lumière de l'aube ne s'était pas levée. Certains se brisaient les ongles en grattant les routes pour se recouvrir de poussière, d'autres se brûlaient les doigts dans les foyers pour s'ensevelir sous les cendres. Des femmes allaient, sanglotant, jetant de petits cris aigus en se dépoitraillant. Des hommes s'arrachaient les cheveux par poignées. Rome était perdue. La punition tant redoutée des dieux s'abattait sur l'Empire !

Rien, plus rien ne protégerait l'Empire contre les calamités infernales. Les pestes, les Barbares, les souffrances infinies de la faim ouvriraient bientôt des abîmes où chacun s'engloutirait. Sur les routes ou sous les colonnes des temples, des prophètes de malheur, hâves, le visage griffé, promirent l'apparition prochaine de démons et prodiges inouïs. Des animaux dévoreurs d'humains, à la fois serpent et lion, poisson et aigle, arracheraient le cœur et le foie des vivants. Des montagnes s'amolliraient pour fondre sur les villes en une lave incandescente. L'eau serait empoisonnée. Elle deviendrait bouillante ou gèlerait tant qu'on ne pourrait la briser.

Les enfants, terrifiés par ces horreurs qui forçaient leurs oreilles, mêlèrent leurs pleurs aux gémissements lancinants des adultes. À l'approche de la nuit, certains préférèrent se donner la mort. Des femmes enceintes se martyrisèrent afin de ne pas enfanter. Enfin, de ville en ville, des cohortes de légionnaires furent envoyées battre la campagne, afin d'arrêter ceux qui profitaient du chaos pour piller les fermes et les entrepôts avant de les brûler en dansant de joie.

Sitôt qu'elles eurent repris leurs esprits, Julia Cordelia et ses prêtresses barricadèrent le temple de Sol-Invictus avant que la foule l'investisse. Les servantes reçurent l'ordre de n'en sortir sous aucun prétexte. La nuit tombait, mais elles avaient, dans les resserres d'offrandes, assez de nourriture et de boisson pour soutenir un siège de plusieurs jours.

— Ce qui ne sera pas nécessaire, assura Julia Cordelia avec un sourire qu'elle voulait confiant. Demain, chacun aura recouvré la raison.

Clodia, fermée dans un silence rageur, approuva d'une

grimace la décision de sa mère. Il eût été très imprudent de rejoindre la villa. Ulpia dormait encore, abrutie par les drogues. Il n'y avait rien d'autre à faire qu'attendre le jour et l'apaisement de la folie qui rôdait sur la ville.

Cependant, son impuissance était insupportable. N'était-ce pas dans un moment pareil qu'elle aurait dû se tenir au côté d'Aurélien ?

Rome devait être assommée par l'énormité de la nouvelle. Complots et coups bas, tels les vers dans un fruit trop mûr, grouillaient au Capitole et au sénat. Une fois la stupeur passée — et à Rome elle devait déjà être passée ! — au chaos succéderait une guerre sans merci pour le pouvoir suprême. On se déchirerait à pleines dents pour agripper cette couronne de laurier que Valérien venait, si stupidement, de laisser choir.

César Gallien, son fils, devait déjà lever ses troupes de sénateurs et de généraux depuis longtemps devenus ses serviteurs. C'eût été le moment tant attendu pour Aurélien de montrer sa force et de s'opposer à lui. Mais saurait-il, seul, en avoir la volonté et la ruse ?

Si elle pouvait compter sur Maxime pour protéger Aurélien des manœuvres mortelles de Gallien ou de ses semblables, Clodia savait que son frère demeurait aussi faible qu'un enfant quand il fallait ruser avec la ruse !

Ah oui ! Impuissante, elle l'était jusqu'au bout des ongles ! Oh ! combien elle se reprochait d'être venue à Sirmium pour soulager les larmes enfantines d'Ulpia et découvrir le spectacle débilitant de la vieillesse de sa mère !

Alors que la nuit était déjà bien avancée et qu'elles sommeillaient sur des coussins amassés dans un coin de la basilique, la voix d'Aelcan, le vieux régisseur, se fit entendre à travers les épaisses portes de bois.

Julia Cordelia, qui ne dormait pas, fut la première debout. Sur son ordre, les servantes soulevèrent les lourdes barres qui bloquaient les volets. Suivi de trois esclaves enveloppés comme lui d'une cape à capuchon, Aelcan se glissa prestement dans l'enceinte du temple.

Julia Cordelia, le visage grisé de fatigue et de tension, l'accueillit froidement.

— Pourquoi avoir abandonné la villa par une nuit pareille ? Je ne t'en ai pas donné l'ordre.

Repoussant son capuchon, Aelcan ne se laissa pas impressionner.

— Croyais-tu que j'allais te laisser seule dans cette folie ? Il y a ce qu'il faut d'hommes à la villa pour la défendre. Toi, tu as besoin de moi ici.

La lumière des torches rendait les ombres du temple menaçantes. Des hurlements parvenaient du dehors, pareils à des cris de bête.

Clodia vit les regards soulagés que les jeunes servantes, au contraire de leur maîtresse, adressaient à Aelcan. Malgré son âge, il avait encore la puissante silhouette du grand guerrier qu'il avait été, celui qui avait enseigné tout son savoir de soldat à Aurélien. Son courage n'avait jamais été pris en défaut et, par une nuit pareille, malgré l'orgueil de Julia Cordelia, il était certainement le bienvenu.

Elle dit :

— Aelcan a raison, mère. Tu vas pouvoir te reposer jusqu'au jour. Nous ne risquons plus rien.

Julia Cordelia hésita. Enfin, avec un signe de reconnaissance, elle s'appuya sur le poignet d'Aelcan, posa son front contre sa dure épaule. Elle n'arborait plus rien de la force dont elle avait fait preuve pendant la cérémonie. Des cernes aussi sombres que la nuit creusaient son regard. Le sang ne semblait plus qu'à peine couler dans ses lèvres. Maintes fois, au cours de la soirée, Clodia avait surpris le tremblement de ses mains ou de ses épaules. De temps à autre, elle crispait ses paupières, retenait son souffle comme si elle affrontait l'onde féroce d'une douleur.

Aelcan, sans un mot, l'entraîna dans une petite pièce de repos derrière la basilique. Lorsqu'il revint, Clodia demanda :

— Elle est malade, n'est-ce pas ?

S'il fut surpris par la sécheresse de son ton, le vieux régisseur n'en laissa rien paraître. L'intense tristesse qui voila ses traits était tout adressée à Julia Cordelia.

— Depuis quelques mois. Elle ne veut pas le montrer ni se soigner autrement qu'avec ses propres potions. Mais on dirait qu'une bête vit dans son corps et la dévore un peu plus chaque jour.

Clodia opina et demeura silencieuse. Après qu'Aelcan eut donné des ordres aux esclaves et vérifié lui-même les portes du temple, elle s'approcha de lui.

— Il faut que tu nous conduises à Rome, dès demain.

Aelcan leva haut ses sourcils.

— À Rome ? Et pour quoi faire ? Julia Cordelia ne veut certainement pas aller à Rome. Elle déteste la capitale et n'y a pas mis les pieds depuis la mort de ton père !

— Aurélien est à Rome, répliqua Clodia avec un geste d'impatience. C'est à Rome que se prend aujourd'hui le pouvoir. Mon frère va avoir besoin de moi. Il sera bon aussi qu'Ulpia et notre mère soient près de lui.

Aelcan l'observa comme si la lumière trop ocre l'empêchait de bien voir son visage. Mais il connaissait Clodia depuis trop longtemps pour être surpris par ses paroles. Elle ajouta nerveusement :

— Fais-le pour ma mère, si tu ne le fais pas pour moi. À Rome, elle trouvera des médecins capables de la soigner. Il n'y a que dix jours de voyage. Ce n'est pas tellement loin.

Aelcan sourit.

— Tu n'as pas changé. Toujours aussi froide et maligne !

Son ton ne contenait aucun reproche, seulement de l'ironie.

— Mais c'est une bonne idée. Je serais heureux de revoir Aurélien avant que tu n'en fasses un Augustus.

Piquée, Clodia désigna la masse du disque d'or derrière eux.

— Ce n'est pas moi qui veux en faire un Augustus, mais son dieu. Tu connais aussi bien que moi l'augure de notre mère.

Aelcan acquiesça en silence.

— Fais en sorte que nous partions le plus tôt possible, ajouta Clodia.

— Je vais renvoyer l'un des esclaves à la villa pour nous préparer tout ce dont nous aurons besoin d'ici l'aube. Julia Cordelia devra avoir un bon char pour supporter une telle route.

10

PALMYRE

Le lit du Ouadi Qoubour était aux trois quarts desséché. Les pluies d'automne avaient été si faibles que le fleuve n'était plus qu'une rivière de boue rouge, à peine large de cinq ou six pas et peu profonde.

Nurbel patientait depuis les premières lueurs de l'aube sur la rive, au bas du palais royal. Caché entre des lauriers-tins, enveloppé d'un grand manteau de laine brune, il était aussi immobile que les blocs de pierres poussiéreuses qui l'entouraient. Que la rivière fût en crue ou tarie, le shuloï Sharha avait l'habitude de se promener ici après son premier repas. S'il était vivant, Nurbel l'y trouverait.

Le soleil se leva enfin au-dessus du désert, rougeoya sur les pierres des coupoles, les toits des plus hautes maisons. Tandis qu'il creusait des ombres dans les cannelures des colonnes et sous les yeux des statues, commença le vacarme du caquètement des poules, le braiment des ânes ou des mules. Les premiers cris des enfants et les appels des femmes vrillèrent l'air où vacillaient les fumées des offrandes du matin. Il y eut des bruits de roues sur le chemin menant aux portes. Des gamins apparurent dans le lit de la rivière, entraînant derrière eux des chamelles et leurs petits, tremblant encore sur leurs pattes.

Nul ne devina la présence de Nurbel ni de la douzaine de guerriers qui étaient dissimulés autour de lui.

Enfin, une porte peinte de rouge et bleu s'ouvrit dans le haut mur du palais. La frêle silhouette de Sharha, munie de son inséparable bâton, apparut. Nurbel aperçut un soldat. Il craignit un instant que le guerrier n'accompagne le vieux shuloï. Mais Sharha leva une main, s'éloigna du mur en empruntant le sentier qui rejoignait le Ouadi. La porte se referma derrière lui.

Nurbel attendit que le shuloï soit tout près de lui pour l'appeler sans pour autant se lever. Le vieil homme sursauta. Il scruta le ciel comme s'il allait y découvrir un démon.

— C'est moi, shuloï. Nurbel ! Regarde à tes pieds, pas en l'air.

Nurbel souleva un peu sa capuche et montra son visage. Sharha lâcha un petit cri de surprise.

— Ah ça, seigneur Nurbel ! Ah ! Je ne t'aurais pas reconnu.

— Viens t'asseoir près de moi, Sharha, ordonna Nurbel à voix basse. Il vaut mieux ne pas attirer l'attention.

Le shuloï jeta un coup d'œil effaré autour de lui.

— M'asseoir par terre, seigneur Nurbel ? Que la douceur des dieux m'en préserve ! Je ne pourrai jamais me relever.

— Ne fais pas tant d'histoires. Je t'aiderai. J'ai besoin de toi.

Sharha maugréa mais obéit. Avec d'infinies précautions, s'appuyant sur son bâton pour garder son équilibre, il déposa son maigre corps sur une pierre.

— Où en sont les choses ici ? demanda impatiemment Nurbel.

— Oh, mauvaises ! Très mauvaises ! Le Très Illustre et toi,

vous n'auriez jamais dû confier le palais et la ville à ce préfet de Rome !

Il secoua la tête avec un regard de reproche, ajouta, la voix pleine d'angoisse :

— Seigneur Nurbel, est-ce vrai ce que l'on raconte ?

— Que raconte-t-on ?

— Que l'épouse du Très Illustre est morte sous la lance d'un Perse !

— Non. Tranquillise-toi, Zénobie est en vie. Ce sont des mensonges, shuloï. Le fer d'un Perse l'a effleurée, mais il n'est pas venu, le temps où Alath sera abattue.

— Ah !

Les lèvres retroussées dans une horrible grimace, Sharha gloussa de plaisir et de soulagement.

— Ainsi, toi aussi, tu l'appelles Alath ? approuva-t-il. Sais-tu qu'ici les prêtres de Baalshamîn ont décidé d'élever un nouveau temple à cette déesse, dans l'enceinte de celui de Baalshamîn ? Ils affirment qu'Alath est la sœur cadette de Baalshamîn.

— Ce qui n'empêche pas que l'on répande la nouvelle de sa mort.

— Ah, seigneur Nurbel, cela, c'est l'œuvre du Romain, Aelius. Et, hélas, soupira Sharha après un temps de réflexion, du fils du Très Illustre. Hayran a toujours eu le goût de contrarier son père. Tu aurais dû l'entendre gémir et se rouler par terre lorsqu'il est revenu dans la ville après la mort de sa tante Ophala. À chaque personne qui venait le visiter, il racontait son malheur : « C'est Zénobie qui l'a égorgée. Elle a le sang de ma tante sur les mains, et mon père en est heureux ! »

Le regard du shuloï scruta celui de Nurbel, espérant peut-être une protestation. Nurbel se contenta de demander :

— Dit-on aussi que l'Empereur Valérien est prisonnier de Shapûr ?

— On le dit, oui. Et c'est vrai ?

— Oui. Le Romain s'est comporté comme un oisillon devant un chat !

Les deux hommes restèrent un instant pensifs. Désignant la ville du bout de son long bâton, le shuloï reprit :

— Tu sais comment vont les choses dans Palmyre. Autant de bouches qui s'ouvrent, autant de racontars. On a dit que le Très Illustre et son épouse avaient vaincu les Perses, puis le contraire. Maintenant, on prétend qu'elle est morte et que Shapûr a rasé Antioche ! Mais les rumeurs ne sont rien, seigneur Nurbel, à côté de la trahison d'Hayran. Il ne se passe plus un jour sans qu'il piétine le nom du Très Illustre, ici même, dans son palais !

— C'est pour cela que je suis venu, grogna Nurbel. Raconte-moi, dans l'ordre et clairement.

L'histoire était simple et sans surprise. La rumeur de la mort de Zénobie s'était répandue telle une peste, recouvrant la nouvelle de la capture de l'Augustus Valérien et l'usurpation du procurateur Macrien. La ville gémissait, les temples ne désemplissaient pas.

Ajoutant à l'angoisse et donnant l'apparence de la vérité aux mensonges, le préfet Aelius avait fait savoir qu'il était désormais en charge de l'ordre et de la défense de Palmyre.

— Après quoi Hayran m'a contraint à ouvrir les grandes portes du palais pour recevoir ce Romain. Que les dieux me pardonnent d'avoir vu ce que j'ai vu, seigneur Nurbel ! Hayran a pris le préfet dans ses bras comme on étreint une épouse au retour de la chasse. Je préfère me taire sur le reste.

— Ils sont toujours dans le palais ?

— Oh, pour y être, ils y sont. Le Romain est ici chez lui et donne des ordres comme s'il était né dans la maison.

— Hayran a-t-il fait une déclaration ?

Le dégoût et la fureur firent trembler le menton du shuloï.

— Par ma voix, oui. Des mots qui auraient dû me tuer. Les dieux ne nous aident pas lorsqu'on est vieux.

— Que disait-il ?

— Que le Très Illustre et son épouse Zénobie avaient été vaincus par Shapûr. Que le Grand Odeinath reconnaissait que son épouse avait menti en assurant à tous la victoire contre les Perses. Les dieux l'avaient punie en la laissant mourante sur le champ de bataille à Sisogodon.

Les yeux de Sharha étaient mouillés de honte. Comme corrompu par ces mots, son souffle franchissait à peine ses lèvres. Nurbel eut un geste d'impatience.

— Sois sans regret, Sharha. Si tu n'avais pas obéi, le préfet ne t'aurait pas laissé vivre. Continue, j'ai peu de temps.

— Le nouvel Augustus des Romains a nommé Hayran Prince Illustre de Palmyre, sénateur de l'Empire à la place de son père. Le préfet Aelius a déclaré commander seul la légion et l'armée de Palmyre.

Un méchant sourire fleurit sur les lèvres de Nurbel.

— Voilà qui est présomptueux ! Y a-t-il des légionnaires dans le palais ?

— Une vingtaine. La garde du préfet et deux centurions.

— Sais-tu où ils se trouvent ?

— Hélas, comment pourrais-je l'ignorer ? Ils se pavanent dans les appartements du Très Illustre, pleins d'arrogance et de mauvaises manières !

— Bien.

— Que vas-tu faire ?

— Les tuer.

— À toi seul ?

— Je ne suis pas seul, shuloï. Tu vas me faire entrer discrètement dans le palais avec quelques guerriers. Le temps est venu de te venger des humiliations du Romain. Tu vas pouvoir montrer au Très Illustre et à Zénobie le fond de ton cœur, mon ami.

Le visage de Sharha s'épanouit. D'un coup, il perdit dix années.

— Oh, tout ce que tu veux, seigneur Nurbel ! Tout ce que tu veux !

Deux légionnaires déambulaient en plaisantant. Ni l'un ni l'autre ne portaient de casque. Une cotte de mailles légère recouvrait leur tunique. Leurs baudriers supportaient un court poignard sur la hanche gauche et le fourreau d'un glaive à droite. Leurs *cingulum*, ces lanières de cuir clouté d'argent qui leur protégeaient l'entrejambe, cliquetaient à chacun de leurs pas. Leurs rires résonnaient sous la voûte du portique reliant les chambres des serviteurs aux appartements du Très Illustre.

De l'autre côté du mur, des éclats de voix et des bruits d'eau provenaient du jardin privé du Grand Odeinath. Il y eut un rire plus aigu que les autres. Nurbel reconnut celui d'Hayran.

Il patienta encore un instant, laissa aux légionnaires le temps de faire demi-tour à l'extrémité du portique. Trois guerriers de Palmyre étaient tapis au pied des colonnes derrière lui. Quatre autres, invisibles, s'étaient glissés dans les chambres voisines. Chacun était muni d'un arc aussi long que l'avant-bras, redoutable dans le combat rapproché.

Lorsque les Romains atteignirent le centre du portique, Nurbel leva la main. Il y eut une double vibration. À peine plus de bruit que n'en auraient fait des colombes en s'envolant. Les légionnaires s'immobilisèrent, chancelèrent. D'un même geste ils portèrent la main à leur cou. Des dards épais et courts leur traversaient la gorge de part en part.

Les guerriers de Nurbel jaillirent des chambres, la lame nue au poing. Ils n'eurent pas à s'en servir. Un bredouillement sanglant s'échappa des lèvres des légionnaires. Leurs genoux cédèrent. Les guerriers de Palmyre les retinrent avant qu'ils s'effondrent, déjà morts, pour les déposer sur le sol en silence.

D'un signe, Nurbel ordonna qu'on les dissimule dans les chambres. Avec les autres hommes, il courut jusqu'à la porte qui donnait sur le jardin du Très Illustre.

Une tente y avait été dressée. Elle contenait un lit de camp, un tabouret pliant et une table. Un casque, décoré de la crête transversale des centurions, et une cuirasse alourdie de phalères d'argent et de bronze étaient abandonnés sur le lit. En simple tunique, le Romain lisait un long rouleau qu'il déployait sur la table. La flèche se planta dans son cœur, lui apportant la mort avant qu'il comprenne le danger.

Rapidement, les guerriers de Palmyre allongèrent son corps sur le lit, lui donnant l'apparence d'un homme endormi.

— Cachez-vous derrière la tente, fit Nurbel dans un murmure.

Maintenant, il leur fallait attendre le shuloï. De l'autre côté du palais, deux autres groupes de guerriers palmyréniens devaient avoir supprimé les gardes en faction sous les murs. Sharha, qui pouvait se déplacer sans provoquer le moindre soupçon, devait s'en assurer avant d'ouvrir la porte du jardin.

Le shuloï ne les fit guère attendre. Nurbel ne se souvenait pas de l'avoir jamais vu trottiner aussi vivement, soulevant son bâton au lieu de s'y appuyer. Il leva les doigts.

— C'est fait, seigneur Nurbel. Sept Romains morts. Il ne reste que les gardes de la grande porte et ceux qui sont avec le préfet.

— Combien?

— Six, en comptant le préfet lui-même.

Nurbel approuva tandis que Sharha pointait l'autre côté du mur avec son bâton.

— Ils sont tous là à prendre un bain avec Hayran.

— Hayran se fait garder?

Sharha haussa les épaules.

— Il y a ceux qui vont avec lui d'habitude.

— C'est parfait. Retourne à la grande porte, shuloï. Raconte aux gardes que tu dois annoncer quelque chose et fais ouvrir en grand. Sois sans crainte. Deux cents guerriers du Très Illustre t'attendent de l'autre côté !

D'un coup d'épaule, Nurbel fit claquer la porte sur ses gonds. Il y eut des exclamations et, presque aussitôt, un silence stupéfait.

Les gardes romains étaient regroupés le long d'une haie de térébinthe. Une dizaine d'esclaves s'affairaient autour d'une table de pierre. En compagnie d'un Romain au corps de gladiateur, Hayran et Aelius pataugeaient nus dans le bassin. Plus en retrait, un petit groupe vêtu seulement de pagnes jouait à la palestre.

Aelius, le premier, reprit ses esprits. Il cria à la garde, mais, son appel à peine éteint, deux légionnaires s'écroulèrent, la main sur leur glaive. Un troisième eut le courage de courir vers la porte opposée pour donner l'alerte. Un dard meurtrier se planta dans ses reins avant qu'il y parvînt. Il boula tel un lapin aux pieds des esclaves terrifiés.

Les compagnons d'Hayran glapirent. Nurbel ordonna aux esclaves de se coucher sous la table et de n'en plus bouger. Il bondit dans le bassin. Avant que l'homme puisse réagir, il agrippa le gladiateur par les cheveux et lui trancha la gorge d'un coup de lame. Le sang jaillit à grand jet sur le fils d'Odeinath qui brailla d'horreur. Nurbel l'ignora, toisa Aelius.

— Ceci est le message du Très Illustre pour ceux qui ont cru pouvoir le trahir.

Derrière lui, ses guerriers pointaient les dards et les glaives sur les poitrines.

— Nurbel, glapit Hayran, tu n'es rien, ici! Ne sais-tu pas que mon père n'est plus le roi de Palmyre?

— Tais-toi, fils puant. Tu n'es pas même digne de prononcer mon nom!

Hurlant de rage, Hayran se jeta en avant. Nurbel esquiva son poing, le frappa lourdement du pommeau de son glaive en pleine poitrine. Avec un feulement grinçant, Hayran bascula dans l'eau ensanglantée, s'y noyant à demi.

Sans plus s'encombrer de lui, Nurbel avança vers Aelius. Une arme à la main, le préfet aurait peut-être eu le goût de se battre. Nurbel ne doutait pas qu'il devait être plus dangereux que le fils du Très Illustre. Mais le préfet était nu, et sa seule arme était la haine qui incendiait son regard.

Il recula de quelques pas tandis que le son bref d'une corne retentissait. Les guerriers de Palmyre investissaient le palais. Sharha avait accompli sa mission.

Un mauvais sourire, plein d'orgueil et de mépris, tira les lèvres du préfet.

— Si tu me touches, menaça-t-il en affrontant le regard de Nurbel, ma légion anéantira Palmyre!

Nurbel éclata de rire.

— Ta légion? Ne compte pas trop sur elle, préfet! *Ta* légion est consignée dans son campement et n'en sortira que si mes archers le permettent. Et il se peut bien que les légionnaires n'aient pas le goût de lutter pour toi lorsqu'ils apprendront que Zénobie est bien vivante et en train d'abattre l'usurpateur Macrien.

Aelius comprit ce qui l'attendait. Il hésita, jeta un regard vers ses compagnons. Tous étaient sous la garde des soldats de Nurbel. Hayran, de l'autre côté du bassin, s'asseyait dans l'eau en gémissant.

— Tu t'es trompé, préfet. Le Grand Odeinath ne se laisse pas si facilement vaincre, déclara froidement Nurbel.

Aelius, le visage blême, la peau soudain transie, s'écria :

— Tu n'oseras pas ! Je suis Rome ! L'Augustus m'a nommé...

— Tais-toi, tu n'es rien.

La lame siffla comme un fouet. Il y eut un drôle de bruit d'os et de chairs déchirés. Hayran glapit. Aelius demeura debout un instant encore. Nurbel s'approcha du visage hébété où les yeux jetaient un ultime éclat de vie.

— Lorsque tu te présenteras devant tes dieux, souviens-toi que c'est Alath qui t'y envoie...

De la pointe du glaive, il donna un coup sec sur le front d'Aelius. La tête du préfet bascula avant son corps.

Nurbel se retourna vers Hayran. La panique déformait son joli visage. Nurbel ricana.

— Remercie ton père, hyène puante. Tu n'es pas encore mort.

Avant le soir, Nurbel vint devant la légion de Palmyre rassemblée dans le camp à l'ouest de la ville. Il s'installa sur les marches du temple de Jupiter où le préfet Aelius avait eu coutume de donner ses ordres. Tout autour, postés sur les murs construits au printemps, les archers de Palmyre pointaient toujours leurs flèches sur les légionnaires.

Le silence était si profond que l'on entendait le coassement des grenouilles dans l'eau saumâtre du Ouadi Qoubour. Du simple décurion jusqu'au tribun, toutes les cohortes avaient le visage levé vers la tête chauve et les yeux fendus de Nurbel.

Il laissa le silence durer tandis qu'il rendait aux Romains leurs regards. Puis, d'un geste, il fit monter près de lui un Option. L'homme avait les joues rugueuses d'une barbe blanchie depuis longtemps. Des sandales à la crête de plumes noires qui ornaient son casque, il était couvert de poussière. Il brandit une longue hampe rouge surmontée d'un aigle prenant son envol. Un murmure enfla dans les rangs des cohortes. On reconnaissait l'une des enseignes de la garde du nouvel Augustus, Macrien.

— Moi, Lilenus Avalius, Option de la IIIe *Legio Parthica*, j'ai été envoyé depuis la ville d'Émèse comme messager par le roi de Palmyre, le Grand Odeinath.

Le grondement s'amplifia. Nurbel rétablit le silence d'un signe de son glaive. Le poing droit serré sur la poitrine, l'Option lança de toute la force de sa voix :

— Le roi de Palmyre, le Très Illustre Odeinath, citoyen et sénateur de l'Empire, s'est présenté avec son armée devant la ville d'Émèse. Les légions qui y étaient assemblées, la IIIe *Parthica*, la VIe *Ferata*, la IIe *Flavia Firma*, ont refusé de le combattre. Elles ont reconnu en lui un ami de Rome et de notre Empereur captif, l'Augustus Valérien. En apprenant le siège d'Émèse auquel s'apprêtait le Très Illustre, le procurateur Macrien, usurpateur du titre d'Empereur, a abandonné la ville. L'épouse du Grand Odeinath, la reine Zénobie, est entrée la première dans la ville à la tête de mille archers. Les préfets ont renié leur serment au traître Macrien. Sur l'autel des dieux de Rome, ils ont juré fidélité au Très Illustre Odeinath. Les IIIe *Parthica*, VIe *Ferata*, IIe *Flavia Firma* ont juré de combattre auprès de l'armée du Très Illustre Odeinath, sauveur de l'Orient et de Rome, pour vaincre le Perse Shapûr et délivrer l'Augustus Valérien.

L'Option reprit son souffle en toisant les centaines de visages tournés vers lui. Un silence stupéfait pesait sur les bouches et les nuques.

Nurbel, d'un vaste mouvement de son glaive, désigna les archers de Palmyre qui hérissaient les murs du campement. Sa voix résonna, rauque et lourde :

— Ces guerriers ont vaincu par trois fois Shapûr pendant

que votre préfet se prélassait dans le palais du Très Illustre! Trois fois Shapûr a fui devant nous. La reine de Palmyre nous conduisait à la victoire pendant que Macrien trahissait votre Empereur pour usurper les lauriers de l'Augustus. Aelius a soutenu sa trahison. Sa lâcheté humilie votre légion. Vos dieux se détournent et vous abandonnent comme vous abandonnez l'orgueil de combattre et de vaincre. Légionnaires, ce soir, vous devez choisir : marcher avec le Très Illustre contre les Perses ou mourir.

Le silence dura encore un peu. Les légionnaires regardaient moins Nurbel que les archers. Sans doute, parmi les vieux officiers et les plus courageux, quelques-uns songèrent-ils que le général d'Odeinath se vantait.

Si nombreux et habiles que fussent les archers de Palmyre, le massacre que Nurbel promettait serait moins complet qu'il ne voulait le croire. La première salve passée, il demeurerait assez d'hommes valides dans les cohortes pour combattre sans être vaincus d'avance. Mais un centurion, le premier, s'avança, tira sa spatha et la brandit, hurlant :

— Vive la déesse rouge, vive Zénobie!

En un instant, les unes après les autres, les bouches s'embrasèrent du même cri :

— Vive la déesse rouge! Vive Alath! Longue vie à Valérien!

Nurbel approuva d'une inclinaison de la tête. Ceux-là aussi savaient déjà crier le nom d'Alath.

Les gardes ouvrirent la porte de la pièce minuscule qui servait de prison sous le palais du Très Illustre. Roulé en boule, toujours nu, pieds et mains immobilisés dans des fers d'esclave, Hayran leva des yeux fous. Quand il devina la silhouette de Nurbel, ses lèvres tremblèrent sur des insultes qu'il n'avait plus la force de prononcer.

Nurbel dégaina sa dague dont il posa la pointe sur le front d'Hayran.

— Le Très Illustre commet une erreur. Il ne veut pas que je te tue. Pourtant, c'est ainsi qu'on agit avec les bêtes malfaisantes et malades.

D'un signe il ordonna au garde de libérer le fils du Très Illustre de ses fers. Le shuloï Sharha apparut sur le seuil, suivi de serviteurs portant des vêtements.

Tandis qu'on aidait Hayran à se mettre debout et à enfiler une tunique, Sharha soupira avec regret :

— Ah! Tout de même, je l'ai vu naître.

— Moi aussi, répliqua sèchement Nurbel. Je ne me souviens pas d'en avoir jamais éprouvé de plaisir.

Un instant plus tard, Hayran fut poussé dans le couloir souterrain qui conduisait en secret sous les murs de la ville, à quelque distance du palais. C'était un boyau assez large pour qu'une mule pût y passer. L'obscurité y était si complète que les torches la perçaient à peine.

Ils franchirent une ou deux salles encombrées de paniers et de grandes jarres dont on devinait mal les contours. Soudain Hayran hurla, se démena si violemment que les gardes durent lui passer les poignets dans un lien de cuir pour le maîtriser. La violence et les cris du fils du Très Illustre se transformèrent en sanglots tandis que le vieux shuloï poussait à son tour un cri d'horreur.

Dans la lueur des flambeaux, les corps des compagnons d'Hayran, arrêtés le matin dans le jardin, apparurent, entassés sur le sol en travers de leur chemin.

Nurbel s'approcha d'Hayran, lui saisit la nuque entre ses doigts de fer. La bouche tout près de son oreille, il murmura :

— Emporte leur souvenir, fils indigne, car les dieux ne verront pas tes chéris. Ils vont pourrir ici, je te le promets. Il y a longtemps que j'attendais de châtier ces singes qui ont cru pouvoir impunément humilier leur maître et te prendre pour un roi !

— Je te tuerai, hoqueta Hayran à travers ses sanglots. Je te tuerai !

Libérant sa nuque, Nurbel lui donna une tape moqueuse sur la joue.

— Alors, il te faudra devenir plus courageux et plus malin que tu ne l'es !

— Je tuerai mon père et elle aussi, je la tuerai ! brailla Hayran d'une voix stridente qui résonna dans l'obscurité.

Nurbel ne répondit pas. D'un coup de dague dans les reins, il poussa Hayran en avant, l'obligeant à piétiner l'amoncellement de cadavres. Dans leur dos, Sharha les suivit en protestant, demandant aux gardes de lui tracer un chemin dans ce carnage.

Lorsqu'ils franchirent une porte basse et épaisse qui donnait dans un amas de roches recouvertes d'acacias et d'oponces, la violence du soleil les éblouit. Aussitôt, sans attendre d'ordre, les gardes entraînèrent Hayran vers une chamelle et le libérèrent de ses liens.

Nurbel le regarda se couvrir la tête de la longue bande de tissu de sa ceinture et faire agenouiller la chamelle. Il lança :

— Tu as une gourde assez remplie pour deux journées. Cela devrait te suffire pour disparaître de ma vue.

Sans un mot, Hayran s'assit sur la couverture qui recouvrait la bosse de la chamelle. Du talon il frappa le cou de l'animal qui blatéra et se releva avec regret.

— Souviens-toi, Hayran, dit encore Nurbel. Si tu t'approches de Zénobie, tu rejoindras tes amis dans le souterrain. Les dieux m'en sont témoins.

Hayran ne lui accorda pas un regard. Il lança la chamelle au petit trot dans le lit desséché du Ouadi Qoubour, se dirigeant vers l'ouest et la vallée des tombeaux où s'ouvrait la route d'Émèse.

Alors qu'il disparaissait dans l'ombre d'un très vieux tamaris, Sharha marmonna sur un ton de reproche :

— Tous ces cadavres dégoûtants, était-ce bien utile ? Crois-tu qu'il n'a pas déjà assez peur de toi ?

Nurbel eut un sourire glacé.

— Je sais voir un chacal quand j'en rencontre un, shuloï. Celui-ci ne cessera jamais de vouloir mordre. Les dieux ont abandonné de la pourriture dans son sang. Je te le dis, Sharha : le Très Illustre est faible en laissant son fils en vie.

Partie 2

LE MENSONGE

261 apr. J.-C.

11

ROME

— J'ai fait venir les meilleurs médecins, assura Pulinius à voix basse. Tous ceux qui étaient libres dans l'instant ont accouru.

Ils étaient quatre à tourner autour du lit de Julia Cordelia. Derrière eux s'agitaient quelques esclaves apothicaires et les servantes de la maison qui allumaient des lampes. Bien qu'on fût en plein jour, la lumière du ciel de plomb ne pénétrait pas dans la chambre. L'un des premiers grands froids de l'hiver inondait Rome d'une pluie cinglante.

— Tu as toute ma gratitude, murmura Aurélien. Je ne sais comment te remercier.

Il parlait machinalement. À peine eut-il conscience de la main de Pulinius qui serrait la sienne alors que le vieux secrétaire du sénat, le fidèle de l'Augustus Valérien, l'assurait du libre prix de son amitié.

Il ne pouvait quitter sa mère des yeux. Ce qu'il découvrait l'emplissait de désarroi autant que de tristesse.

Lorsque Julia Cordelia était arrivée à Rome, il avait été

surpris de la trouver si brutalement vieillie. Il avait cependant voulu croire à un effet du long voyage depuis Sirmium, quoique Clodia lui ait annoncé sans ménagement : « Notre mère se meurt. Une maladie la ronge. Elle souffre chaque jour un peu plus. »

Sur la route, plusieurs fois Aelcan avait dû immobiliser leur *carruca* afin de la soulager. Par chance, ce gros char de voyage, tiré par un attelage de six bœufs, muni de deux lits confortables, de tentures et de cloisons doublées, était imperméable à la pluie et au froid qui s'abattaient sur la péninsule. Chaque fois, après une nuit ou une journée de repos, Julia Cordelia s'était reprise. Plus faible pourtant, montrant davantage les ravages de sa maladie à chaque centaine de milles qu'ils parcouraient.

Mais à son arrivée à Rome, elle avait masqué sa faiblesse de son mieux. Devant Aurélien, contre l'évidence, elle avait protesté de sa bonne santé. Sa faiblesse n'était due qu'au voyage. Elle était allée faire des offrandes et boire des tisanes au temple de la Bonne Déesse. Elle en était revenue ragaillardie.

Aurélien s'était convaincu que Clodia, comme souvent, se livrait à son goût de l'excès. Cela lui avait plu de le croire. Ses jours étaient déjà bien assez boursouflés d'occupations et de soucis.

La capture de l'Augustus Valérien avait semé le désordre dans les bas-fonds de Subure comme au Forum. Les séances du sénat n'étaient qu'un bruyant chaos. Les partisans de César Gallien y manœuvraient pour confisquer le pouvoir. Une semaine plus tôt, après avoir annoncé que le fils prendrait la charge du père, ils s'étaient précipités hors de la Curie, haranguant leurs soutiens assemblés autour de la fontaine de Comitium avant d'aller hurler le nom de Gallien sur les marches du temple de Jupiter.

— César Augustus ! Longue vie à César Augustus Gallien ! Que les dieux l'inondent de leur joie !

Tout cela était parfaitement illégal. Écœuré, un groupe de sénateurs et de grands officiers s'était formé, qui voulait voir en Aurélien le moyen de contrer la voracité de Gallien. Lui, le dux majorum Aurelianus, le plus grand et le plus victorieux des guerriers de Rome, lui seul saurait rendre un peu d'honneur à l'Empire en délivrant l'Augustus prisonnier des Perses.

Depuis, il n'était plus de jour sans qu'on le réclame. On le tirait à hue et à dia pour décider d'un affrontement qui, s'il pouvait flatter son orgueil, n'était ni sage ni assurément victorieux.

Enfin, comme si cela ne suffisait pas, Ulpia semait le trouble dans ce qui lui restait d'heures de repos.

Depuis qu'elle était accourue à Rome avec Clodia et Julia Cordelia, elle faisait preuve d'une obstination nouvelle et inventive. Leurs nuits devaient être celles d'un couple d'amants forcenés plus que du repos qui convenait à des époux.

Aurélien ne doutait pas que Clodia fut, pour quelque raison, derrière cette frénésie érotique. Après avoir fermé sa porte à Ulpia, il avait cédé une première fois. Avec un peu de dégoût, il s'était plié à ses jeux, plus fasciné qu'il n'aurait voulu le reconnaître. Malgré ses préventions, il se découvrait chaque fois ému par cette folie de sexe qu'Ulpia lui imposait. Sans qu'il en comprenne la raison, s'en faisant le reproche, il en devenait si captif qu'il ne parvenait plus à repousser ces joutes bizarres. Ulpia s'y révélait une inconnue. Comme si elle voulait le combler d'une affection qu'il n'avait lui-même jamais éprouvée, mais dont elle regorgeait telle une fontaine débordante. Une femme bien différente de celle qu'il avait jusque-là prise dans sa couche avec une résignation embarrassée.

En vérité, à l'exception des volontés difficiles de Clodia, il connaissait si peu les femmes !

C'était au cœur de ce désordre qu'il avait reçu le billet chaleureux du premier secrétaire du sénat, Pulinius.

« *Lucius Aurelianus, sois assuré de ma profonde amitié. Tu ne me connais pas alors que j'ai les oreilles encore toutes sonnantes de l'affection paternelle que te voue notre cher et si regretté Augustus Valérien. Que les dieux le sauvent de son terrible état !*

Tu sais que j'ai été et suis encore son plus fidèle soutien. J'étais près de lui ce sinistre matin où il a quitté Édesse pour aller au-devant du fourbe Shapûr.

Je suis de retour à Rome depuis peu. Je veux, je dois te parler de l'Augustus et de l'état de l'Empire. Pas seulement parce que je sais que l'un comme l'autre sont vivants dans ton cœur. Il en va de Rome.

Il vaut mieux que tu sois seul à entendre mes paroles. Ma maison du mont Opius nous conviendra. Demain à la quatrième heure, un de mes esclaves viendra chercher ta réponse et te conduire à moi si elle est positive. Ce que les dieux voudront, j'espère. »

Mais ce matin, alors qu'Aurélien saluait pour la première fois Pulinius, un esclave, la mine effrayée, l'avait rejoint après un trajet compliqué, porteur de la mauvaise nouvelle.

Julia Cordelia s'était évanouie en déposant des offrandes au temple de Minerve Medica. Les prêtres n'osaient la déplacer de crainte que son malaise ne fût un signe de la déesse. Aelcan, qui accompagnait sa maîtresse, tempêtait et faisait un esclandre pour qu'on la transporte dans un lieu plus confortable que le dallage du temple.

Sans une hésitation, Pulinius, dont la maison était toute proche, avait proposé son aide, offert ses serviteurs et ses chambres.

Et maintenant, entre les toges agitées des médecins, Aurélien ne reconnaissait qu'à peine le visage de sa mère.

Elle avait repris conscience depuis peu. Elle était plus que maigre. Sa peau, jaunie et comme craquante, tirait sur les os de ses tempes. Ses cheveux épars sur les coussins poissaient de sueur et de poussière ramassée sur le dallage où elle s'était effondrée.

De temps à autre, sous les draps et les couvertures apportés en nombre, on devinait les secousses de son corps chétif. Elles étaient si soudaines et si violentes qu'on eût dit qu'une bête tapie dans le lit l'attaquait.

Julia Cordelia bandait ce qui lui restait de force, vaincue chaque fois par la souffrance. Des grimaces lui découvraient alors les dents. Pourtant, pas une plainte ne franchissait ses lèvres décolorées. Après un instant de lutte, elle s'immobilisait, les yeux si parfaitement rétractés au fond de leurs orbites qu'on voyait la mort l'effleurer.

Les médecins se disputaient avec allégresse. Le plus âgé avait soigné une blessure de l'Augustus Valérien et les maux de bien des sénateurs au nom ronflant. Il assurait qu'une manière d'animal se nourrissait du corps de Julia Cordelia.

— Trouvons ce dont cette chose, que nous nommons maladie, est la plus gourmande. Nous pourrons alors la nourrir à satiété afin que, une fois repue, la maladie s'expulse d'elle-même du corps qu'elle occupe.

Il posait mille questions à Julia Cordelia. Éprouvait-elle plus de douleur en mangeant ceci ou cela ? Le matin ou le soir ? En ayant faim ou pas ? Et les liquides ? Que devenaient-ils dans ses humeurs ? Ou les fruits ?

Elle ne répondait plus, se contentant de respirer. Les confrères du médecin en profitèrent pour débattre de sa théorie. Elle n'était convenable ni en esprit de médecine ni en efficacité. L'un était d'avis qu'il fallait opérer afin de s'assurer de visu de ce que recelait le corps de la malade.

L'autre souhaitait plonger Julia Cordelia dans un bain d'herbes chaudes malaxées à de la crotte de chèvre et du soufre. Le troisième, avec beaucoup d'assurance, affirma que ce cas lui était bien connu.

— Il est lié à ce que Théophraste de Pergame et Aulu-Gelle appellent les *pestes fuligineuses.* Il faut les soigner avec la plus grande douceur en œuvrant sur l'intelligence entre les parties malades et l'esprit de la personne douloureuse. Le meilleur moyen d'y parvenir est de jouer de la musique tout près d'elle. En ce cas précis, je recommanderais la flûte particulièrement. Sur un rythme secondaire et invariable, alternant trois sons graves et un plus aigu.

Il donna, d'une voix puissante, une idée de ces sons bénéfiques. Les autres aussitôt se récrièrent. Une foule de nouvelles questions assaillit Julia Cordelia. On lui pressa le ventre, la poitrine ou les cuisses. Soudain, avec une vigueur ressuscitée, elle repoussa les manipulations. Sur un ton d'autorité qui rappela la grande prêtresse qu'elle avait été, elle déclara :

— Ce que j'ai, les dieux le savent et moi aussi. J'ai l'âge de mourir. J'ai le corps usé d'avoir accueilli si souvent la puissance de Sol-Invictus.

Elle esquissa un sourire décharné. Les médecins n'en furent pas réduits au silence. Que voulait-elle dire par cet accueil de son dieu ? Quand, et comment cela advenait-il ? Était-ce un contact ou une nourriture ? Un liquide ou une jouissance particulière ? Ressentie où ? Avec quelle intensité ? Son âge, s'en souvenait-elle avec précision ? Le jour et l'heure, l'état de la lune à l'instant de sa naissance, pouvaient en certifier l'exactitude ?

Le regard de Julia Cordelia se fit suppliant. Aurélien se sentait étrangement glacé, incapable d'un mouvement ou d'une protestation. La voix d'Aelcan, derrière lui, le fit sursauter.

— Ne pourrais-tu pas dire à ces crétins bilieux de foutre

la paix à ta mère ? Ils sont tout juste capables de l'étouffer de mots.

Le vieux régisseur était rouge de colère. Il grinça encore :

— N'importe quelle sage-femme serait capable de donner à Julia Cordelia ce dont elle a besoin : une potion contre la douleur qui la fasse dormir un peu.

Pulinius approuva dans un soupir de regret.

— Ton régisseur a raison, Aurélien, je le crains. J'espérais bien faire en les convoquant. Il faut toujours espérer, avec les médecins. Ceux-là ne sont pas les pires, je t'assure. Mais ce ne sont que des médecins !

Sans attendre d'autre confirmation, Aelcan se précipita. Trois gestes et un coup de gueule lui suffirent pour vider la pièce. Les médecins en restèrent sidérés. Leurs plaintes ne trouvèrent le chemin de leurs lèvres qu'une fois la porte refermée dans leur dos. Mais alors leur courroux fut si bruyant que Pulinius dut les rejoindre pour les apaiser.

Julia Cordelia adressa un sourire de remerciement à Aelcan.

Un sourire de tendresse mais qui pourtant rappela à Aurélien le rictus d'un cheval à l'agonie. Un sourire qui aurait dû le faire trembler d'émotion et le laissait indifférent.

Une vague de honte lui brûla la poitrine. Il songea à la froideur de Clodia lorsqu'elle lui avait annoncé la maladie de leur mère. Étaient-ils donc, l'un autant que l'autre, si semblablement et durement faits ?

Il s'efforça d'approcher de la couche. Julia Cordelia leva une main vers lui. Il la saisit maladroitement. Ce fut elle qui le fit asseoir sur le lit.

— Je sais le froid que tu ressens, dit-elle avec douceur.

Aurélien voulut protester. Elle le fit taire d'un battement de paupières.

— Ne t'en veux pas, mon fils. N'en veux pas à Clodia. C'est bien. C'est ainsi que les choses doivent se passer. Ma mort ne doit pas vous affaiblir. Telle est la volonté des dieux.

Elle se tut pour reprendre son souffle. Aelcan s'approcha avec un breuvage fumant et odorant. Une lueur d'amusement donna un peu de brillant aux yeux de Julia Cordelia

— Aelcan m'offre toute la tendresse dont j'ai besoin. Depuis longtemps. Sans ses bras et son amour, je ne serais jamais devenue la grande prêtresse de Sirmium.

Le visage martelé par les ans du régisseur rougit. Il ne put se retenir d'un regard de reproche vers Julia Cordelia. C'était là un secret qu'il aurait voulu emporter avec lui comme une pierre rare.

Aurélien approuva. Il pressa enfin les doigts de sa mère entre les siens.

— Je le sais.

— Tu le savais ? grommela Aelcan. C'est Clodia ?

— Qu'importe, répondit Aurélien sans quitter Julia Cordelia des yeux. Ma mère sait ce qu'elle doit faire de son âme et de son cœur. C'était le vœu de mon père qu'il en soit ainsi après sa mort.

Il y eut un silence embarrassé. Aelcan voulut que Julia Cordelia boive son breuvage. Elle repoussa le gobelet.

— Tu as raison, Aurélien. Rien de tout cela ne compte. Écoute Clodia. Elle est comme moi : une semence des dieux pour que s'accomplisse ton destin. Tu ne dois pas résister inutilement. Les dieux te veulent Augustus.

— Mère…

— Les dieux te veulent Augustus ! répéta-t-elle dans un effort qui la fit terriblement grimacer. Regarde autour de toi. Regarde le chaos de Rome. Ces grondements dans les rues ! Ma faiblesse ne m'a pas empêchée de les entendre… Ils attendent celui qui aura la force de relever le défi des dieux. Toi, Aurélien… Nul autre que toi !

— Les choses ne sont pas si simples, mère. Il ne suffit pas que je…

Aurélien se tut. Les yeux clos, serrant sa main, Julia Cordelia s'arc-boutait sous le feu du mal. Aelcan jeta le gobelet qu'il tenait encore, glissa le bras sous la nuque de sa maîtresse. Julia Cordelia lâcha la main de son fils. Gémissante, elle s'agrippa au cou de son amant, qui l'accueillit contre sa poitrine. Ils demeurèrent ainsi, enlacés.

Fasciné autant qu'effaré, Aurélien vit la douleur frémir par vagues dans le corps de sa mère. La sueur perlait au front d'Aelcan malgré le froid de la chambre. Les paupières closes, il voulait absorber dans son corps si robuste le mal de sa bien-aimée.

Enfin la crise passa.

Julia Cordelia se renversa sur les coussins. Aelcan, en nage, leva un regard dur vers Aurélien.

— Laisse-la se reposer. Je vais m'occuper d'elle. Tu peux aller rejoindre ce Pulinius. Il t'attend. Vous avez à parler.

Aurélien hésita. Aelcan ne lui parlait pas comme l'esclave affranchi qu'il était, mais avec une autorité paternelle qu'il n'avait pas entendue depuis longtemps. Devait-il s'en offusquer?

Aelcan caressa les joues de Julia Cordelia comme s'il effleurait un enfant endormi. Son sourire repoussait d'avance tous les reproches.

— Nulle femme n'a jamais été plus douce ni plus belle pour moi, chuchota-t-il. Toute la tendresse qu'elle ne pouvait pas vous donner, à ta sœur et à toi, c'est moi qui l'ai reçue.

— Recouvre-toi de ce manteau, offrit Pulinius aimablement. Cette pluie est glacée.

Un esclave tendit à Aurélien une cape de laine munie d'un capuchon. Le crâne chauve de Pulinius disparaissait sous un bonnet en peau de mouton dont les revers lui enveloppaient les joues et la nuque. Sous la fourrure bouclée, son visage prenait l'apparence d'un vieux chérubin, las et malicieux. Comme beaucoup d'autres avant lui, Aurélien se demanda où un homme d'apparence si frêle trouvait l'énergie et le courage que réclamaient sa charge et sa droiture.

Ils s'avancèrent sous l'élégant portique longeant le jardin de la villa et dessinant un parfait carré de doubles colonnes pourpres. Pulinius pointa son index sur le ciel.

— Le temps n'est pas à la promenade, mais il vaut mieux que nous parlions dehors. J'ai de nouveaux esclaves dans la maison. Il est encore un peu tôt pour que je me fie à leurs oreilles.

Il se tut, s'immobilisa.

— Sais-tu que Titus a dessiné ce jardin?

Sans attendre une réponse qui ne l'intéressait pas, il attrapa le bras d'Aurélien et le poussa à nouveau devant lui. Un air de contentement extrême le rajeunit.

— Même sous ce climat désagréable, après une si longue absence, il n'y a rien de Rome qui ne me paraisse merveilleux. Cette maison n'est pas aussi belle que celle de Virgile, qui est tout à côté. Mais je l'aime. Le fait est, j'aime cette maison comme j'aurais dû aimer une femme, quand j'étais jeune... Je l'habite depuis, ah, quoi? Cinquante ans? Plus? Tu n'étais pas né. Ce fou d'Héliogabale était Augustus et il dansait nu pour son père le Soleil-Invincible!

Il s'esclaffa, jeta un petit coup d'œil à Aurélien pour s'assurer de son attention.

— Sais-tu que la maison de Virgile est occupée aujourd'hui par un affreux marchand de drap? reprit-il sur le ton de la confidence. Un affranchi. Dix ou vingt fois plus riche que je ne le serai jamais. Bon. C'est ainsi que vont les choses d'aujourd'hui. Rome est tenue par les affranchis. Moi, je ne suis pas riche, mon ami. Pas autant qu'on le croit, non. Certainement non! Mais au moins, je suis moi!

Un soupir, un hochement de tête sévère.

Aurélien n'avait pas vraiment le cœur à sourire, le bavardage du vieux secrétaire du sénat l'amusait cependant autant qu'il l'agaçait. Pulinius avait d'ailleurs raison. Le jardin était une splendeur. Taillées en topiaires savamment entretenues, les haies de buis, d'ifs et d'oliviers y traçaient un élégant labyrinthe. Elles se croisaient en courbes gracieuses, enlaçaient des fontaines, des bassins, une pergola, toute une collection de statues. En style grec pour la plupart, comme le voulait la mode. Aurélien y reconnut un buste de Ciréron, un Apollon jouant de la harpe, un César en grande cuirasse, un Persée nu, la tête d'une Érinye au poing, Vénus et Cybèle unies dans un baiser. Ainsi qu'un petit mais magnifique buste de Livie, l'épouse d'Auguste.

L'eau ruisselait sur leur marbre. Les plis des tuniques s'en gorgeaient, rendant les chairs plus délicates, les poitrines, les épaules et les cuisses acquérant la grâce de nudités véritables. C'était un monde de beauté qu'il aurait su goûter si la vision du visage de Julia Cordelia ruiné par la douleur ne l'avait pas hanté.

— Je te remercie pour ton aide, premier secrétaire, fit-il. Je ferai transporter ma mère dans la villa que je loue dès qu'elle sera mieux.

— Certainement pas ! s'exclama Pulinius. Elle restera ici. Ne gâche pas ses derniers jours.

— Ma maison est tout près de la porte d'Ostie, protesta Aurélien sans conviction. Elle n'est pas inconfortable.

— Tu peux être bien installé là-bas, trancha Pulinius — hanté quoique à mon goût le quartier soit trop pollué par les trafics de l'Emporium et des entrepôts de Galba — mais je t'en prie, fais ce que je te demande. Laisse ta mère ici. Julia Cordelia sera près des dieux avant peu. Accepte que je lui offre le calme de ma maison. La mort ne me fait pas peur. Viens avec ta sœur t'installer près d'elle. Cette maison sera la vôtre tout le temps que durera votre séjour à Rome.

— C'est d'une grande bonté de ta part. Tu me trouveras ton débiteur...

Les yeux dans ceux d'Aurélien, la ruse sur les lèvres, Pulinius secoua sa vieille tête.

— Justement. Parlons de cette dette… Ne crois pas que je ne songe qu'au bien-être de ta mère, mon ami. Je veux qu'au sénat comme chez les soutiens de Gallien on sache que tu loges chez moi.

Aurélien se tut et attendit. Pulinius jeta un coup d'œil autour d'eux et marcha un peu plus lentement.

— Mais d'abord, j'ai des nouvelles pour toi. Des nouvelles que personne n'a façonnées à son goût pour plaire ou déplaire aux oreilles du sénat.

— Des nouvelles de Valérien?

Pulinius opina. Il n'y avait plus aucune marque de légèreté sur son visage. Sa voix trembla.

— Hélas, oui. Et terribles. Chaque jour que les dieux font, Shapûr s'essuie les semelles sur le dos de notre vénéré Augustus. Il en a fait son marchepied pour grimper dans son char. Terreur des dieux! Peux-tu le croire? Et la nuit, Valérien est parqué avec les cochons et les béliers. Il ne mange rien d'autre que ce qu'ils mangent.

Il secoua la tête avant d'ajouter :

— Et il vit malgré tout. Les dieux ne lui font grâce de rien. Il ne meurt pas, il vit et endure l'humiliation. Et nous avec, dux Aurélien. Tout l'Empire est avec lui plongé dans l'humiliation.

Ils se turent. Charrièrent le poids de ces mots incroyables que la pluie semblait alourdir encore.

— Est-ce vrai, demanda enfin Aurélien, que le roi de Palmyre a mis en fuite l'usurpateur Macrien et se prépare à affronter Shapûr avec nos légions? J'ai entendu dire cela hier.

Pulinius opina à nouveau, cette fois avec un petit rire :

— C'est surtout son épouse qui a fichu la frousse à Macrien. Elle n'a fait qu'une bouchée de cet imbécile. La terreur qu'elle lui a inspirée le fait encore vaticiner sur la Méditerranée.

— Son épouse? La reine de Palmyre?

— Zénobie. Ou déesse Alath, comme tu voudras. C'est ainsi que les guerriers de Palmyre et du désert l'appellent désormais : Alath! Belle, de surcroît. Quoique cela, hélas, je ne l'aie pas vu de mes yeux. Mais j'ai vu les yeux de ceux qui l'ont vue!

— Veux-tu dire qu'elle combat comme un homme?

— Mieux qu'un homme.

La main de Pulinius chercha le coude d'Aurélien, le contraignant à marcher à son pas lent, leurs épaules se touchant presque.

— Je suis certain que tu aurais du plaisir à la contempler, Aurélien. Elle va au combat le buste recouvert d'une cuirasse de cuir rouge qui la laisse comme nue.

— Quel besoin le roi a-t-il de pousser son épouse devant son armée? s'offusqua Aurélien. Ne sait-il pas en être le chef?

— N'aie crainte, le Très Illustre Odeinath est un excellent guerrier. Pourtant, ce n'est pas le roi Odeinath qui pousse son épouse à la guerre, mais l'inverse.

Pulinius soupira :

— Nous parlons de l'Orient, mon ami. Là-bas, rien n'advient comme chez nous. Ce qui te semble civilisé ici, à Rome ou même sur les limes du Danube, ne l'est plus là-bas. Verrais-tu cette folie qui s'empare des habitants de l'Orient quand ils croient, comme les chrétiens, en un dieu unique! Les chrétiens d'ici, au moins, se cachent dans les caves et la nuit. Là-bas, ils se montrent en plein jour. Et il faut voir comment! La raison n'a pas prise sur eux. Les pires violences les enchantent. La reine Zénobie est un de ces mystères dont accouche le désert, de temps à autre, dans sa grande moisson d'excès.

Le secrétaire secoua encore une fois les pans de son bonnet, serra plus fort le bras d'Aurélien.

— Souviens-toi de ce nom, Aurélien : Zénobie de Palmyre. Et ne te méprends pas. Elle aime la guerre. Les gens de là-bas veulent croire qu'elle n'est pas tout à fait humaine… Qui sait ? Son histoire est amusante et je te la raconterai. Ce qui importe aujourd'hui, c'est qu'avec son époux de roi elle nous ait rendu un fier service. C'en est fini de l'usurpation de Macrien.

Pulinius claqua la langue avec satisfaction. La vie avait cela de bon, quand elle durait assez : on pouvait voir ses ennemis subir tout le mal qu'on leur avait souhaité.

— Comment l'Augustus Valérien a-t-il pu tomber dans le piège de Shapûr ? demanda brutalement Aurélien, qui retenait la question depuis si longtemps. Nul n'a su l'en empêcher ?

La main de Pulinius quitta le bras d'Aurélien. Il eut un silence qui aurait pu passer pour un reproche.

— Rien ne pouvait empêcher Valérien d'agir selon ses désirs. Pas même moi. Il aimait que je lui prodigue des conseils, mais les suivait rarement… Tu as cependant raison. Il n'aurait pas dû se jeter dans les bras du Perse. Il y est allé à cause de toi.

— De moi !

— Pas si fort, fit Pulinius en jetant un regard derrière lui.

— Comment oses-tu dire une chose pareille ? s'indigna Aurélien sans baisser le ton.

— Doucement, doucement, mon ami. Je vais t'expliquer. Il y a aussi cette esclave. Valérien s'était entiché d'elle. Une belle fille noire du nom d'Iflava. Très amoureux. Le phallus en éruption dès qu'elle l'approchait. Un festin de jeunesse pour un homme qui l'a perdue depuis longtemps. Ce triste matin, avant de monter dans ce char qui allait le conduire dans les bras de Shapûr, il l'a affranchie et dotée d'un million de sesterces. Il lui a aussi donné sa maison du Tuscullum.

Tout près d'ici. Elle doit y être. Tu auras peut-être l'occasion de la rencontrer. Vraiment, elle…

— Premier secrétaire… !

— Calme-toi, dux Aurélien ! Je n'insulte ni ton honneur ni ta fidélité à notre pauvre Augustus.

Il reprit le bras d'Aurélien et l'entraîna dans la dernière aile du portique.

— Et s'il te plaît, ne parle pas si fort. C'est inutile à la clarté de ce que tu dois savoir, et les voix résonnent désagréablement par ici. Bon, voilà ce qui a été. Ni l'Augustus ni moi ne doutions que Shapûr était un renard et que l'âme de Macrien était aussi fréquentable que les latrines de Subure. Mais Valérien a appris que les choses allaient mal entre Gallien et toi. C'est un fait, n'est-ce pas ? Alors il n'a eu de cesse de revenir se mettre entre vous. Il ne voulait plus se battre contre Shapûr. Il craignait que vous déchiriez l'Empire dans son dos.

— Jamais je n'aurais fait une chose pareille. L'Augustus le savait. Je lui avais donné ma promesse.

— Oui. Il croyait dans ta promesse. Mais il a été très peiné par les morts de Nicopolis, murmura Pulinius.

Aurélien se raidit, les joues livides.

— César a bel et bien tenté de m'empoisonner. Le jour même de mon triomphe sur les Goths.

— Oh, certainement ! Gallien hait les triomphes qui ne sont pas les siens.

— Lui n'a jamais respecté la parole donnée à son père. Alors que nous l'avons prononcée en buvant le sang du taureau de Mithra, poursuivit Aurélien avec une rage grandissante. Aujourd'hui, regarde ce qu'il en est. Pas un instant, premier secrétaire, pas un instant César n'a montré la moindre volonté d'aller délivrer notre Augustus.

— Ah oui, je sais, mon ami. Je sais.

— Mais qu'importe à César ? Il veut l'acclamation du

sénat et la couronne de laurier, alors que son père attend son aide.

— En quoi il ne manque pas de sagesse, dux majorum. Même si tu ne peux le concevoir, crois-en mon expérience. César fait ce qu'il doit faire.

Le visage de Pulinius n'avait plus rien d'aimable ou de comique. Aurélien, malgré sa colère, y lut une détermination qu'il n'avait rencontrée que dans le face à face des glaives avec les meilleurs ennemis.

— Que veux-tu dire ?

— Que l'Empire se brise et se démantèle. Qu'il s'effondre dans sa propre poussière, dans la pourriture des ambitions et des trahisons. Rome croule, ami Aurélien. Rome n'est puissante que dans les images peintes qui se voilent du salpêtre de nos palais ! César Gallien, fils de notre Augustus, est en ce moment le seul qui peut encore retenir la force de l'Empire avant qu'elle nous échappe.

— Allons donc ! Gallien ne tient rien du tout. Tu arrives à Rome. Peut-être n'as-tu pas encore entendu le bruit des rues. Il n'y a pas un boutiquier qui ne peste contre lui, pas un bouge où on ne moque son nom. Qui peut admirer un César qui ne préserve pas la vie de son père ?

— Les rues de Rome grondent. Et alors ? Elles oublieront leur grondement avec des jeux ou quelques martyres de chrétiens. Oublie les rues, mon ami. Elles n'ont du cœur pour Valérien que parce qu'il n'est plus là pour leur déplaire. Regarde ce qui est, plutôt. Gallien tient les légions… Même si sa gloire n'est pas le cinquième de la tienne. Il tient aussi le sénat où, pardonne-moi, ton influence est encore plus légère que celle des dieux. Il tient les préfets de Gaule. Les dux du Rhin et du haut Danube sont ses fils. Ceux d'Afrique et d'Égypte lui doivent tout ou le craignent. Donc il ne te cédera rien. Il te faudra tout prendre par la force…

— Tu te trompes sur moi, premier secrétaire. Je ne veux rien prendre. Je ne serai jamais un usurpateur. Je reproche à César d'être ce qu'il est et de mal se conduire envers l'Augustus. Ne me crois pas jaloux.

Le regard de Pulinius s'adoucit jusqu'au sourire. Il opina, amusé.

— Oui. C'est bien ainsi que Valérien me parlait de toi. «*Un taureau franc et puissant, ne connaissant que la ligne et l'honneur de Rome.*» À quoi il ajoutait : «*Mais il a une sœur aussi belle qu'intelligente, et elle n'ignore aucun des détours qui mènent au Forum.*»

Pulinius rit, mais Aurélien devina sans peine la menace sous le rire.

— Tu es qui tu es, dux majorum Lucius Aurelianus, et cela est grand. Cependant, tout près de toi, il en est d'autres qui te veulent Augustus et n'ont pas ta sage patience, reprit doucement le vieux secrétaire. Si tu n'y prends garde, tu pourrais bien te retrouver à devoir affronter César Gallien sans même l'avoir souhaité, mon ami. De la même manière que tu as découvert les cadavres de Nicopolis au matin de ton mariage.

Aurélien blêmit.

— Craindrais-tu ma faiblesse ? fit-il en affrontant Pulinius.

— Oh non ! Loin de moi cette pensée. Je te crois fort, droit quoique trop pur de cœur. Je crois aussi, si tu m'accordes cette franchise, que tu es trop sensible à l'ambition de ta sœur Clodia. Elle n'a pas ta pureté. Elle n'a jamais adoré ce que tu adores et qu'adorait votre père : *Virtus, Pietas, Fides !*

Aurélien s'immobilisa. La colère qui était sur le point de l'emporter s'évanouit sous la surprise. Il scruta le visage un peu ridicule de Pulinius avec stupeur. Comment savait-il tant de choses ?

Son regard dut poser la question que ses lèvres ne formulaient pas. Pulinius sourit avec affection et lui serra le poignet.

— Ne songe pas à mal. Je ne t'ai pas espionné. Je connais ton cœur, parce que nous avons ces mêmes mots gravés dans notre chair : *Virtus, Pietas, Fides !* L'étendard du vrai César et du grand Auguste. Voilà pourquoi j'ai suivi Valérien jusqu'où je ne le désirais pas.

Accroché toujours à son bras, il poussa Aurélien vers la dernière allée du portique.

— Songe à cela, dux : je ne te veux que du bien. Si tu m'accordes d'être sincère, alors fais ce que ce pauvre Valérien n'a jamais fait : écoute mes conseils. Il n'est pas temps pour toi d'affronter César. Ne te laisse pas emporter par la colère. Ton destin est grand. Je suis de l'avis de Julia Cordelia : les dieux te veulent Augustus ! La grande prêtresse de Sirmium a raison, l'heure viendra de ton triomphe. Mais aujourd'hui, laisse Gallien vider les rues de nos humiliations. Laisse la reine de Palmyre et son époux nous débarrasser de Shapûr et venger ce pauvre Valérien. Ensuite, je serai là pour m'émerveiller de ta grandeur. Je t'en fais la promesse devant les dieux.

Aurélien ne répondit pas avant qu'ils parviennent près des murs de la maison.

— Je veux bien suivre ton conseil, premier secrétaire, à une condition. Tant que l'Augustus Valérien sera en vie, même si sa vie est sous la botte de Shapûr, son fils César Gallien ne se fera pas acclamer ni ne portera la couronne de laurier.

Pulinius plissa les paupières, réfléchit un instant avant d'approuver.

— C'est une honorable contrainte. Je ne vois pas comment le sénat pourrait s'y opposer.

12

ÉMÈSE

Elle avait mal, mais elle tiendrait bon.

Le Très Illustre voulait la voir briller. Il voulait que les noms de Zénobie et d'Odeinath, enlacés dans la gloire, brûlent les cœurs fidèles et remplissent de crainte ceux qui ne l'étaient pas encore. Tout à l'heure, devant tout ce qu'Émèse et ses alentours comptaient de chefs de clan, de tribuns et légats des légions, de prêtres des dieux de Rome et de Syrie, l'épouse du Grand Odeinath deviendrait la *Despoïna*, le Grand Commandeur de Palmyre.

On ne la verrait pas en Alath au torse rouge, mais en reine offrant un fils à leur maître. Une tunique large mettrait en valeur son ventre bombé d'un coussin cousu sur une ceinture.

Elle saurait tenir le rôle. Elle avait appris auprès de Dinah à marcher avec cette lenteur, cette cambrure des reins qui affectaient les femmes enceintes. Il lui arrivait aussi, sans difficulté, de se montrer pâle et chancelante comme celles qui, bientôt, allaient enfanter. Car le coussin qui simulait sa grossesse avait une autre fonction : il masquait les emplâtres épais et les bandages qui couvraient sa plaie toujours suppurante.

Ainsi que l'avait prédit Ashémou avec fureur, la longue course sur Émèse qu'elle s'était imposée pour en déloger l'usurpateur Macrien avait été une folie. Aucun pansement n'avait résisté à l'effort. La plaie profonde était devenue une bête brûlante qui paraissait, par instants, la dévorer de l'intérieur. Désormais, plus aucune herbe, aucun emplâtre, aucune magie n'était assez puissant pour l'apaiser.

Si ses feintes faiblesses de femme enceinte dissimulaient sa souffrance au Très Illustre autant qu'à Nurbel, elles n'abusaient pas l'Égyptienne. Ashémou ne grondait plus. À quoi bon ? Le mal était fait. Soir et matin, parfois plusieurs fois dans la journée, Ashémou changeait son pansement. Ses lèvres tremblaient, les larmes gonflaient ses paupières. Elle murmurait tout bas, presque inaudible :

— Tu t'es tuée ! Tu t'es tuée !

Peut-être était-ce vrai. Mais Ashémou ne pouvait comprendre le bonheur qui avait embrasé Zénobie lorsqu'elle s'était présentée devant la ville, droite sur Yedkivin. Les hurlements des soldats romains massés sur les murs d'Émèse avaient vrillé l'air telle une salve de flèches.

Elle s'était avancée, seule, offrant sa poitrine de cuir rouge aux tirs des ennemis. Devinant qu'il n'y en aurait aucun. Les portes s'étaient ouvertes sans un combat. Légionnaires et auxiliaires avaient déferlé au-devant d'elle. Mêlant leurs voix à celles des archers de Palmyre, ils avaient gueulé le nom d'Alath. « Alath ! Alath est avec nous. Longue vie à Alath ! »

La maigre carcasse de Macrien avait disparu comme par enchantement. Il s'était enfui sans attendre qu'elle se dresse devant lui. Elle, Zénobie, femme et épouse du roi de Palmyre, elle était devenue la déesse des légions de l'Empire autant qu'elle l'était des guerriers du désert.

Elle avait bu cette gloire avec une soif qui la rendait insensible au sang qui ruisselait à nouveau sous sa cuirasse.

Le Très Illustre, devenu avec l'accord de Rome gouverneur et maître de la Syrie tout entière, l'avait installée dans la splendeur d'un palais de marbre et d'or. Là, des jours durant, elle avait reçu honneurs et allégeances. Elle y avait oublié qu'elle était Zénobie. Elle avait cru à sa fable, devenant pour elle-même ce que les autres voyaient en elle : Alath, la déesse rouge ! Son esprit s'était vidé des mensonges obligés et des mauvais souvenirs.

Elle avait tenu sa promesse. Elle avait vaincu Shapûr le Perse. Rome elle-même pliait le genou devant Odeinath et son épouse. Une épouse pareille à nulle autre. Qui ne craignait ni le sang ni la mort. Qui ne le cédait en rien au plus grand des guerriers.

Avait-elle seulement cru, en promettant la gloire à Odeinath, qu'elle pourrait tant accomplir ? Elle ne le savait plus. Tout cela était si immense que la force qui l'emportait ne paraissait plus lui appartenir. Dans un épuisement, une confusion qu'accroissait sa fièvre renaissante, elle se mit à songer que, peut-être, après tout, Baalshamîn, le dieu puissant du désert, veillait bel et bien sur elle.

Mais, tandis que le ventre de Dinah s'arrondissait, que les coussins sur son propre ventre grossissaient, la blessure de Sisogodon ne se refermait pas.

De plus en plus souvent, elle avait dû serrer les dents sur une douleur telle qu'elle l'empêchait de respirer. Raidie, livide, elle réclamait le repos d'une femme enceinte.

De jour en jour, cela avait empiré. Aujourd'hui, il n'était plus d'heure sans douleurs. La fièvre battait dans ses tempes, consumait sa poitrine. Ses nuits hachées par la souffrance se peuplaient de cauchemars qu'elle croyait disparus. Ses veilles sombraient sous les souvenirs enfouis où tout le mal à l'origine de sa folie de gloire l'étouffait.

Oh, elle ne s'imaginait plus être une déesse. Elle n'était que

Zénobie. Celle qui avait perdu Schawaad et sa pureté dans les ruines de Doura Europos. Sa blessure suppurante était la punition des dieux. Elle avait voulu jouer avec eux. Elle les avait méprisés en les imitant. Elle avait usé de la force et du nom de Baalshamîn pour assouvir sa rage, sa vengeance, sa fureur de mort contre le mal que les violeurs de Doura Europos avaient enfoui entre ses cuisses.

Mais le mal du viol était toujours là. Aussi vif et terrible qu'au premier jour. Maintenant, il l'infectait tout entière.

Ashémou avait raison. Cela allait la tuer.

Tant mieux. Les mensonges devaient cesser. Ce serait une paix, une délivrance infinies.

Elle devait tenir jusqu'à la naissance de l'enfant du Très Illustre.

Ensuite, Alath mourrait dans sa gloire.

Peut-être, si l'autre monde promis par les dieux existait, retrouverait-elle Schawaad.

Cette seule pensée lui donnait le courage de supporter le supplice que les dieux lui infligeaient. Il était temps que la mort la conduise auprès de son bien-aimé. Qu'elle s'unisse enfin, pure à nouveau et sans la honte du mensonge, au seul homme qui avait ouvert son cœur. Lui qui déjà l'attendait dans le monde des dieux vivants.

Ils étaient une trentaine, tous impatients de la voir.

Le brouhaha de leurs palabres résonnait contre les poutres peintes et les encorbellements du plafond. Il s'éteignit d'un coup quand elle apparut, appuyée à l'épaule d'une esclave. Ils ne virent d'elle que sa beauté rehaussée par la vaste robe à pans tissée d'or et de corail, son ventre gonflé par la promesse de vie. Ils virent son regard si dur qu'ils baissèrent les yeux plutôt que de le soutenir. Ils songèrent que tel était le regard d'Alath.

Le Très Illustre, vêtu d'une tunique en soie pourpre qui rappelait son rang dans l'Empire, était à demi allongé sur un lit de repas. Des phalères d'or à l'image des dieux de Palmyre et de Rome pesaient sur sa poitrine. Son poignet droit était ceint d'un bandeau de cuir où s'enroulait un serpent d'argent, la gueule serrée sur un disque d'or.

Il se leva, contraignant chacun à l'imiter, accueillit son épouse avec le visage du bonheur, ne détourna pas les yeux quand elle s'approcha. S'il vit ses joues livides, la sueur de son front sous le diadème, les doigts serrés sur l'épaule de l'esclave, il n'en montra rien. S'il songea à la blessure qui la rongeait, il n'en effaça pas son sourire pour autant.

Il tendit les mains pour que Zénobie s'y appuie. Avec une tendresse que tous remarquèrent, il l'aida à prendre place sur les coussins de son lit.

Sans quitter la main de Zénobie, dans le silence aussi pesant de respect que de curiosité qui les tenait tous, il dit :

— Moi, Odeinath, fils de Whabalath, fils de Nasor, sénateur de Rome, gouverneur de la grande Syrie, je déclare mon épouse Zénobie maîtresse et Grand Commandeur de Palmyre. Pour la guerre comme la paix, pour la justice et l'ordre de chaque chose dans le royaume de Palmyre, vous vous adresserez à elle comme à moi. Ses ordres et ses désirs seront les miens.

Il se tut, le temps de faire glisser son regard sur chacun des convives. Il leva sa main nouée à celle de Zénobie et reprit d'une voix plus forte :

— Les dieux en sont témoins : nous sommes Zénobie et Odeinath, roi et reine, égaux en charge et en devoir. Vive la Despoïna de Palmyre !

Tous, d'un même claquement de voix, chefs de clan ou prêtres, lancèrent leur salut :

— Longue vie à la Despoïna ! Longue vie à Odeinath et Zénobie ! La paume des dieux sur eux !

Alors, comme si une même flamme partout embrasait les autels, la fumée des encens s'éleva au-dessus du palais, le repas des offrandes commença.

Les esclaves servaient et desservaient. Le vacarme des paroles à nouveau résonnait contre le plafond. Elle mangeait à peine. Elle faisait de son mieux pour conserver un visage impassible, pour ne pas crisper les mâchoires. La main du Très Illustre serrait toujours la sienne. C'était un signe. Il avait deviné son extrême faiblesse et sans doute sa raison.

De temps à autre, elle sentait le poids du regard de Nurbel sur sa nuque. Lui aussi s'inquiétait.

Elle parvint à sourire, à dire quelques mots. À faire une plaisanterie sur sa cuirasse, que les bourreliers d'Émèse allaient devoir adapter à son gros ventre. Voilà qui effraierait plus encore les Perses de Shapûr quand elle apparaîtrait devant eux, au prochain combat. Les rires furent hauts et forts. On se répéta la plaisanterie. Les doigts de son époux pressèrent doucement les siens, comme en un remerciement. Du coin de l'œil, elle devina l'approbation de Nurbel.

Ensuite, elle se tut longuement pour reprendre son souffle. La douleur montait jusque dans sa gorge, poussait des larmes dans ses yeux et l'aveuglait.

Alors qu'elle allait demander au Très Illustre le droit d'aller prendre du repos pour elle et l'enfant qu'elle portait, on entendit un brouhaha au fond de la salle.

Un centurion apparut devant un homme que poussaient des légionnaires. À la longue tunique blanche et aux cheveux qui lui masquaient en partie le visage, chacun reconnut un chrétien. Il y eut un murmure de réprobation. Le légat de la IIIᵉ *Parthica* fit signe au centurion d'approcher et annonça :

— Très Illustre, tu avais désiré que tous les prêtres des temples d'Émèse viennent partager ton repas aujourd'hui et s'inclinent devant ton épouse, la Despoïna. Mais celui-ci n'a pas voulu, bien sûr. On ne peut pas attendre des chrétiens qu'ils se comportent comme ils le devraient. Aussi l'ai-je fait amener de force.

Le centurion donna une bourrade dans le dos du chrétien. Il avança, droit, mince et raide comme une hampe de lance. Zénobie se mit à trembler.

Était-ce la fièvre ?

Cette raideur, cette démarche, elle les reconnaissait entre mille.

Comment les aurait-elle oubliées ?

Mais c'était impossible. Les morts n'appartenaient pas à ce monde.

Le légionnaire voulut contraindre le chrétien à s'incliner devant le Très Illustre, mais il résista. Dans le mouvement, son abondante chevelure dégagea tout entier son visage.

Une exclamation d'horreur s'éleva. Seul Odeinath entendit le gémissement de douleur de Zénobie. La partie gauche du visage du chrétien était celle d'un monstre. Le feu avait fondu les chairs, les tirant et les lissant, ôtant tout aspect humain à l'œil, au nez et à une grande part de la bouche.

Mais, même ainsi, Zénobie le reconnaissait.

Schawaad ! Schawaad !

La fièvre noyait sa raison.

Oh, ce regard! Il aurait fallu plus que le martyre de son visage pour qu'elle ne le reconnaisse pas!

Le Très Illustre eut un geste pour que les légionnaires cessent de le contraindre à se prosterner.

— Qui es-tu?

— Mon nom est Simon, esclave du Christ Jésus.

— Tu es le chef des chrétiens d'Émèse.

— Je les conduis selon la volonté de Seigneur Dieu.

— Qu'est-il arrivé à ton visage?

Simon eut un sourire qui déforma plus encore ses chairs.

— L'Augustus Valérien et le procurateur Macrien ont cru pouvoir me calciner sur un bûcher. Ils ignoraient la volonté et la toute-puissance de notre Dieu.

Un grondement de réprobation roula dans la salle. Zénobie sentit qu'elle perdait conscience. La douleur soudain la quittait. Elle aurait aimé se lever, prononcer le nom de Schawaad. Ô Schawaad, mon amour. Elle se rendit à peine compte que la main du Très Illustre se serrait plus fort autour de ses doigts.

— Pourquoi refuses-tu de partager mon repas et de t'incliner devant mon épouse la Despoïna? demanda-t-il.

— Un chrétien ne se prosterne que devant Dieu. Il ne boit et ne mange que le corps du Seigneur Christ, répliqua doucement Simon.

Pour la première fois, il se tourna vers Zénobie, lui fit voir toute l'horreur de son visage.

— N'imagine pas un instant, roi de Palmyre, que je puisse m'incliner devant ton épouse. Au jugement du Dieu tout-puissant, elle n'est que péchés et mensonges.

Zénobie voulut se redresser, la bouche ouverte pour protester. La douleur la coupa en deux. Dans un éclat de conscience, elle vit encore le visage terrible de son amour avant que l'obscurité fonde sur elle. Le cri du Très Illustre qui cherchait à la retenir alors qu'elle s'effondrait, elle ne l'entendit pas.

13

ROME

La chevelure dénouée de Clodia balaya la poitrine nue de Maxime. De la langue, elle suivit la cicatrice qui serpentait sur sa joue. Il lui releva le visage, reçut ses lèvres sur les siennes tandis qu'il empoignait ses hanches. Il la souleva pour qu'elle puisse l'enfourcher. Elle s'appuya sur ses épaules, creusa ses reins pour l'accueillir. Au contact de leurs sexes, un grognement de satisfaction se mêla à son baiser.

Des hurlements, des rires, tout un vacarme de foule traversa le rideau de leur alcôve. Ni l'un ni l'autre n'y prêtèrent attention. Clodia se tendit, offrit la pointe de son sein à la bouche de Maxime. À petits coups lents, il s'enfonça en elle, les paupières mi-closes, lui soutenant les fesses, accompagnant la danse de ses hanches.

Dehors, un tintamarre de boucliers fracassés et de glaives entrechoqués déclencha des hurlements. Des trompes et des tambours se déchaînèrent. Nul n'entendit le feulement saccadé qui sortait de la gorge de Clodia. Maxime puisait de plus en plus loin son plaisir en elle. Soudain elle s'arc-bouta, s'immobilisa, saisie d'un frisson.

Ses doigts cherchèrent le membre de Maxime pour le retirer vivement de son ventre, le contraindre au repos, vibrant entre ses doigts. Puis, les yeux grands ouverts, les lèvres pâlies par la soif et le plaisir, elle l'enfouit à nouveau. Les reins pleins de violence, jouissant avec une férocité butée, solitaire.

Derrière le rideau, des criaillements aigus, des rires et des insultes fusaient, recouvrant de nouveaux appels de trompe.

Maxime, fasciné, ne pouvait détacher son regard du visage de Clodia. Elle lui échappait. Elle ne le voyait plus. Peut-être ne le sentait-elle plus, enfermée dans sa jouissance, les ongles griffés sur sa poitrine.

Il répondit à la violence de ses reins par des coups redoublés, comme s'il voulait la déchirer. Atteindre cette jubilation qu'elle retenait pour elle-même ainsi qu'un secret jamais partagé. Il ferma les yeux pour jouir à son tour dans sa propre solitude.

Le vacarme du dehors s'apaisa en même temps qu'eux.

Clodia se détacha, roula sur les coussins. Son souffle ne soulevait plus qu'à peine sa poitrine. Une indifférence pensive refermait sa bouche.

Depuis des lunes, Maxime avait appris à ne plus s'étonner de cette froideur qui succédait à la brutalité de leurs étreintes. En rien Clodia ne se comportait comme les autres femmes. S'il en ressentait du dépit, son orgueil l'empêchait de le montrer.

Il s'inclina pour lui baiser le creux des seins, esquissa une caresse affectueuse sur son pubis humide avant de se détourner pour entrouvrir le rideau de l'alcôve.

Au-dessous de leur loggia s'étendait le spectacle effarant de la naumachie de Trajan. Un bassin assez immense pour ressembler à un lac et assez profond pour accueillir des galères de combat. Dans les gradins, quatre-vingt mille voix surexcitées braillaient leur goût du sang et leur mépris envers les vaincus.

Le combat qui venait de s'achever avait opposé des liburnes à deux rangs de rameurs. C'étaient des bateaux vifs et maniables. Une étrave de bronze, aussi tranchante qu'une épée, effilait leur proue. Pour les combats dans le bassin, ils n'étaient équipés que d'un mât central dont la vergue était relevée et la voile jamais déployée. L'un des équipages arborait des bonnets ou des plumets de casque verts, l'autre des bleus.

Les bleus venaient de vaincre. Les rameurs maintenant tiraient leur bateau dans un tour triomphal jusqu'aux pontons dessinant un bras de digue à l'extrémité du plan d'eau. Recevant les vivats de la victoire, les combattants hurlaient et brandissaient des masses de combat dont les arêtes tranchantes dégoulinaient encore de sang et de cervelles broyées.

Derrière eux, sur le lieu du combat, les cadavres des vaincus rougissaient l'eau trouble du bassin. La galère des verts, immobile et bancale, était déchirée sur une vingtaine de pieds. La haute lisse de bâbord engouffrait l'eau comme une cascade. Sur le pont défoncé, les survivants aidaient les blessés sous les insultes du public le plus proche. Une grosse barcasse ronde, munie d'un treuil, s'approchait pour soutenir le bateau avant qu'il coule et le tirer dans une cale flottante qui contenait déjà d'autres épaves.

Maxime esquissa une moue.

La naumachie de Trajan était la plus immense, la plus coûteuse folie des jeux de Rome qui se puisse concevoir. L'architecture de l'arène, à elle seule, faisait frémir. Ses gradins à perte de vue étaient capables de contenir une foule plus nombreuse encore que le *Trigarium* de Claude où se déroulaient les courses de chars. Même l'énorme masse du Colisée semblait chétive en comparaison. Pourtant, les spectacles, stupéfiants et grandioses les premières fois, s'avéraient vite répétitifs et ennuyeux.

Le bassin était assez grand pour que les bateaux y manœuvrent à l'aise. La poursuite et l'attaque pouvaient être excitantes. Mais, pour cela, il aurait fallu que de fins tacticiens dirigent les batailles. La plupart du temps, les marins n'étaient que des soudards. Les bateaux s'élançaient des extrémités opposées, profitaient de la distance pour prendre le plus de vitesse possible avant un choc frontal. Seule comptait la force brute pour fracasser la coque adverse.

Les finesses, les ruses permettant de louvoyer habilement, d'éviter la proue de l'ennemi en glissant sur son plat-bord pour briser ses rames, l'immobiliser et l'éperonner proprement, étaient rares. Il s'agissait surtout de basculer la passerelle d'abordage le premier. La victoire n'était qu'un massacre commun.

Rien de bien distrayant quand, plus de mille fois, on avait été combattant soi-même.

Maxime préférait l'incertitude des affrontements d'homme à homme, gladiateur contre gladiateur. Ou, encore mieux, contre les fauves. Là, la valeur d'un homme, son courage ou sa peur apparaissaient à nu. L'intelligence, la ruse ou la force pure déroulaient un spectacle incertain. On y palpait l'énigme des hommes devant la certitude de la mort. Certains gladiateurs étaient habités par l'art du combat. Un désir fou de briller les rendait inhumains. Même la médiocrité, alors, n'était pas sans charme. La couardise pouvait se révéler comique ou inventive.

Mais Clodia aimait les naumachies.

Et aimait faire l'amour dans ces loges suspendues que l'on louait à prix d'or tout en haut de l'arène. Ce qui compensait, et de beaucoup, le vacarme et l'ennui des jeux.

— Les verts de Caius Ornius ont encore perdu, je m'en doutais, remarqua-t-elle avec dédain.

Le froid qui régnait sur Rome depuis deux semaines pénétrait à présent dans l'alcôve ouverte. Elle s'enveloppa dans la pelisse de loup qui avait longtemps servi à Maxime sur les limes du Rhin.

— Aurais-tu placé de l'argent sur sa victoire ? s'amusat-il.

— Sur la galère de Caius ? Il faudrait être folle ! J'ai parié sur Octophénikes et ses Égyptiens. Trente-quatre deniers d'argent qui vont me rapporter le triple. La liburne d'Octophénikes n'a combattu que quatre fois depuis l'été, mais elle n'a subi aucune défaite.

Ainsi était Clodia. Elle séjournait à Rome depuis un mois, tout au plus. Pourtant, les équipes de naumachie n'avaient déjà plus de secrets pour elle !

Dans le bassin, des barques repêchaient les cadavres et les débris. L'un des morts, un grand Noir de Nubie, avait la poitrine lacérée d'entailles écarlates qui laissaient ses os à nu. Sans doute l'avait-on contraint à se battre sans cuirasse pour corser le spectacle. Maintenant, son cadavre s'avérait si difficile à tirer de l'eau que la barque manqua de verser. Des quolibets fusèrent dans les gradins.

— As-tu reçu les réponses à nos messages ? demanda Clodia d'une voix plus basse.

Maxime se tourna vers elle.

— Les légions du Danube sont prêtes. Celles d'Illyricum aussi. Les messagers ne sont pas encore de retour de Mésie, mais je ne doute pas des réponses. Du décurion aux légats, tous sont prêts à acclamer Aurélien quand l'heure sera venue. César les couvre de honte en refusant d'aller combattre lui-même les Perses pour délivrer son père. Il n'aura que ses légions de Milan pour le pleurer le jour de son assassinat.

— Chut !..

Clodia lui ferma la bouche de ses doigts. Un geste brutal qu'elle doubla d'un regard.

— Ne prononce pas ces mots. Même ici.

Maxime se moqua, désigna l'immensité de la foule massée sur les gradins.

— Crois-tu que ceux-là se soucient de César ? Cette naumachie est à l'image de l'Empire : sans autre loi que celle qu'elle veut bien se donner. Chaque soir, à ce qu'il paraît, on retire des gradins des dizaines de bougres assassinés. Qu'est-ce qu'un meurtre de plus, ici ?

Clodia ignora sa remarque. Elle observait l'équipage vainqueur qui déposait des offrandes à Neptune sur l'autel érigé au bord du bassin.

— Sais-tu que Gallien s'est entiché de la Grèce ? demanda-t-elle avec une fausse négligence. Il paraît qu'il ne jure plus que par les Grecs. Les dieux doivent être grecs, car César ne baise plus que des femmes grecques, les esclaves comme les épouses de ses officiers. On dit qu'il doit se rendre à nouveau à Athènes le mois prochain.

Maxime se tut, attentif. Clodia n'était pas une femme à potins, pas plus qu'elle ne bavardait sans raison.

— Tu devrais rencontrer cet Octophénikes, suggéra-t-elle enfin. Gallien navigue toujours sur la mer Égée avec les mêmes bateaux. La barque impériale, qui est lourde et lente, et il n'a que deux trirèmes pour sa garde. Si nous payons ce qu'il faut à Octophénikes, il saura s'adjoindre un équipage de sa trempe. Sous ton commandement, avec deux bateaux, vous devriez être capables d'accomplir ce qui est nécessaire.

Maxime siffla entre ses dents, amusé autant qu'impressionné.

— Ainsi, voilà pourquoi nous sommes ici ! Moi qui me demandais d'où te venait cette passion pour les naumachies !

Clodia eut un bref sourire. Elle lui saisit la main pour s'en caresser le ventre.

— Aurais-tu à t'en plaindre ? Les plaisirs de la naumachie ne seraient-ils pas à la hauteur de tes espérances ?

— Tu sais ce que je pense des naumachies, répliqua Maxime en la laissant guider sa main.

Elle eut un petit rire de gorge.

— Ne sois pas jaloux. L'idée ne m'est venue qu'à l'instant.

Maxime en doutait, mais le mensonge le laissait indifférent. Il choisit cependant d'alourdir sa caresse jusqu'à sentir le frisson du désir renaître chez Clodia. Elle feignit de lui résister. Il referma ses bras autour d'elle, lui inclinant le visage pour la contraindre à un baiser.

— Saurai-je un jour la vérité ?

— Quelle vérité ? N'es-tu pas le seul à qui je ne cache rien ?

— Tu me mens tout autant qu'aux autres. Mais je voudrais savoir pourtant si tu te donnes à moi autrement que par calcul.

Elle eut un grognement dédaigneux.

— Il n'y a que les hommes faibles pour s'inquiéter d'une pareille vérité. Les autres prennent et jouissent de ce qu'ils ont.

Elle ferma les paupières, offerte à sa caresse sans plus de réticence, la tête basculée contre la nuque de Maxime.

— Alors il se peut que je devienne faible, fit-il après un instant.

Elle se dégagea sèchement, resserrant la pelisse sur ses hanches.

— Je ne te le conseille pas. Tu perdrais plus que tu ne crois.

— Ah ? Et quoi donc ?

— Si Aurélien devient Augustus, je serai ton épouse.

Maxime resta un instant sans voix. Puis il éclata de rire. Clodia haussa les sourcils, sarcastique.

— L'idée ne te plaît pas ?

— Je ne te crois pas. Jamais tu ne deviendras mon épouse, Clodia. S'il est une chose que je sais, c'est celle-là. Tu as déjà un époux, même si vous n'avez prononcé aucun serment sur l'autel de Vénus. Un époux impossible, peut-être, mais l'unique époux que tu te puisses concevoir !

Il n'avait pas eu besoin de prononcer le nom d'Aurélien. Elle comprenait sans cela. Il crut qu'elle allait le gifler.

Elle se maîtrisa pourtant, les lèvres minces et dures.

— En ce cas, que fais-tu ici avec moi ? Ce ne sont pas les prostituées qui manquent à Rome.

Il rit, approuvant d'une inclinaison du front, relevant sa chevelure de fauve dans un geste un peu las.

— Sans doute suis-je à la fois fort et faible. Je jouis de ce que j'ai et j'espère toujours un peu ce que je n'aurai pas.

Elle ne cilla pas. Il préféra détourner les yeux de ce visage que la haine, le mépris ou parfois seulement l'égoïsme pouvaient rendre très déplaisant.

Sur le bassin, de nouvelles galères s'apprêtaient déjà à combattre et le public reprenait goût aux hurlements.

— Il se peut aussi, admit-il avec détachement, que l'amour ne m'intéresse pas plus que toi. Cependant, les prostituées, même à Rome, sont aussi ennuyeuses que les naumachies. Tu possèdes leur art avec une conviction que beaucoup n'ont plus et tu offres un supplément d'inattendu dont elles sont bien incapables.

Elle demeura silencieuse.

Il n'en fut pas surpris. Clodia ne répondait jamais sur-le-champ à un affront. Elle était de ces adversaires qui préfèrent choisir l'instant et le terrain de leurs attaques. Il paierait le prix de son ironie quand il s'y attendrait le moins.

Les galères combattantes prenaient place aux extrémités opposées du bassin. Sur une frêle barque, un juge agitait une lance à l'enseigne rouge.

— Aurélien tergiverse à n'en plus finir, fit Clodia avec hargne. On en viendrait à douter qu'il possède le courage d'affronter Gallien. Il n'est pas de jour sans qu'il trouve un nouveau prétexte pour renoncer. Il s'abreuve des âneries que lui susurre ce vieil imbécile de Pulinius. Le premier secrétaire n'a de cesse de l'amollir contre César et de le dresser contre moi.

La hampe du juge bascula. Avant que l'enseigne touche l'eau, le hurlement des cent mille voix de l'arène fit vibrer leur alcôve. Maxime regarda les bateaux s'élancer puis observa le profil de Clodia. Elle était tendue et glacée comme une lame dans le gel de janvier.

— Personne ne peut dresser Aurélien contre toi.

— Si. Pulinius y parvient. Je le sens. Il est malin, il sait comment le prendre. Aurélien a toujours adoré être le confident bien-aimé d'un vieillard. Son père lui manque tant qu'il lui faut sans cesse s'en inventer un nouveau.

Elle se tut, alors que les liburnes creusaient un sillon dans l'eau du bassin. Le choc, comme chaque fois, allait être sans subtilité. Pareil à l'ahurissant vacarme des gradins.

— Sais-tu qu'il passe désormais ses nuits entre les cuisses d'Ulpia ? fit Clodia assez fort pour que sa voix domine le tintamarre. Tu imagines cela ? Aurélien baisant son épouse chaque nuit ?

Maxime eut envie de se moquer de la jalousie qu'elle dévoilait si ouvertement. Mais le jeu, pour une fois, l'intrigua.

Au dernier instant, la galère des rouges tenta une manœuvre d'évitement. Les rameurs retirèrent vivement leur rame. Les esclaves poussèrent brutalement les lourdes pales du gouvernail vers la droite. Le bateau évita l'étrave des verts, commença à glisser contre la lisse adverse, menaçant de broyer les rames au passage.

Mais le maître des verts avait anticipé le mouvement. Les rameurs du flanc gauche rentrèrent leurs rames dans un ordre parfait tandis que ceux du flanc droit, ahanant sous l'effort, inversèrent leur nage. L'effet fut immédiat. La liburne vacilla, pivota sur elle-même. De peu, mais assez pour que le croc de bronze de son étrave pénètre dans la première écoutille des rouges.

Maxime admira l'astuce d'un petit signe de tête. Malgré l'immense clameur de joie du public, on entendit le craquement du bois déchiré. Le bateau rouge sembla vouloir se briser comme une noix. Déjà, il s'enfonçait dans le bassin. Des rameurs furent projetés et broyés entre les brisures de la coque. Le carnage commença.

— Lui qui ne la touchait pas trois fois dans le mois! reprit Clodia avec entêtement. Qui aurait pu s'attendre que la douce Ulpia se transforme en une folle de Subure? D'après les servantes, c'est pourtant ce qui se passe. Sans pudeur aucune...

— Fie-toi à une servante et tu finiras par croire que le monde ressemble à une courge, railla Maxime sans quitter le combat marin des yeux. Ulpia est l'innocence et restera l'innocence. Ce peut être, à la fin, ce qui plaît à Aurélien.

— Non. Depuis Sirmium, Ulpia n'est plus la même. La cérémonie au temple de Sirmium, avec ma mère, l'a rendue folle. Mais, hélas, pas plus enceinte pour autant!

Maxime eut une grimace de dépit. Les combats au corps à corps étaient brefs et trop inégaux pour présenter le moindre intérêt. Les spectateurs s'en satisfaisaient cependant, hurlant leur plaisir devant le sang qui rougissait le bassin.

Le vacarme était à nouveau si grand qu'ils tardèrent à se rendre compte qu'on tambourinait contre la porte de leur alcôve.

Maxime tira son glaive du baudrier suspendu au-dessus de la couche, repoussa Clodia derrière lui avant de déverrouiller la porte. Le visage effaré d'une esclave de la maison de Pulinius apparut.

— Maîtresse! Maîtresse...

— Comment te permets-tu? s'indigna Clodia. Qui t'a dit que nous étions ici?

— Ta mère, maîtresse... Oh, ta mère...

— Ne dis pas de sottise. Ma mère…

Clodia se tut, comprenant ce que l'esclave n'osait dire.

— Ah… fit-elle. Laisse-nous.

Elle se tourna vers Maxime. Le regard sans émotion, elle saisit son poing qui tenait encore le glaive, en effleura les doigts de ses lèvres.

— N'oublie pas, légat. Va voir Octophénikes. Et tu sauras si je tiens mes promesses.

14

ÉMÈSE

Elle avançait au milieu des ruelles encombrées et bruyantes, prenant soin d'éviter les immondices. Nul ne se doutait d'où elle venait ni qui elle était. Sa tunique de lin brun, ses sandales de corde et sa cape de laine étaient de la même médiocre qualité que celles des femmes qui s'affairaient devant les échoppes. Ici ou là, des hommes découvraient son visage avec étonnement et ébauchaient un sourire.

Deux fois elle avait dû demander son chemin. Jamais encore elle n'avait pénétré dans le labyrinthe de la ville basse d'Émèse. C'était un cloaque digne de l'enfer. Les ruelles étaient étroites, ténébreuses et puantes. Les murs des maisons étaient lépreux, les portes souvent sans même un tissu pour les clore. Les fenêtres n'étaient que des trous d'où s'échappait la fumée des braseros de cuisine.

Femmes et hommes urinaient et déféquaient sans décence où bon leur semblait. Toutes sortes d'animaux allaient et venaient, des porcs comme des chiens redevenus sauvages, toujours grondants et menaçants. Des enfants couraient nus ou enveloppés de chiffons. Les cris et les horions des disputes jaillissaient à chaque recoin. Des vendeurs poussaient leurs ânes bâtés en hurlant pour prévenir de leur passage.

Quelques rues possédaient de vraies échoppes, parfois des autels aux dieux du désert ou à Cybèle la Grande Mère. Leurs cendres étaient froides. Nul, depuis longtemps, n'avait déposé d'offrandes dans les coupes de bronze ébréchées. Ici, les dieux s'étaient détournés, abandonnant les miséreux à plus d'impuissance et de souffrances.

Zénobie n'avait jamais rien vu de pareil, elle qui ne vivait plus que dans des palais ou des tentes de guerre. Émèse était une ville immense, quatre fois plus populeuse que Palmyre. On lui avait assuré qu'elle devait traverser ce terrible quartier pour atteindre la maison chrétienne. C'était dans le goût bizarre du dieu et des prêtres chrétiens d'aimer la pauvreté et la souffrance des hommes. Maintenant, elle craignait de s'y perdre.

Le pansement que lui avait confectionné Ashémou se montrait jusque-là efficace, mais la douleur de sa blessure se ravivait malgré les drogues. Trois jours durant, elle s'était tenue immobile, reprenant des forces pour cet instant-là. Pourtant, si elle devait errer encore longtemps dans ce cloaque, elle risquait de s'effondrer à nouveau, roulant dans une fange dont personne ne la sortirait.

Elle devait tenir, trouver cette maison où l'on prétendait que Schawaad régnait en maître respecté et admiré comme s'il était un dieu lui-même.

Sans que rien annonce le changement, elle déboucha soudain sur une placette aérée et dallée. La lumière y pénétrait à flots et la pestilence s'échappait dans un air brassé par le vent sec du nord. Elle fut éblouie par la blancheur des murs qui cernaient les maisons. Ici, tout paraissait propre et en bon état.

Pour reprendre son souffle et calmer les battements de son cœur, elle s'appuya contre une borne où des mules étaient attachées. Beaucoup de monde se tenait sur la place, des femmes et des enfants surtout. Contrairement au vacarme des rues qu'elle venait de traverser, chacun paraissait calme et silencieux. Des vieilles, assises sur un chariot, lui jetèrent un regard rapide et indifférent avant de scruter à nouveau, avec fascination, un attroupement d'enfants de l'autre côté de la place.

D'autres femmes et d'autres enfants débouchaient sur la placette. Tous vêtus pauvrement, tous s'immobilisant en silence. Beaucoup, Zénobie à présent s'en rendait compte, semblaient souffrants, quelques-uns incapables de tenir debout. Elle songea au don de Schawaad. Ce don de guérir qu'il avait depuis toujours, alors même qu'ils étaient enfants dans le désert du Turaq Al'llab.

Elle sut qu'elle l'avait trouvé. Schawaad devait être là, parmi cette foule qui attendait le miracle de son don. Quelle ironie ! Allait-il croire qu'elle voulait, comme les autres, qu'il la soigne ?

Un chant léger interrompit ses pensées. Près d'elle, comme en écho, les vieilles femmes lancèrent un mot bref qu'elle ne comprit pas.

Elle n'eut plus le courage d'attendre. Glissant d'un groupe à l'autre, elle traversa la place. C'était la crainte plus que la douleur qui lui coupait maintenant le souffle.

Tous ces jours avant qu'elle prenne la décision de s'échapper en cachette du palais, elle n'avait pu repousser l'horreur du visage de Schawaad. En se réveillant de son évanouissement, elle en avait trouvé la vision intacte dans sa mémoire. Il ne restait rien de sa beauté, pas même le regard. Comme si les dieux avaient fondu les chairs et les formes pour le rendre inhumain. Elle redoutait plus que tout d'affronter à nouveau son visage.

Mais elle serait morte de se détourner !

Elle devait lui dire ce qu'elle ne lui avait jamais dit. Elle le devait, envers et contre tout.

Ce qu'elle découvrit en approchant la surprit cependant autrement qu'elle ne s'y attendait.

Les enfants, debout, entouraient trois hommes assis sur des tabourets de bois. On ne distinguait du visage de Schawaad que son œil, sa tempe et sa joue intacts. Un voile immaculé dissimulait tout le reste, même sa bouche. Sa main agitait doucement un rouleau de papyrus. Sa voix, un peu étouffée par l'épaisseur du voile, était d'une douceur et d'une paix que Zénobie ne lui avait jamais connues.

— Il y eut un homme envoyé par Dieu, racontait-il. On l'appelait l'Ancien. Son nom était Jean. Il est venu vers nous pour nous montrer combien était grande la lumière. Lui, ce Jean, il n'était pas lumière comme Christ notre Maître. Mais il disait à tous : « *La lumière de Dieu, je l'ai vue. Elle est la seule et vraie lumière. En venant au monde, elle a éclairé chaque homme. Le monde a été fait par elle.* » Et quand on écoutait ce Jean, rien qu'au son de sa voix, on savait que sa parole était celle de la vérité…

Les enfants suivaient l'histoire racontée par Schawaad avec une attention extrême. Quand il se tut, l'un d'eux demanda :

— Ton maître le Christ, il n'était pas jaloux de toute cette lumière ? Parce que lui aussi, c'est un dieu.

Les deux hommes à côté de Schawaad pouffèrent. Schawaad demeura impassible.

— Non, le Christ Jésus n'était pas jaloux. Pourquoi l'aurait-il été ? La lumière était son Père et, Lui aussi, il était tout entier Lumière. Il avait l'apparence d'un homme et il était Lumière.

192

Il y eut un silence. Les enfants demeuraient perplexes, les sourcils froncés, faisant l'effort de comprendre ces mots et ces images compliqués.

— Comment c'est possible ? demanda enfin une fillette plus âgée. Ceux qui disent que le soleil est un dieu, ils ne l'ont jamais vu en homme. En taureau, oui. En taureau d'or, même. Mais pas en homme. Non, c'est pas possible. Les dieux ne sont pas des hommes. Et ils ne peuvent pas non plus être seulement une lumière.

Schawaad et ses compagnons croisèrent leurs mains sur leur poitrine en murmurant des paroles que nul n'entendit. Ensuite, un peu d'amusement passa dans la voix de Schawaad.

— Oublie ce qu'on dit sur le soleil, mon enfant. Ce ne sont que des fables et des mensonges de Romains. La Lumière de Dieu n'a rien de comparable à ces sottises.

— Mais le soleil, on le voit, s'obstina la fillette. La lumière dont tu parles, si ce n'est pas celle du soleil, où je peux la voir ?

— Tu la verras ! Si tu me fais confiance, tu la verras bientôt en toi-même, au fond de ton cœur. Oublie ce qu'on t'a raconté. Crois-moi, cela n'a pas plus d'importance que les mouches qui volent sur ton nez en ce moment !

Quelques enfants rirent. Schawaad marqua un temps d'arrêt. Zénobie, comme les enfants, comme tous ceux qui écoutaient, perçut la puissance et l'autorité qui émanaient de lui. Il ne se taisait pas pour qu'on pose une question, mais pour qu'on réfléchisse à ses paroles.

— Oubliez ce que l'on vous a dit sur les dieux, reprit-il avec force en s'adressant à tous. Ce sont des mensonges noirs. Des mensonges de Romains et des mensonges de ceux qui vous ôtent le pain de la bouche. Il n'y a qu'un Dieu : c'est le Père éternel de Christ. C'est la Lumière qui est dans ce monde et dans l'autre. Dieu ne veut de vous ni offrandes ni faiblesses. Il vous aime et vous veut du bien. Il a envoyé près de nous Jésus Son fils pour qu'il prenne dans son corps votre faim et votre soif et que le Paradis du Seigneur son Père s'ouvre à vous. C'est pourquoi les Romains l'ont cloué sur la croix de souffrance comme ils vous clouent dans la misère.

Encore il marqua un silence, laissant les enfants impressionnés par la force de sa voix. Puis il se leva et tendit les mains.

— Cela suffit pour aujourd'hui. Je vous raconterai d'autres histoires demain. Maintenant, prions ensemble car je dois soigner les femmes et les enfants avec la Lumière de notre Père tout-puissant.

Mêlant sa voix à celles de ses compagnons et aux voix claires des enfants, il déclama :

— *Viens et regarde-nous, Maître Christ. Morts, nous avons besoin de vie, brebis, il nous faut un pasteur. Fais-nous paître, nous les enfants, comme des brebis. Oui, Maître, rassasie-nous de Ta Lumière et de Ta Justice.*

— Amen ! Amen ! crièrent les enfants avant de s'éparpiller en riant sur la place.

Derrière elle, Zénobie entendit répéter ce mot romain qu'aimaient tant les chrétiens.

Schawaad se détourna, s'éloigna vers le mur d'une villa dont la grande porte était ouverte et où des chrétiens en toge blanche l'attendaient. Avant qu'il y parvienne, des femmes se précipitèrent vers lui, brandissant leurs nouveau-nés. Toutes l'appelaient par ce nom qu'il avait donné au Très Illustre :

— Simon ! Simon !

Ses compagnons les repoussèrent sans ménagement.

— Plus tard ! plus tard… Vous aurez chacune votre tour !

Lui, sans un regard en arrière, entra dans la maison. Ne devinant ni pressentant sa présence.

Zénobie demeura un instant perdue au milieu de la bousculade. Elle avait songé à leurs retrouvailles, à son étonnement quand il la verrait devant lui. À ce qu'elle devait lui dire. Mais elle n'avait pas pensé à tout ce monde.

Elle eut envie de s'éloigner. Elle n'avait rien à voir avec cette foule miséreuse.

En vérité, elle n'avait songé qu'à Schawaad. Au garçon qui l'avait repêchée dans le lac de sa naissance. À l'homme qui l'avait rejetée dans Doura Europos. Elle ignorait tout de ce chrétien qui s'appelait Simon. Elle ne savait pas même comment il était en vie alors qu'il avait péri dans le feu et en portait l'horrible stigmate.

Elle devinait qu'il ne voudrait pas l'écouter. N'avait-il pas dit, devant elle et le Très Illustre, qu'au jugement de son Dieu elle n'était que péchés et mensonges ? Il suffisait de le voir comme elle l'avait vu à l'instant devant les enfants pour comprendre que seule l'intransigeance l'habitait.

On la bousculait maintenant pour former la file d'attente devant la porte. La douleur la fit frémir. Elle ne put ni ne voulut lutter. Elle se trouva placée entre une jeune femme au bras enflé, violacé et mal enveloppé de chiffons, et une femme âgée dont les yeux n'étaient plus que des billes laiteuses.

La fatigue, la faiblesse, la tristesse aussi l'emportèrent. Elle n'était plus Zénobie, reine et Despoïna de Palmyre. Elle était ici, comme les autres, une malade. Sa blessure n'avait pas été infligée dans un grand combat contre les Perses. Elle venait d'une nuit de Doura Europos. Schawaad en avait été la raison. Lui seul pourrait en être le baume.

Il se tenait sur un banc, dans la cour, devant le portique entourant la maison. Aucun voile maintenant ne masquait son visage détruit et ses gestes étaient chaque fois les mêmes.

Après avoir écouté les plaintes et les explications, la tête inclinée, sans un mouvement, sans émotion visible, sa paupière intacte s'abaissait. Il demeurait un bref instant immobile. Comme s'il dormait. Devant lui, les femmes s'en trouvaient craintives, intimidées. Elles se taisaient, n'osant bouger à leur tour.

Puis il levait les mains. Dans un large mouvement circulaire, il frôlait l'enfant, le bras, la jambe ou le ventre blessé. Cela ressemblait à une caresse un peu lente. Enfin, ses paumes se plaquaient sur l'emplacement de la douleur.

L'enfant, qui l'instant plus tôt pleurait ou geignait, se taisait. Les femmes tressaillaient, respirant fort. Quelques-unes pleuraient en se mordant les lèvres. D'autres tremblaient comme si la fièvre les prenait, mais elles s'apaisaient vite.

Simon retira ses paumes d'un enfant de deux ans qui n'avait pas cessé de hurler. L'enfant se tut, le regard étonné. Avec le même regard, il considéra la foule et enfin sa mère. Il se mit à rire. La mère s'écroula au sol et il fallut que les compagnons de Simon viennent la relever.

Autour de Zénobie, des cris de joie éclatèrent. De nombreuses femmes tombèrent à genoux. D'une voix forte et dure, Simon cria :

— Relevez-vous ! On ne s'agenouille que devant Dieu !

Cela dura. Chaque fois se répétant avec la même émotion, la même tension. Debout depuis des heures, Zénobie sentait la faiblesse la gagner. Le doute aussi, l'inutilité de sa présence. Et une manière de honte. Cependant, elle ne pouvait détacher son regard des mains et même du visage de Simon.

Elle s'accoutumait, comme tous autour d'elle, à l'horreur de sa face.

Mais la douleur revenait lancinante dans sa poitrine. Ses tempes bourdonnaient. Le pansement était à nouveau sanglant. Soudain, elle se rendit compte que ses jambes n'allaient plus la supporter. Elle n'allait pas pouvoir quitter la cour de la maison chrétienne.

Elle agrippa, sans le vouloir, l'épaule de la vieille femme aveugle qui la précédait. La vieille se tourna, chancelant sous son poids. Honteuse, Zénobie retira sa main, s'écroula avec un cri de douleur, les yeux bien ouverts. Voyant la consternation alentour. Et, là-bas, les compagnons de Simon qui déjà se dirigeaient vers elle.

15

ROME

Pulinius avait livré sa maison aux funérailles de Julia Cordelia.

Le corps, lavé et parfumé par les croque-morts dès son dernier souffle, avait été exposé dans l'atrium sur un lit de parade. Les montants arboraient les disques d'or de Sol-Invictus. Un dais de soie brune à glands d'argent avait été tendu au-dessus du cadavre parfumé de la grande prêtresse.

Rendant public le décès, on avait placardé des rameaux de sapin rouge sur les portes de la rue. À la surprise de Clodia et d'Aurélien, les visiteurs étaient venus bien plus nombreux qu'ils ne les attendaient.

Aux amis et débiteurs de Pulinius s'étaient ajoutés une cinquantaine de sénateurs, poussés par la curiosité autant que par le désir de plaire. L'occasion de se faire bien voir par le dux majorum et le premier secrétaire était trop belle pour être négligée. Désormais, comme un contrepoison, on murmurait leurs noms aussitôt qu'avait été prononcé celui de César Gallien. Les temps étaient assez incertains et les grondements du ventre de Rome assez forts pour porter à la prudence.

Accompagnés à grands frais de pleureuses et de musiciens, ils défilèrent avec une lenteur consommée devant le visage de Julia Cordelia. Tandis qu'aidés d'une bourse bien pleine des oracles du temple du Soleil-Invincible chantaient la renommée de la grande prêtresse à Sirmium, ils en découvraient les traits apaisés et harmonieux. Même dans la mort, Julia Cordelia conservait un peu de sa beauté.

Sur le conseil de Pulinius, Aurélien avait pris soin de faire de grandes offrandes au temple de Cybèle, la très aimée Grande Mère de l'Empire. Il dut aussi diriger un sacrifice à Mithra dans la grotte du Palatin.

Son rang de courrier d'Hélios, le deuxième en puissance dans l'ordre des fidèles de Mithra, était suffisant pour que cette cérémonie fût la plus importante que la grotte-temple de Rome ait connue depuis longtemps. Tout ce que la capitale comptait de grands adeptes y assista. Les mêmes vinrent ensuite et à leur tour admirer le visage cireux de Julia Cordelia.

Enfin, le huitième jour, les esclaves allumèrent des flambeaux dès l'aube.

Aurait-il fait grand soleil, il aurait fallu les enflammer tout autant. Mais le ciel était si bas qu'il convenait au deuil. Il bruinait, un vent tournoyant mouillait et glaçait jusqu'au moindre recoin. Les flammes des torches jetaient des ombres sur les murs et le sol comme si déjà Charon poussait les eaux du Styx sous les pieds des vivants. Le soleil montrait sa tristesse, se muant en une cendre terne pareille à la cendre que serait bientôt Julia Cordelia, elle qui l'avait si longtemps et si bien adoré.

★ ★ ★

Les croque-morts retirèrent le cadavre du lit d'apparat pour le déposer sur une litière de romarin et de myrrhe. Les esclaves de la maisonnée aussi bien que ceux d'Aurélien et Clodia l'entourèrent, laissant aux servantes de Julia Cordelia le privilège de poser leurs mains sur le corps de leur défunte maîtresse.

Les joueurs de flûte et de trompette entonnèrent une première musique. Une mélopée lente, grinçante, infiniment ressassante et qui portait sur les nerfs.

Ils se placèrent en tête du cortège qui sortit de la belle villa de Pulinius. Vinrent ensuite les pleureuses toutes vêtues de noir, le visage enduit de cendre et de craie. Dès que la litière de Julia Cordelia s'ébranla, elles commencèrent à hurler, se frappant la poitrine, s'arrachant quelques cheveux ébouriffés avec méthode.

Une loi ancienne et vertueuse voulait que seuls les édiles du sénat soient autorisés à se déplacer en char dans la ville. Aurélien, Aelcan et Maxime durent ainsi prendre place dans un char conduit par Pulinius en personne.

Non sans difficulté. L'attelage était splendide, avec ses quatre bœufs aux cornes enduites de suint et de suie retenant des disques d'or tels les arcs d'une lyre. Mais s'il avait été conçu pour se glisser au mieux entre les bornes, la décoration précieuse de ses essieux s'avérait encombrante contre les trottoirs.

Derrière, avec plus de modestie, venait un char à deux roues où avaient pris place Clodia et Ulpia, vêtues comme les autres de tuniques brunes ou noires.

Ulpia, peut-être suivant une volonté d'Aurélien, avait poussé le zèle jusqu'à se passer le visage à la craie. Ses lèvres enduites d'une crème rubiconde et ses yeux soulignés de noir achevaient de lui donner une apparence égarée qui agaçait Clodia depuis l'aube.

Tout à l'heure, elle avait montré son étonnement devant

ce maquillage excessif. Ulpia qui, de jour en jour, abandonnait un peu plus de son respect et de sa douceur, l'avait toisée, sa bouche rouge béante d'ironie.

— Pourquoi excessif ? se moqua-t-elle. Oublierais-tu ce que Julia Cordelia a accompli pour moi dans le temple de Sirmium ? Alors qu'elle était si malade ? Moi, ma sœur Clodia, je ne l'oublierai jamais. D'ailleurs, ne m'as-tu pas enseigné toi-même les vertus de l'excès ?

Comme Clodia faisait la moue, le ton d'Ulpia était devenu méchant :

— Je ne suis pas comme toi, Clodia. Je ne suis pas froide de cœur. Oh non ! Moi, la douce Ulpia, je montre sans mystère toutes les palpitations de mon âme.

Clodia en était demeurée aussi stupéfaite qu'atterrée. Ulpia devenait-elle vraiment folle ?

À moins qu'elle ne suive la pente des critiques qui, depuis quelques jours, fleurissaient contre Clodia dans la maison.

Aelcan s'était plaint amèrement de son absence à la mort de sa mère. Un affront infligé à Julia Cordelia au dernier instant et sans retour possible. Ne savait-elle pas que les morts doivent garder la présence de leur descendance dans leurs yeux pour affronter les ombres de Charon ?

Bien sûr que Clodia le savait. Mais elle préférait les naumachies. Et les dieux savaient quoi encore.

Car le premier secrétaire Pulinius, qui avait ses réseaux d'espions, l'y avait fait retrouver sans discrétion excessive. Ainsi chacun pouvait mesurer la dureté de son cœur même à l'heure de ses devoirs les plus sacrés !

Aelcan avait suggéré qu'il en avait été toujours été ainsi. La fille jamais ne s'était soumise à la mère. Toujours elle avait prouvé son égoïsme. D'ailleurs, avait-elle seulement un cœur et une âme ?

Aurélien, et c'était remarquable, ne l'avait pas défendue.

Cela avait dû suffire à Ulpia pour enflammer un peu plus

sa rancœur. Et sa folie que, de toute évidence, les jours n'apaisaient pas.

Clodia regarda les passants s'écarter avec respect devant leur longue procession. Peut-être Aelcan n'avait-il pas tort. Peut-être était-elle dénuée de cœur et d'âme. Maxime ne disait guère autre chose, après tout. Aurélien en pensait certainement autant. Bien que sans jamais le lui reprocher. Parce qu'il savait. Il était fait de la même chair et de la même absence de sentiments.

Ni cœur ni âme, non. Volonté et puissance, oui.

Et alors ?

Depuis quand les Augustus parvenaient-ils à leur triomphe le cœur orné de sentiments et l'âme belle ?

La moitié de la journée fut nécessaire pour que leur lent cortège atteigne la ville de tombeaux bordant la via Appia, au sud de Rome.

Ils durent traverser le mont Opius, contourner l'impossible circulation autour du Colisée. Par des rues à peine assez larges pour les attelages, ils franchirent l'aqueduc Magnum sous l'arc de Dolabella. Là seulement débutait la large avenue de la via Novae. Elle se muait, aux thermes de Septime Sévère, en une route bordée de jardins, de potagers et de vergers touffus. Les cerisiers qu'on pouvait y admirer étaient les descendants des arbres rapportés d'Asie au temps de la république, trois siècles plus tôt.

Enfin, après seize longs milles, commençait la ville des morts.

Les grandes et moyennes familles de Rome avaient bâti ici des demeures parfois plus splendides encore que celles conçues pour les vivants. On y admirait tout ce dont étaient capables les architectes et les sculpteurs. Mausolées colossaux, panthéons à la manière étrusque, fausses pyramides, tombeaux peuplés de personnages de marbre. Chevaux, chiens ou monstres de granit, hautes tours ou colonnades en colimaçon, tout pouvait se voir.

N'ayant pas de famille romaine, Aurélien avait acquis en quelques jours un modeste mausolée circulaire, enveloppé d'une colonnade grecque. Il ne manquait pas d'élégance. Sa proximité avec les tombeaux de très ancienne facture lui conférait un prestige acceptable que des travaux d'agrandissement rendraient bientôt visible à tous.

Le bûcher sur lequel devait se consumer le corps de Julia Cordelia était prêt. Le sarcophage de bronze de la crémation reposait sur une épaisse couche de pétales.

On y déposa la morte en l'accompagnant de musique, des cris des pleureuses et de la présence de quelques mimes. Lorsque les flammes grandirent, les invités entonnèrent les nénies. Le chant des morts traversant l'ombre du Styx fut assez glaçant pour que les voyageurs de la via Appia s'immobilisent aussi longtemps qu'il dura.

Alors que la nuit s'annonçait, dans la lumière incandescente des braises, commença le repas. La mine grave, Pulinius s'approcha d'Aurélien.

— Suis-moi un instant. Celui que nous attendions est là.

Ils se dirigèrent vers le mausolée comme s'ils allaient une dernière fois en vérifier la décoration.

Vêtu d'une cape de deuil semblable à celles des invités, un homme aussi grand qu'Aurélien se tenait dans la pénombre d'une colonnade. Une barbe courte lui couvrait les joues et le cou en laissant curieusement apparents son menton et sa bouche. C'était la dernière facétie de mode de Gallien.

Il se frappa le poing sur la poitrine dans un salut légionnaire.

— *Ave dux majorum.* Mon nom est Sylvius Calliste. Légat

de la XXIIe *Primigenia* et fidèle à César Gallien comme tu l'as été à l'Augustus Valérien.

Son ton était brutal mais non dénué de respect. Aurélien répliqua aussi sèchement.

— Ne parle pas au passé de l'Augustus, légat. Ne repousse pas dans les limbes ceux qui vivent encore avec nous. Surtout s'il s'agit de ton Empereur. Sinon, tu devras précéder l'Augustus sur le Styx, Calliste.

L'émissaire de Gallien hésita, jeta un coup d'œil à Pulinius, qui demeura impassible.

— Pardonne-moi, dux. Tu as raison. Ce n'est pas à moi d'avoir une opinion.

Il glissa la main sous sa cape. En retira un étui de cuir.

— César souhaite que tu lises cette lettre et que tu y apposes ton nom si tu en es d'accord.

— Tu sais ce qu'elle contient, je suppose ? demanda Aurélien sans la prendre.

À nouveau le légat hésita. Pulinius, cette fois, l'encouragea d'un mouvement.

— Elle est de ma main sous la dictée de César, reconnut-il.

— Je t'écoute.

— César te propose la paix.

— Ne serions-nous pas en paix ? s'étonna Aurélien.

— César jure devant Jupiter et Mithra qu'il n'est pas à l'origine de l'affront qu'on t'a fait à Nicopolis.

— Ce n'était pas un affront, légat, mais un empoisonnement.

— César Gallien sait la gloire qui est la tienne dans les légions du Danube, récita obstinément Calliste. Il n'ignore rien de tes victoires et...

— Ma gloire ne s'arrête pas aux légions du Danube, légat ! l'interrompit brutalement Aurélien. Elle va là où celle de César est bien pâle. Si c'est pour ces platitudes que tu es venu jusqu'ici, Calliste, c'était inutile. Tu me fais perdre mon temps alors que les cendres de ma mère m'attendent.

Calliste serra les mâchoires, chercha encore une fois, et en vain, de l'aide auprès de Pulinius. Peut-être désira-t-il prononcer une réplique cinglante, mais le regard d'Aurélien pesa sur lui.

Bon nombre d'officiers lui avaient parlé des iris bleus du dux majorum. Des yeux qui avaient accompagné la mort de plus d'ennemis que l'on ne pouvait en compter. En un instant comme celui-ci, ils semblaient en conserver la mémoire dans leur glace. Un regard qui laissait un goût de froid et de néant plus encore que la cérémonie qui se déroulait de l'autre côté du mausolée.

Calliste déclara sourdement :

— La volonté de César Gallien n'est pas de t'affronter, dux majorum. Tu dois considérer à quel point ce serait un désastre pour l'Empire si tu dressais des légions contre lui. César sait ta force, mais il n'ignore pas la sienne.

— Ce qui doit le rendre très désireux de ma complaisance.

— César te demande de le soutenir au sénat. Rome doit vous voir réconciliés. Et comprendre qu'une campagne contre les Perses pour délivrer l'Augustus serait une folie alors que les Barbares harcèlent nos frontières depuis le Rhin jusqu'en Mésie inférieure. Le roi de Palmyre, le Très Illustre Odeinath, est fidèle à César. Il est déjà en marche contre Shapûr... Si cela est dit par ta bouche devant les sénateurs, on te croira.

Aurélien eut un sourire sarcastique. De toute évidence, Pulinius avait fait parvenir à Gallien les termes de sa reddition.

— Quel est le prix de mon aide ?

— Le commandement de toute la cavalerie de l'Empire. La plus haute charge qu'il puisse t'accorder, dux.

La surprise tira un petit sifflement à Aurélien. Pulinius leva un sourcil amusé.

Aurélien tendit la main.

— Donne-moi cette lettre, légat. César saura ma décision avant les ides prochaines.

16

ÉMÈSE

Les chrétiens l'avaient allongée sur une couche étroite dans une petite pièce voûtée. On lui avait fait boire de l'eau fraîche sans lui poser de question. L'un d'eux avait seulement annoncé :

— Tu peux te reposer ici sans crainte. Le frère Simon viendra s'occuper de toi dès qu'il le pourra.

Depuis, elle attendait.

Les murs qui l'entouraient étaient décorés de fresques. En face d'elle, les images représentaient des scènes de guérison, des enfants formant une couronne autour des malades, main dans la main. Sur le côté, des hommes et des femmes, pareils à des oiseaux blancs et scintillants, s'envolaient dans le ciel. Sur le mur opposé, un homme immense et barbu, la tête ceinte d'un disque d'or et portant une brebis sur les épaules, faisait face.

Close par un rideau à demi tiré, la pièce ouvrait sur une autre, plus vaste, où Zénobie devina le bassin d'une piscine. Tout était d'une grande propreté, lumineux, les tissus et les objets luxueux. Si elle n'avait traversé les quartiers lépreux de la ville basse, elle se serait crue dans un palais. Une maison où il faisait bon goûter un repos silencieux, paisible.

La douleur refluait. Elle songea à se redresser. Elle ne pouvait accueillir Schawaad ainsi. Mais au premier mouvement, le souffle à nouveau lui manquant, elle comprit qu'elle n'aurait pas la force de se lever.

Elle perçut le bruit d'une porte, un frottement de sandale. Elle sut qu'il arrivait.

Il avait à nouveau dissimulé son visage. Il s'approcha, s'immobilisa à quelques pas de sa couche. Elle se redressa autant qu'elle le put.

— Schawaad…

La main levée, il l'interrompit aussitôt.

— Mon nom est Simon. Simon, esclave du Seigneur Christ. Si tu veux t'adresser à moi, n'utilise aucun autre nom.

Elle se tut. Il approuva d'un petit signe qui agita son voile.

— Il m'avait bien semblé te reconnaître.

Elle crut deviner de l'amusement ou de l'ironie dans sa voix. Il lui était difficile d'en être certaine. Le peu qu'elle discernait de son visage demeurait sans expression.

Elle se laissa retomber sur le dos, le souffle court.

— On a voulu me faire croire que tu étais mort, murmura-t-elle.

Il ignora ses mots, s'approcha et remarqua :

— Ainsi, ton ventre n'est plus gros ? Aurais-tu déjà enfanté ?

À nouveau, elle ne sut s'il se moquait.

— Je n'étais pas enceinte quand tu m'as vue avec le Très Illustre. J'ai tenu ma promesse. Nul homme ne m'a touchée, pas même mon époux.

— Ainsi tu mens à ceux qui t'entourent ? Au peuple de la reine Zénobie ?

Il secoua la tête. Le coin de sa bouche épargné par le feu s'abaissa dans une moue terrible.

— Toi et ton époux ne savez vivre que dans le mensonge. Comme les Romains.

Elle aurait dû protester. N'était-il pas le seul qui pouvait comprendre ? Qui connaissait l'origine du mensonge ? Pourtant elle se tut. Elle ferma les paupières, devinant que le rouge de la honte lui couvrait le visage.

La voix de Schawaad-Simon se fit plus aigre.

— Alors, si ce n'est pas ton enfantement qui te fait souffrir, c'est donc ta blessure ?

— Tu sais ? Tu sais pour ma blessure ?

— Les chrétiens savent tout ce qui se passe dans l'Empire de Rome, fit-il avec dédain. Nous avons des frères partout et nous savons user des routes. Dieu est sur le monde, pas enfermé dans un temple.

En même temps qu'il parlait il avait levé les mains au-dessus d'elle, esquissant ce mouvement qu'elle lui avait vu faire avec les autres malades.

— Maintenant tais-toi ! ordonna-t-il. Tu es venue pour que je te soigne, je vais te soigner.

— Non, non ! Tu te trompes. Ce n'est pas pour ça que je suis venue. Je voulais…

Elle buta sur les mots. Lui-même hésita, cessa son mouvement. D'un geste sec il dévoila sa tête.

— Pour mieux me voir, peut-être ? grinça-t-il. Pour avoir pitié de moi ? Alors regarde, mais sans pitié, car je ne suis pas à plaindre. Dieu m'a sauvé. Il a fait de moi celui que je devais être.

Ce fut plus fort qu'elle. Elle se redressa, tendit la main vers sa joue inhumaine. Les larmes jaillirent. Elle vit à peine son réflexe de recul.

— Comment est-ce possible ? Schawaad, Schawaad !
Comment est-ce possible ? gémit-elle.

— Mon nom est Simon !

— Oh, pourquoi t'ont-ils fait ça !

— N'es-tu pas assez romaine pour le savoir ? N'as-tu
jamais vu les supplices que l'on inflige à nos frères ? Valérien, ce Grand Serpent, s'est repu de notre souffrance. Le
martyre des chrétiens était son plaisir quotidien…

Simon s'interrompit, plein de haine.

— Maintenant, c'est à son tour d'apprendre la douleur,
Dieu le punit et nous venge au centuple ! Chaque jour qui
passe, Shapûr foule l'Augustus des Romains aux pieds. Son
enfer sur terre est encore doux, comparé à ce qui l'attend
quand il apparaîtra devant le Seigneur tout-puissant.

Sa bouche torturée était blanche de rage.

— Mais toi, balbutia-t-elle, comment n'es-tu pas mort ?

Le regard exalté de Simon flamboya :

— Par la volonté éternelle du Seigneur ! Et parce que les
Romains ont été assez stupides pour infliger à mes frères le
supplice supplémentaire d'édifier eux-mêmes mon bûcher.
Ils l'ont bâti sur un puits, au-dessus de la margelle. Il m'a
suffi d'avoir la force de supporter quelques flammes jusqu'à
ce que je puisse traverser les braises et attendre dans l'eau
du puits qu'on vienne à mon aide. Dieu ne m'a pas quitté
durant cette épreuve. Il l'a transformée en joie.

— Alors tes jambes, tes pieds ont brûlé aussi…

Avec un sourire amusé, Simon souleva sa toge. Assez pour
qu'elle puisse découvrir la peau noire et fondue de ses mollets. Par endroits, elle paraissait encore enduite de suie.

Les larmes ruisselèrent jusque dans la bouche de Zénobie.
Il se moqua :

— Tu pleures ? Toi qu'on appelle Alath, la déesse rouge ?
Toi qui as infligé de bien pires blessures sur tes champs de
bataille ? Toi qui tues en riant, à ce qu'on dit dans le désert ?

— Tu étais si beau, murmura-t-elle, ignorant la raillerie. Oh, mon amour, tu étais si beau!

Il se raidit.

— Retiens tes paroles, reine de Palmyre. Il est des mots que les murs de cette maison ne doivent pas entendre et tu parles de quelqu'un qui n'existe plus. Ce qui est arrivé à mon corps est sans importance. Ce qui compte, c'est que Dieu a rendu mes mains plus efficaces. Mieux que jamais, elles transmettent Son message de bonté et de douceur à ceux qui souffrent, comme celles de notre maître le Christ. Cela seul compte.

Il fit un signe de croix sur sa poitrine et ordonna de nouveau :

— Tais-toi maintenant. Tais-toi pour de bon, que je puisse te soigner.

— C'est inutile. Je ne suis pas ici pour cela.

— Ah oui? grinça-t-il. Voudrais-tu être des nôtres? Peut-être toi et ton époux souhaitez-vous reconnaître la puissance de la parole de notre maître Jésus le Christ? Odeinath et Zénobie chrétiens, voilà qui serait une grande et bonne nouvelle!

— Il n'y a pas eu un jour où mon amour pour toi s'est éteint, Schawaad. Et si je te nomme Simon, il est encore aussi vivant qu'au premier jour. Aussi beau et grand qu'il l'était à l'oasis de ma naissance. Toi, toi seul sais la vérité de Zénobie! Ce qui a eu lieu à Doura Europos m'a contrainte au mensonge. Cela a fait de moi celle que l'on appelle Alath. Mais tu es celui qui n'a jamais quitté mon cœur. Même quand je te croyais mort. Même quand je te vois, que tu n'es plus Schawaad et que le feu du supplice te donne un visage de monstre, mon amour pour toi ne cesse pas. Oh oui! Je t'aime. Tu n'y peux rien. Tu es celui que j'aime et aimerai toujours. S'il est vrai que ton Dieu veut toute chose en ce monde, alors, Simon, il veut cela aussi.

Un instant, Simon parut ébranlé. Ses yeux fuirent. Ils

s'échappèrent vers les images peintes des murs comme s'ils pouvaient y trouver de l'aide et de la force. La chair torturée de sa bouche vibra. Sa poitrine frémit. Ses paupières se refermèrent. Sans la lumière de ses yeux, sa face devint encore plus épouvantable.

— Tu as raison, marmonna-t-il, à peine audible. Tu as raison. Je ne peux rien pour toi. Va-t'en.

Elle ne protesta pas.

Elle rassembla ses forces pour quitter la couche.

Elle parvint à peine à poser un pied sur le sol avant de s'effondrer.

Dans un réflexe, il tendit les mains pour la retenir. Mais il les retira aussitôt et la laissa choir.

Gémissante, pareille à un animal lutant contre la mort, Zénobie roula sur le côté. Recroquevillée, sans plus pouvoir respirer, elle s'agrippa aux pieds de la banquette et désira pour de bon que les dieux lui offrent la mort.

Alors seulement, peut-être parce qu'il retrouvait à ses pieds la même souffrance, la même blessure qu'il avait vues, impuissant, bien des années plus tôt dans la cour en flammes de la maison de Doura Europos, il s'agenouilla.

— Cesse de lutter. Allonge-toi sur le dos.

Elle obéit, à demi consciente.

— Cette fois obéis, commanda-t-il encore. Ne dis pas un mot.

Ce qu'il fit, elle ne le sut jamais.

La douleur était d'abord si grande, l'effort pour respirer si épuisant, qu'elle ne put garder les yeux ouverts.

Puis le poinçon de fer qui fouillait ses entrailles cessa de s'agiter. Sa respiration devint plus ample, plus régulière.

L'angoisse s'apaisa en même temps qu'une sorte d'engour-
dissement la saisissait. C'était une lourdeur qui immobilisait
ses sens depuis les mains et les pieds et dont elle pouvait
suivre la lente progression vers sa blessure.

Un instant elle tressaillit, car elle perçut distinctement le
poids des mains de Simon sur son côté. Elle eut le désir de
joindre ses doigts aux siens, de murmurer un mot de douceur, de remerciement. Mais aucun de ses muscles n'obéit.

Sa blessure se transforma en une présence glacée. Elle eut
conscience de ne plus souffrir. Elle voulut rouvrir les yeux.
Elle le vit, droit, debout et déjà à quelques pas d'elle, les
épaules voûtées, épuisé.

Elle ignorait combien de temps s'était écoulé depuis sa
chute. Elle ne possédait plus de volonté. Pas même celle de
se relever, de le toucher, de dire ce qu'elle avait encore à
lui dire. Elle entendit sa voix comme on entend parler les
personnages des rêves.

— Reste ici, sans bouger. Tout à l'heure, un frère viendra
t'aider à te lever et te conduira en char près du palais de ton
époux. Bouge le moins possible pendant quelques jours et ta
blessure se refermera.

Elle ne fut pas certaine d'avoir alors ouvert la bouche pour
le remercier, pour s'étonner. Peut-être pour supplier et se
faire pardonner d'être celle qu'elle était.

Lui continua encore, de cette voix qu'elle emportait dans
sa mémoire mais sans parvenir à pleinement l'entendre :

— Ne reviens pas ici, Despoïna de Palmyre. Ce que je pouvais faire pour toi, je l'ai fait. N'attends rien d'autre. À moins
que tu ne désires confier ton âme et tes péchés au pardon de
Notre Seigneur Dieu. Si tu veux montrer ta bonté, fais en
sorte que ton époux laisse mes frères en paix, ici, à Émèse,
comme partout où il se prétend roi. À Rome, César Gallien
règne. Il nous respecte plus que son père. Mais tous, ton
époux, toi ou César, vous vous trompez. Vous croyez être les
puissants du monde. Vous n'en êtes que les barbares. La

seule puissance, le seul roi de ce monde est notre Dieu. Bientôt la justice de Son fils Christ y régnera. N'oublie pas ce que je te dis, Despoïna. Tu portes le mensonge avec toi et toutes tes batailles n'y pourront rien. Tu n'es pas une déesse. Tu n'es qu'une âme errante née dans le désert et promise au désert. Ta bouche prononce le mot amour, mais ni ton cœur ni ton esprit n'en connaissent le sens.

17

ROME

Dans un ultime éclat, les nuages immobiles s'empourprèrent. Lentement, lentement, le soleil s'enfonça dans l'horizon déchiqueté des temples et des palais de Rome.

C'était somptueux et sanglant. C'était irritant et frustrant.

Les fêtes des *galles* de Cybèle, la Grande Mère de l'Empire, s'achevaient. À cette occasion, Aurélien avait dû sacrifier de sa main un taureau. Tout le jour, le sang avait ruisselé. Tout le jour, l'air de la ville avait vibré des cris et des flagellations des prêtres implorants. Avec le crépuscule, le calme revenait enfin. Mais le ciel de Rome semblait épuisé.

Le soleil, là-bas, bien qu'imbibé de sang lui-même, paraissait terriblement indifférent au sort des hommes qu'il abandonnait à la nuit alors qu'il basculait dans le revers du monde.

Était-ce la mort de Julia Cordelia? Était-ce la lassitude des luttes et des incertitudes politiques? Les manœuvres de

Pulinius, les bavardages hypocrites du sénat? Ou l'effroi devant l'étrange et grandissante folie d'Ulpia?

Jamais Aurélien ne s'était senti à ce point accablé et insatisfait. Rome, pourtant, venait de lui prouver, au cours des derniers jours, qu'il était l'un des hommes les plus puissants de l'Empire. Mais une puissance de si peu de sens, si peu efficace!

Oh, combien il regrettait le temps simple des combats! Lorsqu'il suffisait de vaincre ou de mourir. De se soumettre au verdict des épées et des dieux sans autre sacrifice que soi-même.

Combien de fois, avant les batailles, s'était-il offert à la volonté de Mithra et de Sol-Invictus? Combien de fois avait-il deviné leur souffle jusque dans ses membres, dans le sang qui brûlait ses tempes?

Aujourd'hui, les dieux demeuraient muets.

Devait-il accepter la paix de Gallien? Suivre les conseils raisonnables de Pulinius? Ou s'enivrer de la fureur orgueilleuse de Clodia?

Devait-il se lancer dans l'affrontement, comme le voulaient des centaines, peut-être des milliers d'officiers? Ou s'y refuser au risque qu'on l'accuse de faiblesse, pour lui comme pour Rome? Au risque de perdre le respect des légions, le soutien, et peut-être même l'affection, l'amour de Clodia et de Maxime?

Rien ne l'aidait à choisir. Rien n'éclairait son chemin. Il avait dépensé une fortune en augures. Pas un signe ne lui avait été donné qui ne soit contradictoire.

Il était seul.

Maintenant, le cercle pourpre du soleil se déchirait sur les cyprès, les murs et les temples de l'Aventin. Un bref instant, l'orbe rouge s'ouvrit, s'empala comme les hanches d'une femme sur la bosse obscène du mont Testacus.

Puis il ne fut plus qu'une goutte de sang. Le jour s'achevait.

Aurélien frissonna. Sa main chercha involontairement le pommeau de la petite dague qu'il portait toujours sous sa toge. Une fois encore, le premier des dieux ne lui avait accordé que silence et énigme.

Dans l'horizon rougissant, il souhaita absurdement voir le visage de Julia Cordelia. Il n'y trouva que les premières ombres de la nuit et leurs ténébreuses ambiguïtés qui lui rappelaient les folies d'Ulpia.

N'avait-elle pas, la nuit dernière, au prétexte des fêtes de Cybèle, voulu faire l'amour dans un bain de boue avec des femmes esclaves avant de s'offrir à lui? Et la nuit précédente, après s'être fait grimer comme un faune, elle avait réclamé le sperme de son époux sur son ventre afin de s'en enduire, mêlé à du sang de taureau.

Le refus d'Aurélien, répugnant à ce qu'elle extraie sa semence comme elle l'aurait fait d'un animal, avait, pour la première fois, dégénéré en dispute.

À l'heure qu'il était, Ulpia devait encore se lamenter dans le giron des servantes. Elle ne leur cachait rien de son intimité, n'avait honte de rien, ignorait les moqueries.

Était-ce Rome qui la rendait folle?

Ce changement brutal, ce comportement sans plus de raison, était si troublant qu'Aurélien, quelquefois, s'était demandé s'il ne devait pas y voir la réponse des dieux à ses questions.

Si cela était, il ne savait pas la lire.

Certes, à l'instant où il recueillait le dernier souffle de sa mère sur ses propres lèvres, ainsi que le voulait la tradition, Julia Cordelia avait chuchoté : « *La femme, mon fils. La femme! C'est elle que le Grand Soleil t'envoie pour ton triomphe.* »

Mais cette femme ne pouvait être Ulpia. C'était impensable! Même agitée par sa folie, même dans le trouble de ses jeux érotiques, Ulpia ne maîtrisait rien, ne possédait aucune force. Elle faisait songer à un oiseau perdu au-dessus d'un carnage et ne sachant plus où se poser.

Les dieux avaient-ils désigné Clodia ?

Cela eût été plus vraisemblable. Julia Cordelia n'avait-elle pas dit : « *Clodia est comme moi, une semence des dieux pour que s'accomplisse ton destin* » ?

Une semence dont l'irascible obstination l'effrayait. Pourtant, quoi qu'elle fît, il ne parvenait jamais à la détacher de son cœur. Mais elle était sa sœur. Les dieux ne pouvaient désigner une sœur...

— Tu es fatigué, mon frère. Tu devrais te reposer.

Il sursauta. Elle était arrivée sur la terrasse sans un bruit, comme par enchantement. Comme si ses pensées l'avaient matérialisée.

Elle glissa sa main sur son épaule, souleva le pan de la toge de gros drap, déposa un baiser sur sa nuque.

— Toutes ces journées sont épuisantes. Rome ne te laisse jamais en repos.

Il y avait encore assez de lumière pour qu'il puisse bien distinguer son visage. Le trait noir des paupières, les cheveux de jais, des perles lui nouant le chignon et retombant sur son cou délicat. Pas de crème rouge sur les lèvres. Elle était simplement belle, maquillée sans excès. Son visage seulement livré à la grande lumière de ses yeux si semblables aux siens.

Il lui sut gré de cette simplicité. La voir ainsi contredisait ce qu'il avait pensé un instant plus tôt. Sa présence soudaine était un soulagement et non une crainte. Et elle avait raison. Il était las.

Dans le jardin, tout autour de la maison, les esclaves de Pulinius allumaient les torches et les lampes. La nuit serait bientôt pleine.

— Le vent se lève, dit Clodia avec tendresse. Il recommence à faire froid. Ne restons pas sur la terrasse.

Elle l'entraîna vers l'escalier conduisant aux chambres.

Aurélien fut frappé par la paix de sa voix. Il s'était trop

habitué aux excès d'Ulpia. Il la suivit, éprouvant un plaisir intense à respirer son parfum.

De toute évidence, Clodia avait donné des ordres avant de le rejoindre sur la terrasse. La pièce était déjà chauffée par des braseros. Les esclaves avaient déposé des huiles parfumées, des linges et du vin chaud sur des tables basses. Les lampes brûlaient. De l'autre côté de la tenture, dans la pièce des servantes, des musiciens jouaient de la harpe et de la flûte.

Clodia déclara qu'un massage lui ferait du bien. Ce fut elle qui lui ôta sa toge et le fit allonger à plat ventre sur le lit étroit. Tandis qu'elle enduisait son dos d'une huile d'olive parfumée de thym et de bergamote, ses doigts s'attardèrent sur les bourrelets ténus des cicatrices.

— Cela fait longtemps, remarqua-t-elle avec tendresse.

Livré à la caresse délassante, Aurélien ne répondit pas. Mais oui, cela faisait longtemps, très longtemps. Assez longtemps pour qu'on puisse songer à un éloignement. Plus qu'il n'en avait eu conscience. Peut-être s'était-il trop soumis à l'influence de Pulinius, repoussant Clodia plus loin qu'il ne le voulait vraiment.

À sentir les doigts de sa sœur qui allégeaient ses muscles autant que ses craintes, il eut le sentiment léger de redevenir lui-même après s'être noyé dans les méandres obscurs de la volonté du vieux secrétaire autant que dans l'hystérie de son épouse.

Comme si elle avait suivi le même mouvement de pensée, huilant avec lenteur ses épaules, Clodia dit :

— C'est ma faute, en vérité. Je voulais éviter les reproches du vieux Pulinius et la jalousie d'Ulpia. Pour Ulpia, c'était inutile. La pauvre me déteste désormais, c'est plus fort qu'elle.

Aurélien eut conscience que Clodia allait ajouter quelques mots, mais elle se tut. Elle lui massa la nuque longuement avant de s'interrompre brusquement.

— Je dois te montrer quelque chose.

Elle alla ouvrir un petit étui de toile abandonné sur un siège. Elle en tira de fines lamelles de plomb déformées et cabossées.

Elles avaient été soigneusement enroulées autour d'un bâton avant que Clodia les remette à plat. Les mots gravés à la hâte dans le plomb demeuraient bien visibles, ainsi que les dessins et signes magiques qui les entouraient.

Elle les tendit à Aurélien avec une grimace moqueuse.

— Lis.

Il s'en saisit avec réticence. Il devinait déjà les malédictions qu'elles contenaient.

Oh, Cybèle noire, enchaîne Clodia,
vide-lui le visage de l'espoir et de la beauté,
de la disgrâce pour elle, jusqu'à sa mort !
Que Clodia écœure Aurélien mon époux,
qu'elle lui répugne comme une charogne putride !

Faites, oh, faites périr Clodia la puante,
dans l'instant et pour l'éternité,
faites couler sa moelle, putréfier son sexe,
qu'elle épouvante tous ceux qui l'approchent !

Qu'elle meure de bile et fiel, qu'Aurélien la vomisse, vite,
vite et dans l'éternité de toujours, oh oui, celle à qui je pense,
que les seins et la matrice lui tombent comme des cafards,
vite, vite, dès maintenant !

Aurélien jeta les plaquettes sur le sol comme si elles lui brûlaient les doigts.

— Les servantes les ont trouvées hier matin sous mon lit, fit Clodia. Tu imagines leur terreur !

Elle, elle s'en amusait. Elle ramassa les feuilles de plomb pour les jeter dans un brasero.

Retournant près d'Aurélien, elle dégrafa la fibule de sa robe. Le tissu glissa de ses épaules. Elle apparut seulement couverte par les bandes de soie serrant ses seins et ses hanches. Elle écarta les bras, pivotant pour qu'il puisse bien l'admirer.

— Comme tu vois, ce n'est pas très efficace !

Elle eut un petit rire qu'il connaissait bien.

— Je suis toujours là et je ne pue pas encore, plaisanta-t-elle.

Aurélien détourna les yeux. Il lui suffisait de la voir ainsi pour que le désir lui serre les reins. Un vrai désir, empreint de tendresse. Un désir qui n'avait rien à voir avec l'excitation trouble et énervée que produisait sur lui la folie d'Ulpia.

Bien qu'il sût que c'était inutile, que Clodia devinerait même ce qui ne pouvait se voir, il fit tout son possible pour n'en rien laisser paraître.

— Cette folie empire chaque jour, soupira-t-il. Je la regarde et je commence à avoir honte qu'elle soit mon épouse.

Sans répondre, Clodia l'obligea à s'étendre de nouveau. Le prétexte du massage était enfui. Elle le repoussa sur un coussin, pressa sa hanche contre son sexe déjà durci, frôla d'un baiser la marque profonde du fer de Mithra sur son épaule.

— Il faut la plaindre et ne pas se fâcher, fit-elle avec un peu de tristesse. Vraiment, c'est plus ma faute que la sienne. Je l'ai crue plus forte. Qu'elle pourrait être une épouse parfaite pour toi. Je me suis laissé abuser par son innocence. Elle m'amusait et...

Elle retint ses mots dans une moue. Ses doigts caressèrent

la bouche d'Aurélien avant qu'elle s'incline et y pose ses lèvres.

— J'ai pensé qu'elle pourrait te plaire assez pour que tu ne voies qu'une sœur dans ta sœur. Puisque tu l'exigeais.

Elle se moquait.

Avait-elle pressenti la folie d'Ulpia depuis bien longtemps ? L'avait-elle choisie pour cela ? C'était bien possible.

— Sais-tu ce qui la rend folle ? demanda-t-elle en lui caressant les cuisses.

Il ne répondit pas.

— Elle n'aura jamais d'enfant.

Aurélien s'en doutait. Les obsessions d'Ulpia étaient devenues aisées à comprendre.

— Elle n'en aura jamais ! Nous avons tout essayé, tu peux en être certain, dit Clodia sans cesser ses caresses. En cachette de toi, je le reconnais. Ce sont des affaires de femmes…

Sa main glissa sous le linge et chercha le sexe d'Aurélien. Il ferma les yeux, les reins et la bouche tendus. Incapable de résister au bonheur que lui procurait Clodia. Comme tant et tant de fois dans le passé !

— Un Augustus doit pourtant avoir une descendance. Tu dois avoir un fils.

— Ne recommence pas ! protesta-t-il sans bien savoir de quoi il se défendait.

— Tu le seras bientôt. Gallien va te laisser la place.

— Mais non, au contraire…

Elle lui ferma la bouche d'un nouveau baiser. Pourtant, malgré la tendresse et l'envoûtement des caresses, les mots de Clodia aiguisèrent en lui une brutale lucidité.

Il devina et il sut. En vérité, sa décision était prise depuis des jours. Seule la crainte de perdre l'amour de Clodia lui interdisait de le reconnaître. Lui, le dux majorum Lucius Aurelianus, n'était faible que d'une crainte enfantine quand Rome et l'Empire étaient en jeu !

Il écarta le visage de Clodia, admira sa bouche alourdie par la volupté.

— Que veux-tu dire?

Elle se méprit sur sa question.

— Que moi, je peux porter ton enfant. On fera croire que c'est celui d'Ulpia. Ton sang d'Augustus ne disparaîtra pas.

Ainsi, elle allait jusque-là!

— N'insulte pas les dieux! Que veux-tu dire au sujet de Gallien?

Sans se laisser impressionner, elle chercha à l'apaiser d'une nouvelle caresse qu'il détourna avec agacement.

— Réponds. Pourquoi César me céderait-il la place?

— Parce qu'il n'aura pas le choix. S'il te plaît, ne t'en soucie pas.

Il la repoussa si violemment qu'elle glissa à ses pieds.

— Non, cette fois, je ne l'accepterai pas! Tu ne tueras pas à nouveau dans mon dos.

Elle le dévisagea. Leurs yeux si semblables s'affrontèrent. Le bleu glacé des iris d'Aurélien, devenu si glorieux parmi les légionnaires et si terrible chez les Barbares, buta contre un même bleu, tout aussi incandescent de volonté.

Et puis le visage de Clodia mua. Sa beauté s'effaça derrière un masque tissé de haine et de violence.

Aurélien dut résister au désir de la prendre et de la serrer contre lui. Oh, que ce masque se rompe et qu'il retrouve la Clodia qui le comblait un instant plus tôt!

Mais c'était inutile. Le visage qu'il avait devant lui était celui de la vérité.

— Ne sois pas stupide, Aurélien. Crois-tu que Gallien se gênerait, lui?

— Il veut la paix. Il a besoin de moi. Et il a raison.

Le rire de Clodia fut une gifle.

— Mon pauvre frère! Il n'y a que toi pour croire à des sornettes pareilles! Es-tu à ce point naïf? Pas un mot qui sort de la bouche de Gallien n'est sincère! Quand le comprendras-tu ? La lettre qu'il t'a envoyée n'est rien ! Du vent, des niaiseries dignes de celui qui veut les croire.

Maintenant, elle criait. Elle frappait la poitrine d'Aurélien de sa paume.

— Un leurre, Aurélien ! La vérité, celle que te cache ce vieux débris répugnant de Pulinius, c'est que Gallien a peur de toi ! Gallien veut t'acheter pour te rendre inoffensif. Tu bois les mensonges de Pulinius alors qu'il se joue de toi. Ouvre les yeux, pour une fois ! Ton vieillard chéri n'a qu'une volonté. Il veut te détacher de moi. Il m'espionne, il…

Elle s'interrompit, haineuse.

Cela, cette haine plus que tout le reste, Aurélien ne put l'admettre.

Il l'agrippa avec la volonté de lui faire mal. Peut-être même de détruire cette beauté qu'elle pouvait avoir et qu'il aimait par-dessus tout.

— Tais-toi, Clodia. Je sais qui est Pulinius, et c'est moi qui décide de la valeur des mots de César. Moi et les dieux. Et j'ai décidé. S'il arrive quelque chose à Gallien, je ne serai plus ton frère.

Elle était livide. Le bandeau de son soutien-gorge avait sauté, découvrant la splendeur de ses seins. Elle eut un geste inattendu de pudeur. Elle recula, les lèvres retroussées sur ses dents de fauve.

— Tu ne l'es déjà plus, siffla-t-elle. Notre mère s'est trompée. Tu ne seras pas Augustus. Moi aussi, je me suis trompée. Depuis toujours. Tu n'as aucun courage. Tu es aussi veule et stupide que ces vieux débris qui te plaisent tant.

Elle recula encore, jetant sa robe sur sa nudité. Des larmes, peut-être, apparurent dans ses yeux.

— Oh non, tu n'es plus mon frère ! Contente-toi de ton épouse. Tu ne mérites rien de plus.

Sa voix était glacée par le dépit. Ses larmes ne le pleuraient pas, lui, son frère, mais l'immense rêve de pouvoir qu'elle adorait.

Quand elle eut disparu derrière la tenture, le regard d'Aurélien découvrit les plaquettes de plomb à demi fondues dans les braises. Ainsi, les dieux avaient eu leur vengeance. Les tablettes d'Ulpia avaient accompli leur œuvre de malédiction.

Avec un cri à faire peur, il renversa le brasero d'un coup de pied.

18

ÉMÈSE

Les joues rouges, les cheveux collés aux tempes par la sueur, Ashémou montrait une mine réjouie. Elle déposa le bébé dans les bras de Zénobie.

— Un garçon! Un garçon, comme le Très Illustre le voulait!

Un gros bébé dont la tête massive rappelait celle de son père. Il hurlait sa rage de vie, écarlate sous son petit toupet de cheveux sombres et bien vaillant.

— Celui-là, il est sorti du ventre de sa mère comme un gâteau du four, se réjouit encore Ashémou en titillant le menton du bébé.

Zénobie respira l'odeur si particulière du nouveau-né. Elle déposa un baiser sur son front palpitant, puis entreprit de l'envelopper dans un linge propre.

— Dinah dort toujours? Elle ne saigne plus?

— Tout va bien. Ne t'inquiète pas. Elle est solide. On dirait qu'elle a déjà accouché une dizaine de fois! Attends, tu ne vas pas y arriver ainsi!

Ashémou lui retira le linge des mains, recommença à langer l'enfant.

— Comme ça !

Elle riait, parlait fort, exubérante et grandement soulagée.

En vérité, rien n'avait été simple. Les douleurs de Dinah avaient commencé l'avant-veille. Aussitôt, Ashémou et Zénobie s'étaient enfermées avec elle.

Ensuite, tout avait reposé sur les épaules de l'Égyptienne. Zénobie n'avait pas voulu prendre le risque d'introduire une sage-femme dans leur secret. La rumeur avait été répandue dans le palais que la Despoïna Zénobie accoucherait bientôt. Qu'elle s'en remettait aux seules mains de la nourrice qui lui avait donné la vie, avec la volonté de Baalshamîn.

Elle avait aidé Ashémou comme elle avait pu. Dinah s'était montrée courageuse. Les douleurs la prenaient, la tordaient, mais il avait fallu attendre jusqu'au cœur de la dernière nuit pour qu'elle perde enfin les eaux. Par bonheur, l'enfant était né vite et sans drame.

— As-tu fait prévenir le Très Illustre ?

— Ainsi que tu me l'as ordonné. Il pourra voir son fils et la Despoïna ce soir, pas avant.

Ashémou prit le bébé contre elle, la petite tête du nouveau-né sur sa poitrine. Était-ce cela, le charme d'une grande nourrice ? Le bébé cessa de brailler, battit des paupières, poussa encore deux grognements tout en suçant sa langue entre ses lèvres minuscules et s'endormit.

Zénobie sourit. Son premier sourire depuis bien longtemps. Ashémou croisa son regard. Soudain saisies d'une gravité un peu triste, elles n'eurent pas besoin de mots.

Zénobie chassa l'émotion qui lui nouait la gorge.

— Allons voir Dinah, chuchota-t-elle.

★★★

— C'est un miracle ! assurait Dinah. Oh, comme je suis heureuse !

Elles étaient allongées côte à côte, le nouveau-né reposant sur l'une et l'autre. De gros cernes sombres révélaient la fatigue de Dinah, mais la joie embellissait son visage. Plus tôt, avant que commencent les douleurs de l'enfantement, elle avait voulu vérifier si la cicatrice de Zénobie s'était estompée un peu plus depuis la veille.

Maintenant, ce n'était qu'un filet rouge à peine enflammé.

— L'enfant vient et ta blessure se referme. Au même moment ! C'est un miracle, répétait-elle. Pour une fois, Yhwh l'Éternel a entendu mes prières.

— Il était bien temps ! se moqua Ashémou en jetant un coup d'œil entendu à Zénobie. Mais tu as raison, pour être un miracle, c'en est un. Et celui-là, on n'y croyait plus.

Zénobie se contenta d'une caresse prudente sur le front de l'enfant.

Lorsqu'elle était revenue de la maison chrétienne, Ashémou l'attendait avec une foule de reproches. Où était-elle allée dans cet état ? Voulait-elle mourir sur-le-champ ?

Mais Zénobie s'était effondrée sur une couche sans l'écouter. Et le soir, lorsque l'Égyptienne avait voulu changer son pansement, la stupeur l'avait laissée sans voix. La plaie ne saignait plus. Les chairs encore déchiquetées et purulentes le matin semblaient maintenant fraîches et propres. L'inflammation moins violente et moins répandue.

— Qui as-tu vu ? avait demandé Ashémou.

Zénobie n'avait pas répondu. Le lendemain matin, le doute n'était plus possible. La plaie enfin se refermait. Pour la première fois depuis des lunes, Zénobie n'avait pas été, des heures durant, déchirée par la douleur.

Ashémou, après lui avoir confectionné un bandage léger qui ne nécessitait plus d'emplâtre, avait hoché la tête.

— Tu es allée chez le chrétien, n'est-ce pas ? Celui qui a traversé le feu et n'a plus de visage. Celui qui...

Elle s'était tue soudain, les yeux rivés à ceux de Zénobie. Elle savait. Elle se souvenait des mots et des menaces d'Ophala. Elle avait compris. Schawaad n'était pas mort. Il avait seulement changé de nom et perdu son visage.

Elles étaient demeurées face à face en silence, avec les mêmes terribles pensées. Puis l'Égyptienne avait ouvert les bras. Pour la première fois depuis des années, elle avait serré Zénobie contre elle comme elle le faisait quand elle était encore une nourrice avec son enfant.

Plus tard, sur un ton faussement négligent, elle avait remarqué que le chrétien de la ville basse était connu dans tout Émèse, et même dans le palais.

— On dit qu'il fait des miracles comme il respire. Avec les femmes et les enfants surtout. On dit que c'est son Dieu qui est dans sa main.

Comme Zénobie n'ajoutait rien, n'expliquait rien, elle avait soupiré :

— L'important, c'est que cette fichue plaie s'en aille et que tu ne souffres plus.

C'était vrai. La marque du fer perse s'effaçait de son corps et sa souffrance ne serait bientôt plus qu'un souvenir. Mais une autre blessure, ni de chair ni de sang, s'était ouverte, béante à jamais. Celle-là remplaçait le mal apaisé par un autre. Moins strident, qui ne vous coupait pas le souffle ou ne vous plongeait pas dans la fièvre. C'était au contraire une souffrance silencieuse et patiente comme un serpent. Un mal rusé qui attendait un mot, un moment d'inattention pour vous sauter à la gorge et vous emplir de désespoir. Et ce mal-là, Zénobie le savait, aucun miracle ne l'en délivrerait.

— Es-tu triste ? s'inquiéta Dinah à son côté.

— Non ! mentit Zénobie. Non ! C'est tout le contraire. Je suis heureuse pour toi et pour moi.

Elle saisit la main de Dinah, la pressa contre ses lèvres,

puis, de leurs doigts joints, caressa le menton dodu de son fils.

— Le Très Illustre va lui donner le nom de son père : Whabalath. Il sera roi un jour et je vais lui conquérir un royaume immense. Aussi grand que l'Empire des Romains.

Dinah rit avec elle. Mais Ashémou ne riait pas.

— Tu es sérieuse ? Tu vas retourner te battre ? Ça ne t'a donc pas suffi ?

Zénobie voulut rire et se moquer, mais sa voix trembla.

— Je suis Alath, nourrice. Tu l'oublies trop souvent. Alath n'a pas d'autre destin que d'aller devant les guerriers.

Elle saisit l'enfant, pressa la tête minuscule contre la sienne.

— Et maintenant, j'ai une raison de plus. Mon fils Whabalath, fils d'Odeinath et de Zénobie, deviendra grand par les conquêtes de ses parents.

C'est ce qu'elle dit au Très Illustre lorsqu'il vint la visiter. Il la trouva dans le lit comme l'avait été Dinah, l'enfant reposant contre sa poitrine. Surpris peut être de ne pas voir la vraie mère, il se plia cependant à la comédie sans ciller. Accompagné de Nurbel et quelques serviteurs, il se montra embarrassé et ravi jusqu'à la maladresse. Il tendit la main pour effleurer les tempes de son fils, mais la grosseur de ses doigts à côté de la joue si menue de Whabalath l'effraya. Il n'osa pas le toucher, retira sa main dans un rire.

Zénobie annonça :

— Dans quelques jours, je pourrai remettre ma cuirasse. Nous irons pourchasser les Perses jusque de l'autre côté du fleuve. Notre fils doit avoir le plus grand des royaumes qu'un roi de Palmyre ait jamais conquis. Je suis avec toi, mon époux, pour que nos victoires fassent du vacarme jusqu'à Rome.

Rouge d'émotion, le Très Illustre lui avait baisé le front. C'était le premier baiser qu'il s'autorisait et le premier qu'elle lui accordait.

Maintenant, Whabalath dormait contre le sein de Dinah. L'enfant s'était soûlé du lait de sa mère. Elle les regardait et voyait la vérité : la mère et le fils.

Elle songea que dès que l'enfant le pourrait, elle le conduirait dans le lac du Baiser du ciel. Cette pensée lui noua la gorge. Le serpent de la douleur était sorti de sa tanière. Il l'attaquait et la mordait.

Penser au lac, c'était penser à Schawaad devenu Simon le chrétien.

C'était penser aux mensonges qui dégoûtaient tant Simon.

Lui qui avait su traverser le feu pour son Dieu et ne rien céder aux Romains. Lui pour qui la vérité soufflait une glace plus forte encore que les flammes.

Tandis qu'elle, elle n'était faite que de mensonges.

Son fils n'était pas son fils. Son époux n'était pas son époux. C'était une femme morte de douleur, comme bien d'autres, qui l'avait enfantée et non une étoile de Baalshamîn, comme les crédules le croyaient.

Baalshamîn l'avait abandonnée depuis longtemps. Depuis Doura Europos.

Les dieux avaient choisi Schawaad. Et Simon avait choisi un dieu unique pour en être plus aimé et plus proche encore !

Elle, Zénobie, n'avait plus qu'une vérité.

Celle de son courage et de ses flèches sur les champs de bataille.

Celle de ces victoires qui, au moins, faisaient d'elle Alath.

Celle de la guerre qui lui permettrait d'oublier la face détruite de Schawaad et le mépris de Simon.

Partie 3

LE TEMPS DES ASSASSINS

267-270 apr. J.-C.

19

ANTIOCHE

L'enfant scruta les méandres de l'Oronte. Les barques étaient nombreuses sur le fleuve qui enserrait la ville neuve d'Antioche. Mais aucune n'était un bateau de guerre. Encore moins une barque royale avec tout le cortège bruyant et coloré qui l'aurait accompagnée.

Pas plus qu'on ne devinait de somptueux équipages sur la voie dallée de marbre qui jouxtait le fleuve. Les milliers de colonnes et de statues qui la bordaient y traçaient un jeu bizarre d'ombres et de lumières. Des chars, des attelages, des gens à pied apparaissaient et disparaissaient. Mais ce n'étaient que des commerçants, des voyageurs coutumiers ou des paysans. Même les petites caravanes de chameaux aux bâts colorés n'étaient rien d'autre que des caravanes ordinaires.

La déception de l'enfant se mua en colère. Il frappa du pied, se retourna vers Dinah et cria :

— Elle m'avait promis ! C'est une menteuse. Elle m'avait promis, et ils viennent pas !

Dinah sourit, apaisante.

— Sois patient, mon chéri. Ils vont arriver.

Elle tendit la main pour lui caresser la joue. Le garçon la repoussa avec hargne. Il tira de sa ceinture une petite dague. La lame en était à peine plus longue que sa main. Un cadeau de son père qui l'emplissait de fierté. En quelques coups, il faucha des têtes de dahlias pourpres et blancs qui bordaient le jardin prolongeant le palais à flanc de colline et offrant la plus sublime vue d'Antioche.

Faussement sévère, Dinah le réprimanda :

— Whabalath ! N'abîme pas les fleurs ! Ta mère ne sera pas contente.

— Tant pis pour elle. Je veux toutes les couper, comme ça, elle saura…

Les larmes maintenant coulaient sur les joues du petit garçon.

— Toi aussi, tu es une mauvaise, fit-il d'une voix tremblante. Tu as menti, comme ma mère.

Dinah s'accroupit, lui retira la dague des mains.

— Calme-toi, mon ange, tu vas te blesser.

— Je suis pas un ange ! Tu avais dit qu'ils seraient là pour mon anniversaire. C'est aujourd'hui !

— Ce n'est que le matin, Whabalath, protesta doucement Dinah. Laisse-leur le temps d'arriver. La route est longue depuis Tarse.

— C'est pas vrai. Ma mère a pas besoin de temps. Son cheval va plus vite que tout. Même mon père peut pas toujours la suivre…

— Alors, argumenta Dinah en riant, c'est qu'elle l'attend pour qu'ils arrivent ensemble.

Elle se releva. Elle garda la main de l'enfant dans la sienne, voulant l'entraîner dans l'autre partie du jardin afin de le distraire. Machinalement, elle se retourna pour s'assurer de la présence des gardes. Comme toujours, ils se tenaient en faction à la porte donnant sur la partie du palais réservée aux femmes.

L'enfant tira sur sa main, refusant de la suivre.

— Whabalath, insista-t-elle, tu sais que tes parents tiennent toujours leurs promesses. Ils seront là avant la fin du jour.

— C'est maintenant qu'ils doivent être là. Mon anniversaire, il a commencé quand le soleil s'est levé !

Elle aperçut sur la droite une ombre brune. Un tissu. Une cape sans doute, ou une ceinture abandonnée entre deux massifs d'hibiscus. Les jardiniers l'avaient oubliée. Elle leur en ferait la remarque tout à l'heure. Zénobie détestait que le jardin ne soit pas parfait.

C'est alors que la corne sonna.

Trois longs sons graves qui annonçaient l'entrée dans le palais du Très Illustre et de la Despoïna.

— Ils sont là !

La petite main du garçon échappa à celle de Dinah. Elle fit mine de le retenir, rit de le voir bondir en hurlant :

— Ils sont là ! Ils sont venus pour moi !

Du coin de l'œil, avec une clarté qui sembla appartenir à une autre partie d'elle-même, elle vit l'ombre, le tissu, la ceinture, quoi que fût cette chose, se dresser. Se déployer en prenant la forme d'un homme. D'un guerrier au visage noir de barbe, à la bouche ouverte et sans dents. Elle songea : « La face du mal ! »

Avant même de comprendre, elle cria le nom de l'enfant.

Elle vit les yeux du guerrier, les bras tendus et les mains tirant la corde de l'arc court. Elle vit la flèche, l'entaille posée sur la corde, la tête d'acier pointée sur la poitrine du garçonnet. Elle cria encore :

— Whabalath !

Elle n'eut pas conscience de courir. Malgré l'embarras de sa tunique, malgré son voile, ses colliers, le poids de ses bracelets, tout son corps s'envola.

Elle fut au-dessus de l'enfant ainsi qu'un grand oiseau. Elle devina la flèche qui volait comme elle. Elle songea au sang de la vie, au futur qui coulait dans le corps adoré de son fils. Oh, mon amour, mon enfant, mon vrai fils!

Ils roulèrent ensemble sur le sol.

Elle plaqua le petit corps sous le sien. Alors la foudre entra dans ses reins et les brisa.

Elle sut dans l'instant qu'elle ne pourrait plus jamais se relever. Qu'importait. Le corps doux de son fils tremblait, intact, contre sa poitrine et son ventre.

— Whabalath!

L'enfant, terrifié, criait.

Il se démena pour se sauver. Il eut assez de force pour la retourner. Les secousses irradièrent ses hanches autant qu'un feu liquide. Elle chercha son souffle, les yeux écarquillés.

— Non!

Elle vit les pieds de l'assassin qui s'approchait.

Non! Elle ne le permettrait pas! Elle agrippa une cheville de l'enfant. Avec un feulement de fauve, elle le lova sous elle. Elle devint carapace et cuirasse. Elle hurla de toutes ses forces alors que l'épée du meurtrier s'abattait, tranchant sa tête.

— Whabalath!

Zénobie brailla le nom de son fils, déchira sa tunique d'apparat pour courir plus vite.

Par-dessus les massifs de fleurs, entre les troncs de palmiers et les gerbes blanches des jasmins, elle vit le sang sur les armes des gardes. Le sang sur leurs cuirasses, leurs regards effarés, leur bouche béante d'impuissance.

— Whabalath!

L'enfant était recroquevillé sous le corps de Dinah qui l'agrippait toujours, les mains closes sur sa taille. Il ne parvenait pas à détacher ses yeux du visage qui le contemplait. La tête de Dinah avait roulé à quelques pas. Elle lui adressait un drôle de rictus, la joue meurtrie par un caillou.

Il était couvert de sang. Des spasmes silencieux l'agitaient. Les jambes de l'assassin, que les épées des gardes avaient clouées dans le sol, s'étaient liées à celles de Dinah. Ensemble, ils formaient une sorte d'animal dépecé et monstrueux.

— Mon fils !

Zénobie l'arracha aux mains de la morte, le souleva en riant de soulagement.

— Mon fils, tu es vivant !

L'enfant se débattit. Il voulait encore voir la face morte de Dinah. Il voulait que les yeux fixes de sa tante cessent de regarder la poussière boueuse de sang et se tournent vers lui.

Zénobie lui enfouit le visage contre sa poitrine.

— Je suis là, Whabalath. Je suis là, mon enfant.

Enfin il enserra son cou. Il pleura avec des grondements suffoqués.

À la porte du jardin, Ashémou apparut. Elle accourut en levant les bras. Derrière elle, livide, un lieutenant de Nurbel lança :

— Despoïna ! Despoïna… Le Très Illustre ! Le Très Illustre !

Nurbel pleurait.

À genoux, la tête du Grand Odeinath dans ses bras, il pleurait, la bouche close. Ses larmes se perdaient dans le sang qui avait giclé de la gorge tranchée de son roi bien-aimé. Il ne leva pas les yeux alors que Zénobie se précipitait dans la pièce. Ce n'est que lorsqu'elle tomba à genoux devant le cadavre du Très Illustre qu'il prit conscience de son visage, de sa tunique sanglante et déchirée.

— Toi aussi? demanda-t-il d'une voix blanche.

— Non, pas moi…

— L'enfant?

— Whabalath est vivant. Dinah est morte pour lui.

Elle saisit les mains du Très Illustre. Étrangement, il semblait plus petit et plus beau que lorsqu'il était vivant. Elle enfouit son visage dans ses paumes mortes.

— Mon époux!

Des sanglots rageurs lui brûlèrent la gorge. Elle eut envie de prononcer des mots d'amour. Elle eut envie de lui dire une tendresse depuis longtemps éprouvée mais jamais avouée.

Lui qui l'avait crue du premier au dernier mot! Lui qui jamais ne s'était plaint de ses intransigeances. Lui qui avait fait d'elle son égal.

Elle se coucha sur son corps ainsi qu'elle ne l'avait jamais voulu, le baisant et l'enlaçant avec un amour qu'elle ne lui avait jamais accordé.

— Ô mon époux bien-aimé, balbutia-t-elle en posant son front dans la blessure sanglante de son cou. Oh toi, si grand, si doux, qui m'as aimée plus que je ne m'aime! Toi qui m'as aimée jusque dans le corps de Dinah!

Les dieux avaient pris les amants. La haine avait emporté les amants et la laissait, elle, pour la vengeance.

Il y avait maintenant foule autour d'eux. D'une voix audible par tous, elle déclara :

— Ton fils sera le plus grand, Très Illustre. Ta mort sera sa puissance, ô Grand Odeinath. Je le jure par ce sang qui est le tien et coule comme des larmes sur mon visage : les siècles se souviendront de ton nom.

Elle agrippa la main de Nurbel. Comme il l'aidait à se remettre debout, elle se rendit compte de la présence des assassins que retenaient les gardes.

C'étaient des guerriers de Palmyre déguisés par des tuniques de marchand. Le visage de l'un d'eux, bien que masqué à moitié, glaça Zénobie.

— Hayran ! J'aurais dû m'en douter !

— Je t'ai vaincue, fille du désert ! ricana Hayran avant que les gardes le bâillonnent. Tu as tué ma tante, tu as tué mes amis ! Ce jour est le plus beau de ma vie !

— Bien sûr que c'est lui, gronda Nurbel. Depuis l'instant où j'ai laissé ce chien quitter Palmyre, j'ai su qu'il allait semer le désastre. Je l'avais dit au Très Illustre. Nous n'aurions jamais dû le laisser vivre !

— C'en est fini. Il ne vivra plus ! siffla Zénobie.

Elle empoigna l'épée d'un garde. La lame était déjà levée au-dessus d'Hayran lorsque Nurbel lui retint le poignet.

— Non, Despoïna...

Zénobie lutta, comme si elle ne l'entendait pas. Nurbel tint bon, quoique sans brutalité, l'obligeant à lui faire face.

— Le Très Illustre est mort par ma faute, Zénobie. J'aurais dû mieux veiller sur lui. C'est à moi de rendre son fils aux démons.

Elle hésita. La rage et la tristesse de Nurbel étaient le miroir de son cœur.

— Je ne t'ai jamais rien demandé, reine de Palmyre, murmura-t-il. Tu sais que je t'appartiens. Mais aujourd'hui, fais-moi cette faveur.

Elle eut un battement de paupières. Nurbel relâcha son étreinte. Aussitôt le bras de Zénobie s'abattit. Le plat de la lame fracassa la mâchoire d'Hayran, lui tranchant le bas du visage. Hayran s'effondra dans un hurlement de douleur qui s'acheva en un ridicule gargouillis.

Zénobie jeta l'épée aux pieds de Nurbel.

— Il est à toi.

★*★

Cette nuit-là, les lumières, les fêtes et les plaisirs furent interdits dans Antioche. Seuls brûlèrent les feux des autels et des temples où la population défila en pleurs, les bras chargés d'offrandes.

Dans l'obscurité, chacun put entendre les hurlements d'Hayran, le fils assassin de son père. Nurbel prit le temps de lui ouvrir le torse, de briser un à un les os de sa poitrine. Il voulait qu'on puisse voir la trahison suinter à chaque secousse de ce cœur qui battait encore.

Ensuite, on transporta le meurtrier devant le Grand Cirque. Là, un pal de bois le transperça du fondement aux épaules.

La ville entière vint le conspuer, jeter des pierres et de la poussière sur ses plaies. C'est seulement aux premiers rayons du soleil que les dieux acceptèrent de lui ouvrir les portes de leur enfer.

20

SINGIDUNUM, DANUBE

Debout sur le mur du fortin, Aurélien observait la rive du Danube. Ici, vingt-sept ans plus tôt, avec seulement les trois cents légionnaires d'une cohorte, il avait décimé les Barbares sauromates.

Une ville entière s'étalait aujourd'hui dans la vaste courbe où, en ce jour lointain, le courant avait accumulé les cadavres et les radeaux en flammes. Le fleuve, toujours aussi immense, paraissait charrier les mêmes eaux lourdes et grises. Mais désormais les digues d'un port s'avançaient dans le courant, accueillant de grosses barques de commerce. Les murs du camp s'avançaient dans les champs et recouvraient la mémoire des guerrières sauromates qui y étaient venues chercher la mort en riant.

Vingt-sept années! Pourtant, Aurélien entendait encore les hurlements des Barbares pris dans le feu de naphte. Le chant de victoire de ses légionnaires acclamant pour la première fois son nom, semblait encore y résonner.

Vingt-sept années!

Tout était différent et tout était terriblement identique. Singidunum était devenu une ville. Depuis dix ans déjà, des barques accostaient moins nombreuses dans le port. Pourtant, ces derniers mois, leur nombre allait en décroissant encore. Il n'était plus un batelier, qu'il vienne de Mésie ou de Germanie, qui ne craigne à nouveau une razzia des Barbares.

Vaincus déjà mille fois, Goths ou Alamans, Roxolans ou Yazyiges, les ennemis de Rome renaissaient toujours. Avec d'autres langues, d'autres armes mais toujours la même et insatiable fureur de vaincre l'Empire. Et lui revenait sans cesse dans les mêmes camps, sur les mêmes fronts, pour attiser le courage des légions. Il devait lancer des batailles cent fois répétées. Vaincre et encore vaincre, sans jamais que ces victoires anéantissent l'ennemi.

Non, cela n'avait pas de fin. Sinon que Rome s'épuisait ainsi qu'un fauve trop longtemps harcelé.

Ah, l'abandon des dieux pouvait-il être plus grand?

Avec une moue amère, Aurélien contempla la surface du fleuve piquetée de pluie comme s'il voyait s'écouler le sang exténué de Rome.

Une brume de plus en plus dense diluait la lointaine rive opposée. Cela, une fois encore, lui rappela ce matin du combat contre les Sauromates où le brouillard dissimulait tout. Aurélien se reprocha son pessimisme.

Après tout, ce matin-là, attendant le déferlement des Sauromates, il avait aussi douté que Mithra et le Soleil-Invincible soutiennent son bras. Pourtant, les dieux ne l'avaient pas abandonné. Ni en cette occasion ni dans les centaines de combats qui lui avaient succédé.

— Dux...

La voix d'un tribun le fit se retourner.

— Dux, le char du premier secrétaire est annoncé. Son avant-garde vient de franchir la poterne.

L'impatience qui avait saisi Aurélien, trois jours plus tôt, à l'annonce de la visite de Pulinius, le reprit et chassa la mélancolie du climat. Que le premier secrétaire du sénat qu'était toujours Pulinius, à près de soixante-quinze années, se déplace jusqu'aux lointaines rives du Danube pour le voir était peut-être le signe que Rome voulait secouer sa torpeur.

Pendant les six années qu'ils ne s'étaient vus, Pulinius avait perdu ses cheveux et ses dents. Il n'allait plus sans un bonnet de fourrure doublé de cuir et pesamment décoré de phalères. L'une d'elles montrait le profil de l'Augustus Valérien, toujours vivant selon les rumeurs qui filtraient parfois de Perse.

Aurélien fut cependant ému de voir Pulinius plus chétif que jamais et d'une faiblesse extrême. Une chair cireuse recouvrait les os de ses mains et se tendait autour de ses yeux. Que son corps soit encore capable de se mouvoir relevait du miracle. La plupart du temps, on le transportait d'une chaise à une autre. Mais son regard n'avait rien perdu de son ironie et de sa perspicacité.

Alors qu'il houspillait ses esclaves pour qu'on le tire des coussins énormes qui matelassaient son char, il devina les pensées d'Aurélien. Il eut un petit rire grinçant.

— Je sais! J'ai mauvaise mine, mon garçon. Ce n'est pas seulement dû à cet épouvantable voyage. Mais au moins, je n'ai pas la peste!

Alors que ses serviteurs le déposaient avec précaution sous le dais d'une chaise à porteurs, il agrippa la main d'Aurélien.

— Tu ne peux pas imaginer, dux majorum. La peste est partout sur la route. Partout! Pendant six jours, je n'ai pas ouvert un vantail de mon char!

Il s'interrompit une nouvelle fois pour lancer son rire caqueteur.

— Sois sans crainte. Ce n'est pas ça qui me tue. La vieillesse y suffit !

D'un coup de badine, il frappa le dos de l'esclave le plus proche comme pour donner la preuve de son énergie.

— As-tu une pièce chaude, Aurélien ? J'en rêve. Il paraît que c'est la fin de l'été et moi je gèle... Une chambre avec du feu. Voilà ce que je veux. Toute rouge de brasero ! Que j'oublie cette maudite pluie.

Plus tard, après que son vœu fut exaucé, vidant une écuelle de lait et d'œufs battus, il ferma les yeux, étira ses lèvres racornies dans un soupir de bien-être.

— Maintenant, mon garçon, laisse-moi sommeiller quelques heures. Ensuite, on parlera.

Le craquètement de son rire glissa entre ses gencives roses et il ajouta :

— Je sais que tu es impatient d'écouter ce que j'ai à te dire, mais je te promets de ne pas mourir pendant mon sommeil.

Au cœur de la nuit, alors que le camp dormait, il fit appeler Aurélien.

Enfoncé sous des fourrures dans un lit aux pieds de taureau, il le scruta et remarqua :

— Toi non plus, tu n'as pas bonne mine, mon garçon. Et toi, tu n'as pas l'excuse de l'âge.

— Les raisons de se réjouir sont rares, premier secrétaire. J'espère que ta venue en est une.

Pulinius le considéra encore, l'œil narquois, avant d'opiner.

— Pour le reste, tu n'as pas changé. Toujours aussi militaire. Droit au but, hein! Droit au but.

Il sortit une main décharnée de sous les fourrures, pointa les murs de la pièce.

— Avant toute chose, peut-on parler ici?

Aurélien montra la dizaine de torches et de lampes qui éclairait la chambre autant qu'il était possible.

— Nous sommes seuls. Le camp dort.

— Mais tes murs?

— Ils sont de pierre, Pulinius.

— La pierre est parfois poreuse, Aurélien. Surtout au bénéfice de qui tu sais.

Aurélien leva un sourcil ironique. Pulinius secoua la tête.

— Ne me prends pas pour un vieux fou! Je sais de quoi je parle et toi tu l'ignores. Pourquoi crois-tu que j'ai parcouru des milliers de milles dans l'état où je suis?

D'un coup de menton impérieux, il désigna la porte.

— Assure-toi que tu connais les gardes qui sont dans le couloir.

Quand Aurélien eut donné des ordres, désigné lui-même des gardes, Pulinius l'observa à nouveau, cette fois avec circonspection.

— Tu n'es plus fâché contre moi, dux majorum Lucius Aurelianus?

— Je ne l'ai jamais été, premier secrétaire.

— Oh! oh! Alors, tu faisais bien semblant! Moi, je n'ai pas oublié que tu as quitté ma maison et Rome sans merci ni au revoir... Comme un démon tout en fureur.

— Je n'avais plus rien à faire à Rome. Ne t'ai-je pas écrit pour te remercier?

— Une courte lettre. Et plus aucune ensuite.

— Je n'ai rien oublié, premier secrétaire. Ni ton aide pour ma mère, ni tes conseils. Tu me demandais de céder à César, j'ai cédé. Il était inutile que j'étale cette soumission sur la place du forum, et j'avais mieux à faire ici.

Pulinius approuva, roulant ses lèvres sur ses gencives dénudées.

— Je sais. Je sais ce que ton orgueil a enduré. Et aussi ce que cela t'a coûté. Crois-moi, mon garçon : j'ai regretté cette terrible dispute avec ta sœur. Et avec ton légat. J'ai souffert de vous voir vous déchirer…

Le regard d'Aurélien le dissuada de continuer. Sa tête couverte du bonnet de cuir vacilla légèrement. Il agita sa main décharnée comme s'il dispersait une fumée importune.

— Bon, le passé est le passé. Tu as raison. Oublions. Ce qui compte, c'est que moi, je n'ai pas changé. Si tu ne t'es pas montré au sénat toutes ces années, moi, j'y ai prononcé ton nom autant de fois que ma bouche s'y ouvrait…

Il s'interrompit, l'œil furtif, le sourcil froncé. Son index pointa de nouveau la porte.

— Tu es sûr ?

— Autant qu'on peut l'être.

— C'est peu !

Il tendit encore l'oreille, haussa les épaules.

— Considère que ma parole, aujourd'hui, n'est pas seulement la mienne, dux majorum. Par ma voix, ce sont les grands Claude, Probus, Carus et Dioclès qui te parlent. Tes égaux dans le pouvoir des légions. Et pour le sénat, les posthumes, Flavius Antiochianus, Pomponius Bassus et Virius Orfitus, te saluent avec chaleur.

Il reprit son souffle, plus à l'aise maintenant, une lueur narquoise dans ses vieilles prunelles.

— S'ils ne sont pas là, tu sais pourquoi. Si j'y suis, moi, c'est que la mort ne m'effraie plus… En peu de mots, mon garçon : il est temps pour toi. Nous ne pouvons plus endurer le chaos dans lequel nous plonge Gallien. Il écarte tout ce qui ne lui lèche pas le cul. Le sénat ne vaut pas plus qu'une prune en juin. Il n'écoute rien, n'entend rien. Alors que partout ça murmure et menace. Les Gaulois, les Ibères, les Africains ! Tout ça gronde et se nomme des Augustus qui, la veille de leur acclamation, vendaient des figues ou se roulaient dans la bière. La pauvreté court les campagnes et la peste tout aussi vite. Un denier qui valait deux poids d'or il y a encore cinq ans n'en vaut plus qu'un. Au mieux ! Et nous voilà avec le dernier cadeau de César : une inquisition de tout et de tous. Gallien veut voir jusque dans nos latrines pour s'assurer que nous n'y cachons pas une fortune ou n'y fomentons pas un complot. Il est temps, Aurélien. Il nous faut un nouvel Augustus. Et il n'y en a qu'un qui peut conduire le char de Rome vers la lumière. Toi.

Aurélien avait écouté Pulinius debout. Il s'obligea à marcher autour de la chambre. Ainsi, les mots étaient enfin prononcés !

Malgré la chaleur qui montait de ses reins, il remarqua aussi platement qu'il put :

— Il n'y a rien dans ce que tu me dis qui soit bien neuf, premier secrétaire. Nous étions convenus que je ne serais pas celui qui briserait l'Empire en affrontant Gallien. Rien n'a changé. Détourner nos légions pour vaincre Gallien loyalement reviendra à livrer les frontières aux Barbares.

— Cesse de t'agiter ainsi, glapit impatiemment Pulinius. Tu me donnes le tournis. Ce qui était n'est plus, voilà ! C'est pour cela que j'ai enduré ce voyage. Quand j'ai quitté Rome, Gallien faisait défiler sur le Forum vingt mille prisonniers perses pour son triomphe. Le roi de Palmyre et son épouse — tu te souviens, la guerrière en cuirasse rouge ? — ont vaincu Shapûr. Une belle et grande victoire comme on pouvait s'y attendre. Nisibis, Carrhes, Tarse, Ctésiphon, Babylone… Odeinath et Zénobie ont tout emporté sur leur passage depuis la Cappadoce à l'Euphrate. On dit qu'à Ctésiphon ils ont décimé une multitude. Les dieux étaient avec eux. Et donc avec nous ! Car aussitôt vainqueur, Odeinath nous est resté fidèle. Ce qui est aussi heureux que rare. D'autant que la reine de Palmyre est là-bas adorée autant que

Diane, Vénus et Junon réunies par tout ce qui porte une épée...

Pulinius reprit son souffle. Son œil glissa furtivement vers la porte mais ne s'y arrêta pas.

— Bon, reprit-il avec un petit claquement de langue, au moins, Gallien a eu le bon sens de gratifier Odeinath d'un titre ronflant. *Grand Sauveur et Reconstructeur de l'Orient.* Quelque chose de ce genre. Avec un zeste de pouvoir sur ces belles contrées. Cela nous évitera un faux Augustus de plus... Donc, et voilà l'important, il n'y a plus à craindre que l'Empire se brise à l'Orient.

— J'en suis heureux pour l'Orient. Mais ici sur le Danube, ou plus haut sur le Rhin, Pulinius, il n'en va pas de même.

— Si tu ne m'interrompais pas sans cesse, tu saurais ce qu'il y a de neuf dans ce que je t'apporte. Nous ne te demandons pas de pousser tes légions contre celles de Gallien. Il ne s'agit nullement de découvrir nos frontières ou d'aller chercher une victoire loyale, comme tu dis.

Pulinius se tut. Il laissa à Aurélien le temps de peser les mots qu'il venait d'entendre avant de poursuivre, avec une inclinaison de la tête :

— Il s'agit d'en finir avec César de ta propre main, dux majorum.

C'était donc cela qu'ils lui demandaient. Assassiner Gallien.

Ainsi que l'avait toujours voulu Clodia. Clodia qu'il avait bannie de sa présence pour éviter ce meurtre, s'imposant la pire des solitudes, tandis qu'à Rome, Ulpia était murée dans sa folie.

— Nous serons tous avec toi, murmurait Pulinius. Pas

seulement en parole. Chacun l'a juré devant Mithra. Ils seront à tes côtés.

Aurélien ne répondit pas. Pulinius leva un gobelet.

— Donne-moi à boire. Tant parler m'assèche la bouche.

Aurélien remplit le gobelet de vin chaud au miel.

— L'Augustus Valérien n'est pas mort, remarqua-t-il. Ce qui est valable pour Gallien l'est pour moi. Tant que Valérien vit, Rome n'aura pas d'autre Augustus.

— Ah! s'agaça Pulinius en renversant un peu de son vin. Qu'en sait-on, s'il est vivant?

Comme pris d'un remords et craignant la brutalité de ses mots, Pulinius effleura du bout des doigts la phalère de son bonnet à l'effigie de Valérien.

— Le pauvre homme, marmonna-t-il. Marchepied de Shapûr. Et à son âge! Quelle horreur! Bien sûr qu'il est mort! Comment aurait-il survécu? Ne te soucie plus de cela. Le sénat en fera son affaire. La loi qui annule l'Augustat de Valérien est prête depuis longtemps. Nos amis accepteront de la voter au grand plaisir de César.

Aurélien regarda boire le premier secrétaire.

— Il me faut réfléchir quelques jours. Tu sais que je hais les assassins. Je suis un guerrier, Pulinius. Je me bats noblement contre un adversaire qui désire ma mort autant que je souhaite la sienne.

— Gallien a voulu la tienne. Aurais-tu oublié?

— Et moi jamais la sienne.

— Je sais, soupira Pulinius. Oh, je sais! Tu attends que les dieux accomplissent le travail pour toi. Ton orgueil est à faire peur!

Aurélien esquissa un drôle de sourire.

— N'as-tu jamais pensé à cela, Pulinius? Depuis Trajan, ceux qui sont devenus Augustus par le meurtre sont aussi morts par le meurtre. Peut-être les dieux n'aiment-ils pas ces assassinats? S'il y a beaucoup d'honneur à périr pour Rome sur le champ de bataille, il n'y en a aucun à se faire assassiner par l'ambition d'un traître.

Pulinius l'examina, interloqué, suçant à nouveau ses gencives édentées.

— Je les ai prévenus. Je leur ai dit : Lucius Aurelianus est ainsi fait qu'il faut toujours le convaincre, même lorsqu'on lui offre ce qu'il désire le plus ! Réfléchis si tu le veux, dux majorum. Pas trop longtemps. Je vais te donner cependant un dernier conseil. Rappelle près de toi ceux qui t'aiment, mon garçon. Ta sœur Clodia et ton ami Maxime. Je sais que ta colère contre eux est apaisée.

Aurélien se tint raide, sans répondre. Pulinius agita sa tête chenue, grimaça un sourire.

— Je vois ta mine. Tu trouves que je me mêle de ce qui ne me concerne pas ? Tu as sûrement raison. Je suis une horrible fouine. Mais je suis trop vieux, aussi. Bien trop près de la mort pour que ton air sombre m'impressionne. Suis mon conseil. Fais la paix avec Clodia et le préfet Maxime. Avec ton épouse, aussi, cette pauvre Ulpia. Tu n'as plus de raison de la laisser à Rome. Cette… cette obsession qu'elle avait, lui est passée avec la solitude. Je l'ai vue avant mon départ. Nous avons devisé le plus agréablement du monde. Aucune trace de folie dans ses propos, je te l'assure. Bien au contraire. Et sa tendresse pour toi n'a pas faibli. Si je n'avais pas redouté la peste et toutes les infortunes du voyage, je l'aurais fait venir avec moi. Un Augustus doit avoir son épouse à ses côtés. Même si elle ne fait pas d'enfant.

Comme Aurélien se détournait sans répondre, s'éloignait déjà vers la porte, Pulinius ajouta précipitamment :

— Attends, attends ! Ne pars pas encore. Il y a autre chose dont je voulais…

Le vieux secrétaire parut soudain démuni de mots, lui qui s'en servait d'abondance. Il détourna le regard, plein d'embarras.

— Puis-je te demander une faveur, mon garçon ?

— Tes conseils ont assez de prix pour que je sois heureux de te servir, premier secrétaire.

Aurélien n'avait masqué ni l'ironie ni la froideur dans sa voix. Pulinius les ignora.

— Je n'ai pas le désir de retourner à Rome. Ma maison y est toujours aussi belle, mais j'y mourrais entouré d'esclaves et d'une litanie de quémandeurs. Quelle horrible fin, tu ne trouves pas? Ne pas pouvoir poser les yeux sur un visage qui vous aime?... Ici, avec toi, c'est un peu comme si j'avais un fils.

Aurélien hésita. Pulinius était-il sincère ou était-ce son ultime séduction? Devant la mine inquiète, terriblement fragile et désemparée qui se levait vers lui, suspendue à sa décision, son émotion l'emporta.

— Tu peux rester près de moi autant que tu le veux, Pulinius. Je n'ai pas oublié ce que tu as fait pour ma mère.

— Oh, tu verras, répliqua Pulinius avec un soulagement moqueur, ce ne sera pas bien long. Dès que tu seras Augustus, je m'en irai le cœur heureux.

21

ANTIOCHE

Par instants, l'enfant était saisi d'un frisson. Un tremblement houleux naissait au creux de son ventre et venait mourir en silence sur ses lèvres. Zénobie le serrait contre elle. Elle déposait sur son front des baisers qui ne semblaient pas l'apaiser.

Une fois encore, il posa cette question qu'il ressassait depuis la veille :

— Alors, je ne les reverrai plus ?

Chaque fois, Zénobie avait répondu par une caresse et un murmure.

— Si, tu les verras, mon fils. Ils visiteront tes rêves et aussi tes pensées quand tu seras triste. Quand ils te manqueront trop. Ceux qui vont dans le pays où vivent les dieux demeurent toujours un peu avec nous.

L'enfant, quelquefois, avait encore demandé :

— Et toi, tu vas les voir aussi ?

— Bien sûr, avait répondu Zénobie avec un effort qui lui enrouait la gorge. Je les vois déjà.

Ce matin, pourtant, elle ne répondit pas à la question de l'enfant, soudain raidie et silencieuse. Whabalath devina son changement d'humeur. Il leva vers elle un visage inquiet.

— Tu es un grand garçon. Tu es un prince, lui expliqua Zénobie. Les princes ne répètent pas sans cesse la même question. Ils ne pensent pas tout le temps à leur tristesse.

Les lèvres de l'enfant se pincèrent. Il se détourna, le front buté, des larmes rancunières au bord des cils.

— Aujourd'hui est un grand jour, reprit-elle sur le même ton. Le prince Whabalath va recevoir ceux qui étaient venus voir le Très Illustre. Tu dois faire la preuve de ton courage. Leur montrer que tu sauras être aussi grand et sage que ton père.

L'enfant s'écarta, tendu à son tour, ses petits poings serrés sur son ventre. Zénobie eut conscience de la dureté de ses paroles. Elle glissa tendrement ses doigts dans la chevelure du garçon. Des cheveux crépus et durs comme l'avaient été ceux de son père qu'elle n'avait jamais caressés ainsi.

— Je ferai de toi un roi, Whabalath. Le plus grand des rois. Aussi grand que l'Empereur de Rome. C'est ce que voulait ton père, le Très Illustre. Je lui en avais fait la promesse. Tu entreras dans Rome en triomphe. Je t'en fais la promesse. Tu sais que je tiens toujours mes promesses.

Le regard de l'enfant se perdit sur la splendeur des toits d'Antioche. Entre les petites colonnes de marbre rose en bordure de la terrasse, on apercevait le bleu miroitant de l'Oronte. D'une voix méchante, il dit :

— C'est pas vrai. Tu tiens pas tes promesses. Tu avais dit que tu viendrais me réveiller pour mon anniversaire. Tu l'as pas fait. Si tu avais tenu ta promesse, mon père et tante Dinah ne seraient pas avec les dieux. Je pourrais les voir quand je veux.

Zénobie ne bougea pas plus qu'une pierre. Pas une fois depuis les assassinats, elle ne s'était laissé entraîner par les larmes. Maintenant, elles lui brûlaient les paupières.

Pourquoi entendait-elle la voix de Simon dans les reproches de l'enfant?

— Tu as raison, admit-elle après un long silence. J'ai commis une faute. Mais tu dois me croire. Je tiendrai promesse. Un jour, tu entreras dans Rome et on criera : « *C'est Whabalath, le fils de Zénobie, le plus grand des rois!* »

Ils se tinrent immobiles et silencieux, soudain apaisés. Un peu rêveurs.

Les rumeurs du dehors venaient à eux étouffées. Des grondements de char, des bruits de chevaux, des chuchotis de servantes et le piaillement des hirondelles qui se chamaillaient en virevoltant.

L'enfant se tourna contre elle. Il enlaça sa taille, posant sa tête contre sa poitrine.

— Roi des rois, ça m'est égal. Ce que je veux, c'est être comme toi. Un grand guerrier qui fait peur à tout le monde et gagne toutes les batailles.

L'homme, vêtu d'une toge grecque aux plis nombreux, était beau. Sous le tissu sans luxe de sa toge, on devinait un corps souvent entretenu par les jeux et les bains des thermes. Son visage, long, bien dessiné, gardait encore un éclat de jeunesse, alors que ses cheveux étaient blancs. Il en tirait avec art le charme de sa sagesse. Ses mains plurent aussi à Zénobie. Longues et soignées, aussi peu habituées aux armes qu'aux travaux rudes. Des mains d'homme savant, d'homme de mots. Des yeux que l'on pouvait penser sincères, d'un brun agréablement profond.

Il s'inclina devant elle puis devant Whabalath avec aisance. Un peu de désinvolture, même. Ce qu'il fallait pour se montrer respectueux sans apparaître servile.

— Je suis triste, ma reine, dit-il dans la langue d'Antioche en se redressant. Triste de m'incliner devant toi dans ces circonstances. Mon bonheur aurait été immense de voir le Très Illustre à ton côté. Il me voulait à son service et, pour moi qui ai dû quitter Athènes contre mon gré, c'était plus qu'un honneur.

— La mort du Très Illustre nous noircit le cœur, répliqua Zénobie en grec et sur le ton qui convenait. Mais elle ne change rien à ce qui doit être, maître Longin. Le prince Whabalath vient d'acquérir l'âge où il lui faut apprendre à devenir un homme et un roi. Mon époux désirait que tu lui enseignes ta sagesse et ton savoir. J'ai lu moi-même quelques-uns de tes livres sur le beau et le puissant. Il me plairait que tu fasses de mon fils un maître que l'on respecte et que l'on aime. En vérité, ce serait un honneur pour Palmyre que tu acceptes.

Longin rougit un peu, sans qu'on sût si c'était d'être flatté ou renvoyé à sa langue maternelle. Il coula un regard vers le garçonnet de six ans engoncé dans une tunique à la ceinture aussi large que sa poitrine et qui déjà le toisait avec une morgue royale. Il n'en parut pas ravi.

En d'autres circonstances, Zénobie aurait eu un mot ironique. Elle se contenta d'attendre sa réponse avec bienveillance. D'autant qu'elle tirait du visage du sage grec, de ses lèvres égales et des rides plaisantes de ses tempes, un sentiment étrange. Une paix et une confiance bienvenues et qui lui avaient terriblement manqué durant ces derniers jours.

Une humeur positive que le Grec devina sans peine. De sa main élégante, il eut un geste vers l'enfant.

— Enseigner au prince Whabalath, je le pourrai et le ferai volontiers, ma reine. Dans quelques années. Pardonne-moi si je pense pouvoir t'être aujourd'hui plus utile qu'à ton fils.

Le regard de Zénobie redevint froid et incisif.

— Que veux-tu dire ?

— C'est sur tes épaules, reine Zénobie, que repose aujourd'hui le poids tout entier de gouverner, non sur celles de ton fils.

La main mobile de Longin se leva de nouveau, désigna la salle autour d'eux comme elle aurait désigné le monde en entier.

— Tu es la maîtresse, la reine et la déesse de Palmyre, mais aussi de toute cette partie de l'Orient que tu as défendue contre les Perses. Partout, sous les tentes du désert comme dans les villes, tu y es Alath. Pour être Alath, seuls les dieux pouvaient te conseiller. Désormais, il te faut aussi être celle qui règne et défend ce qui a été conquis. Pour cela, je peux t'aider.

— Tu as raison, admit-elle froidement. Tant que le prince Whabalath ne sera pas en âge de régner, la charge qui était celle du Très Illustre reposera sur moi. Mais la paix est là. Il n'y a plus rien à craindre de Shapûr. Il n'a plus même assez de guerriers pour se défendre des peuples du Nord qui s'amusent à titiller sa faiblesse.

Elle eut un rictus de mépris.

— Et il a appris qui est Alath.

— Tu as raison, ma reine. Ton ennemi n'est plus à l'est de l'Euphrate. Il est ici. Tout autour de toi.

— Ici ?

Zénobie se méprit. Elle eut un ricanement mauvais.

— Ta sagesse est moins grande que je ne le croyais. Hayran n'est plus mon ennemi.

— Je ne songeais pas au fils du Très Illustre mais à Rome, fit Longin sans s'offusquer.

Zénobie haussa un sourcil, la moue ironique.

— Rome ? Après tous les combats que j'ai menés auprès du Très Illustre pour soutenir l'Empire ? Après que nous avons abattu l'usurpateur Macrien ? Rome deviendrait notre ennemie ? Ce n'est pas une pensée raisonnable, maître Longin.

— Rome n'a jamais eu de pensée raisonnable, ma reine,

répliqua avec patience le Grec. Sinon, elle n'aurait pas bâti un empire si grand qu'elle s'y engloutit elle-même.

— Peut-être ne sais-tu pas que l'Augustus Gallien a fait défiler pour son triomphe les prisonniers de Shapûr que nous lui avons envoyés. Plus de cent mille. Pour l'en remercier, l'Augustus Gallien a accordé au Très Illustre la dignité d'*Imperator* de tout l'Orient.

— Rome aime les titres, approuva Longin. La langue latine, que tu connais aussi bien que ma langue maternelle, semble avoir été inventée pour créer des titres trompeurs et des mots d'alliance qui n'ont que la consistance des songes. Ou de la crédulité de ceux qui s'y fient...

L'ironie du Grec engendra un grognement agacé de Zénobie. L'homme était décevant. Beau, beau parleur, mais suffisant et déraisonnant.

Elle jeta un regard vers Whabalath, qui maintenait une expression de petit homme sérieux.

— Parle pour que je te comprenne, maître Longin. Le prince Whabalath n'aura pas la patience d'endurer une trop longue audience.

— Comme tu le dis, à Rome, les milliers de prisonniers perses ont illustré le triomphe de César Gallien. Pas le tien, pas celui d'Alath, ni celui de son époux le Grand Odeinath. Et ce titre que César a jeté à ton époux tel un hochet d'enfant est d'autant plus inutile qu'il n'y a désormais personne pour le porter. C'était bien le désir de Gallien. Rome est ton ennemi, ma reine. Elle vient de te le montrer.

— Plus tu parles, moins je suis certaine de te comprendre, maître Longin. Voudrais-tu dire que César a...

— ... tué ton époux. Oui, ma reine.

Zénobie tressaillit, sachant déjà qu'il avait raison.

— C'est Hayran qu'on a pris le poignard à la main, souffla-t-elle, la poitrine glacée.

— Une dague a besoin d'une main, pas d'une cervelle. Le fils du Très Illustre n'aurait pas eu, seul, l'intelligence ni surtout le courage de son meurtre. On a fait briller une grande récompense devant son âme noire.

— Une récompense ? chuchota Zénobie.

Whabalath s'agita. Il les contempla avec des yeux soudain grands, sans plus de désir de faire le petit roi. Longin tendit la main vers lui.

— Songe à cela, ma reine. Hayran serait à ta place aujourd'hui si son complice avait tué ton fils. C'est lui qui me recevrait. Et Rome, surtout. Hayran se serait montré aussi docile à la volonté de César qu'un agneau.

— Alors je l'aurais combattu.

— Alors tu aurais combattu Rome. Tu serais devenue l'ennemie de Rome. Tu ne commanderais plus les légions. Tu serais seule. Tout ce que tu viens de conquérir au nom de Rome te filerait entre les doigts comme du sable. N'est-ce pas déjà ce qu'Hayran et l'usurpateur Macrien tentèrent de réaliser tandis que tu devenais Alath ? N'est-ce pas pour cela que tu as fait abattre le préfet de Palmyre ?

Zénobie resta longtemps sans voix.

— Tu sais beaucoup de choses, admit-elle.

— Ce que doit savoir un homme qui te propose sa sagesse et ses conseils.

Finalement, avec plus d'émotion qu'elle ne l'aurait voulu, elle demanda :

— As-tu la preuve de ce que tu avances ?

— Si nous la cherchons bien, nous la trouverons, ma reine.

— Ton Grec avait raison. Et il a raison de faire le commerce de sa sagesse. Il ne se vante pas : il sait mieux se servir de sa cervelle que moi. J'aurais dû m'en douter.

Malgré ses grognements, Nurbel arborait un grand sourire satisfait.

Ils s'enfonçaient dans les souterrains du palais. Un escalier tournait autour d'un puits où stagnaient des effluves de pourriture. Les torches brandies par les gardes n'en éclairaient pas le fond. L'humidité rendait les dalles glissantes sous les bottes courtes de Zénobie.

— Il faut que tu t'en rendes compte par toi-même, répéta Nurbel.

C'était avec ces mêmes mots qu'il était venu la chercher tout à l'heure.

Voilà une semaine qu'elle lui avait confié la mission de trouver les preuves qui soutiendraient les soupçons de Longin. Nurbel ne s'en était pas étonné.

— Les Romains ne savent que trahir. Ils ont ça dans le sang, avait-il assuré avec mépris. Peut-être ai-je été trop tendre avec Hayran et l'ai-je laissé s'enfuir chez les démons avec quelques secrets.

Antioche avait été passée au peigne fin. La Ville Neuve comme la Ville Vieille possédaient des dizaines de théâtres, de thermes. Les bars à vin et les auberges accueillants aux voleurs, chapardeurs et petits assassins se comptaient par centaines. Autant que les bordels et les cabarets à poètes où l'on poursuivait les nymphes et l'ivresse en scandant des vers.

Rien n'avait été négligé. Chaque client avait dû fournir les bonnes raisons de sa présence. Le port, les barques, même certains temples avaient été fouillés. Les grandes routes menant à Daphné et Alep le long de l'Oronte avaient été interdites au passage, aussi bien que les voies vers la mer et le désert. Deux nuits durant, nul n'avait pu entrer ou sortir de la cité.

Pour la seconde fois depuis la mort du Très Illustre, la ville s'était privée de ses habituelles et délirantes fêtes nocturnes. Seules les torches des guerriers de Palmyre avaient éclairé ses rues sinistrement silencieuses.

Enfin, plus de mille hommes avaient été confinés dans la forteresse des remparts. On y trouvait le lot ordinaire des voleurs et des menteurs, mais aussi des marchands d'Égypte ou de Charax et, surtout, les voyageurs malencontreusement arrivés de Rome depuis peu. Certains étaient riches, citoyens et libres, la langue bien dénouée et le cœur offusqué des conditions qu'on leur faisait, les mêlant ainsi à une populace qu'ils ne côtoyaient pas même dans les latrines publiques.

Les plaintes et les menaces s'étaient envolées haut. Les chambellans du palais s'en étaient émus devant Zénobie.

Elle avait à peine soulevé un sourcil mais avait demandé à Nurbel :

— Sais-tu ce que tu cherches ?

— Je le saurai quand je l'aurai trouvé.

— Trouve vite, alors. Ou il nous faudra affronter toute la ville.

Et voilà, c'était fait. Ce qu'il avait découvert réjouissait Nurbel.

Tout au fond d'une cave, ils étaient parvenus devant une sorte de cage à ours aux barreaux épais. Nurbel en fit basculer l'étroite ouverture. À l'intérieur, Zénobie devina une silhouette courte. Un homme nu, les chaînes aux pieds et aux mains. Il roula sur le côté dans un cliquetis de métal dont l'écho résonna contre les murs humides. À la manière d'un animal, il se recroquevilla, poussant des cris bizarres, rauques et plaintifs. Les flammes des torches dansèrent dans ses yeux terrifiés.

— Regarde-le bien, insista Nurbel.

Il n'y avait rien d'agréable à voir. Jeune peut-être, mais sa saleté, son crâne rasé et son visage défiguré par la peur et les coups lui ôtaient tout âge. Il poussa encore ses cris étranges, agitant ses mains enchaînées.

— Il ne te racontera rien, s'amusa Nurbel. Les Romains lui ont coupé la langue. C'est bizarre pour un messager. Mais pas si on regarde son crâne...

Nurbel attrapa la nuque du prisonnier. Il le contraignit à baisser la tête. Le haut de son crâne fraîchement rasé était bleu. Regardant plus près, Zénobie découvrit des lignes d'écriture régulières.

— Du bon latin, comme tu saurais en écrire toi-même, commenta Nurbel.

— Il fait trop sombre pour que je puisse bien lire.

— Qu'importe, je connais cette « lettre » par cœur :

« Prince Hayran, futur roi de Palmyre, protecteur de l'Orient,
ce que tu lis est la preuve de la confiance que César,
conducteur de l'Empire, place en toi.
Le temps est venu de ton règne.
Si tu avances, la main de Rome t'accompagnera,
je serai ton ami et ton pouvoir en toutes choses. »

Le pouce de Nurbel frotta un bourrelet de chair plus épais, une cicatrice ronde et qui formait une drôle de bosse au-dessus de la nuque de l'homme.

— Voici le sceau de César.

Zénobie se redressa, s'éloigna de la cage, écœurée autant par la puanteur du prisonnier que par les mots de Nurbel.

— Maître Longin a donc raison. Les Romains ont voulu la mort du Très Illustre !

— Bien sûr que c'est vrai. J'ai toujours pensé que le Très Illustre comme toi, vous accordiez trop de confiance à Rome.

Zénobie leva sa torche pour distinguer les marches de l'escalier menant au jour.

— Que vas-tu faire ? demanda Nurbel.

— Répondre à César. Un message qu'il devrait prendre plaisir à découvrir. Je pense que maître Longin sera heureux de nous le rédiger.

Le sourire de Nurbel brilla dans l'obscurité.

22

SINGIDUNUM

Le centurion de garde clama un nom. Aurélien fut debout. Il repoussa si violemment les deux esclaves qui le servaient que l'un d'eux tomba à la renverse.

— Maxime !

L'embarras et le bonheur se mêlèrent sur son visage.

— Préfet Maxime, enfin, te voilà !

Maxime laissa choir à ses pieds un gros sac de cuir qu'il portait en bandoulière et ôta son casque. Plus longues que jamais, les boucles de sa chevelure lui couvrirent les épaules.

— Bien sûr que je suis là, dux majorum. Accouru dès que j'ai reçu ton ordre.

Il ouvrit les bras en grand, marcha sur Aurélien et pressa son torse nu contre sa cuirasse.

— Sept jours et six nuits en crevant tous les chevaux que je pouvais trouver ! Oui, c'est moi…

Ils rirent ensemble. Aurélien réclama sa tunique, du vin chaud pour le préfet Maxime et de quoi manger. Alors qu'il enfilait son vêtement, Maxime découvrit les plaies et les griffures que les esclaves venaient de soigner dans le dos d'Aurélien.

— Un mauvais combat ?

— Une bêtise, expliqua Aurélien avec un sourire négligent. Les Barbares nous laissent en paix en ce moment. J'ai voulu me délasser contre une ourse qu'une cohorte a capturée il y a quelque temps. On venait de lui prendre son petit et elle n'a pas voulu jouer selon les règles de l'arène !

Ils rirent de nouveau. Un peu trop et un peu trop fort.

— Tu dois être rompu, reprit Aurélien. Veux-tu aller te détendre aux thermes ? Je t'y accompagne…

— Ce sera avec le plus grand plaisir. Mais pas tout de suite. J'ai quelque chose à te montrer.

Il alla prendre le sac de cuir abandonné un instant plus tôt.

— Les dieux voulaient que nous nous retrouvions, dit-il en renversant le contenu du sac sur la table de travail d'Aurélien. Ne m'aurais-tu pas demandé de venir, ce message-là m'aurait fait accourir vers toi.

Aurélien eut un recul de dégoût.

Une tête d'homme tranchée net et aussi bien séchée que celles des morts d'Égypte. Les yeux et la cervelle en avaient été retirés, mais la peau demeurait, tendue sur le crâne comme celle d'un tambour.

Maxime retourna le crâne. Du doigt, il désigna l'écriture bleue du message tatoué. Aurélien s'inclina raidement. Sans le toucher, il lut le message de César à Hayran.

Il se redressa sans un mot. Maxime eut un bref ricanement.

— César semble avoir trouvé une nouvelle méthode pour s'assurer du secret de ses messagers ! Celui-ci ne devait pas même connaître ce qu'on lui avait écrit sur le crâne. En fait, il y a deux messages.

Maxime tira un court rouleau de papyrus de sa poche de ceinture, qu'il plaça entre les dents du mort.

— C'est ainsi que je l'ai trouvé.

Aurélien retira le rouleau d'entre les mâchoires mortes, déroula la lettre. L'écriture était belle, mais la langue était du grec et non du latin.

«*César, ton messager a si bien accompli sa mission qu'il peut s'en retourner et te livrer ma réponse.*

Sache que la reine de Palmyre règne sur Antioche et Émèse, sur tout l'Orient qu'elle a conquis aux griffes de Shapûr le Perse qui détient ton père. De cette conquête, le meurtre de mon époux commis par son fils en ton nom me rend libre d'user selon mon bon vouloir. Rome, ici, n'est plus la loi.

Demain, le prince Whabalath, fils du Grand Odeinath et de Zénobie, assurera le règne qui fut celui de son père ainsi que les dieux le veulent.

Zénobie, Despoïna de Palmyre,
Basilissa de tout l'Orient.»

— Comment t'es-tu procuré ce crâne? demanda Aurélien.

Maxime sourit.

— Le plus simplement du monde. Un tribun venant d'Antioche est passé dans notre campement. Il transportait un coffre de cuir damassé adressé à César. «Un cadeau de la reine de Palmyre à César», m'a-t-il annoncé. Et qu'il devait absolument le remettre en main propre, selon l'ordre impérieux de la reine. Comme nous venions d'apprendre l'assassinat du roi Odeinath, cela m'a intrigué. N'était-ce pas étrange que la reine en deuil adresse un présent à César? L'idée m'était venue déjà que cette Zénobie ait été elle-même à l'origine du meurtre de son époux. Cela me semblait correspondre au portrait que font d'elle ceux qui s'en reviennent d'Orient. Une maîtresse femme, aussi belle que guerrière et goûtant le plaisir du pouvoir comme un homme.

Maxime s'interrompit avec un petit rire sarcastique.

— Je me suis trompé. Je me trompe aisément sur la vérité des femmes, n'est-ce pas?

Aurélien ne releva pas l'allusion. Sans rien laisser paraître de ses sentiments, il enfourna le crâne dans le sac.

— Pulinius est ici depuis quelques jours. Ce message devrait l'intéresser.

— César est encore plus fou qu'on ne le pensait! grommela Pulinius en détournant ses yeux du tatouage. Remballe cette horreur, préfet Maxime. Je n'ai jamais eu de goût pour ces plaisanteries morbides qu'aiment tant les Orientaux. Ah, crétin de Gallien! Quand on veut assassiner, on ne rate pas son coup! Et maintenant...

Il lut la lettre de Zénobie, roulant ses lèvres sur ses gencives nues, dodelinant de la tête, avant de la rendre à Aurélien.

— « *Basilissa de tout l'Orient* »! Reine sainte des reines! Voilà un titre auquel on n'aurait pas songé, commenta-t-il aigrement. Tout cela écrit en grec, pour insulter Rome un peu plus.

— Ou pour se moquer de Gallien qui aime tant tout ce qui est grec, suggéra Maxime en riant.

Pulinius approuva d'un ricanement, se frappa les cuisses recouvertes d'une fourrure. La colère blanchissait ses pommettes ridées.

— Crétin de Gallien! Tuer celui dont il a le plus besoin. Alors que ce bon guerrier d'Odeinath ne le menaçait pas plus qu'une poule. Aussi fidèle à Rome que je le suis. Quelle sottise! Et cette Zénobie? Qu'a-t-il besoin de dresser contre nous une femme que les guerriers d'Orient prennent pour une déesse? Oh, bien sûr, César ne croit pas aux déesses en cuirasse rouge. Pour lui, les gens d'Orient ne sont que des Barbares déguisés en Romains. L'imbécile de Macrien était comme lui. Mais lorsque Zénobie s'est dressée devant lui, il en a pissé de terreur dans sa toge! Les dieux ne...

Pulinius s'interrompit brusquement. Il dévisagea Aurélien avec intensité. La rage s'effaça de son visage. Une grimace radieuse la remplaça.

— Les dieux, évidemment, mon garçon. Le signe des dieux, dux majorum! Voilà ton vœu exaucé. Ta mère avait raison. Le Grand Soleil-Invincible te fait signe. Tu peux maintenant aller devant Gallien le cœur pur. Sa faute est impardonnable. Chacun saura que tu ne prends pas la vie de César par ambition mais parce que sa folie brise l'Empire. Son sang ne te souillera pas.

Sa main déformée agrippa le sac que tenait Maxime, en tira la tête et la brandit devant Aurélien.

— Voilà ce signe que tu attendais tant, mon garçon. Mithra et Sol-Invictus t'envoient cette tête autant que la main de Zénobie!

Maxime, les sourcils levés, dévisagea Aurélien.

— C'est donc pour cela que tu m'as appelé! Tu t'es décidé. Enfin...

Aurélien n'eut pas à répondre. Pulinius, le visage toujours béat, déposa la tête tatouée dans ses mains.

— Nous ferons savoir à cette Zénobie que son message et son messager ne sont pas demeurés sans effet. Rome est plus fidèle à ses amis qu'il n'y paraît! s'exclama-t-il. Son humeur s'apaisera avec la mort de César. Pour l'aider à oublier, nous lui accorderons son titre de Basilissa. Tous les titres qu'elle voudra pour son fils... Oui, cela est parfait. Mais il ne faut plus tarder, Aurélien. Je te l'ai dit il y a trop longtemps : je veux être là pour m'émerveiller de ta grandeur avant que mes yeux se ferment pour de bon. Ainsi je m'en irai en rêvant que Rome peut encore espérer.

La pluie avait cessé. Un vent brutal soufflait de l'est. Repoussant les nuages, il striait la surface du Danube. La lumière transparente de septembre étincelait à nouveau dans les feuillages.

— Pulinius a raison. Sol-Invictus te salue, dux majorum, remarqua Maxime un peu moqueur, lui qui ne croyait pas plus aux dieux qu'aux démons.

— Pulinius aime convaincre, répliqua Aurélien avec prudence. Il use des signes des dieux à sa convenance.

— C'est ainsi qu'il a su vivre vieux. Mais il a raison, et tu le sais. Gallien a commis une faute impardonnable.

Ils se turent un instant. Le visage offert à la brûlure du soleil, ils observaient une cohorte de jeunes recrues près du fleuve. Les centurions avaient fort à faire pour les former aux manœuvres les plus ordinaires.

Six mois plus tôt, ces hommes étaient encore des Barbares. La défaite de leurs chefs les avait laissés devant un choix simple : l'esclavage ou la légion. Un choix aussi crucial pour les hommes que pour l'Empire. Absorber dans ses rangs les Barbares vaincus s'avérait désormais l'unique moyen pour Rome de se procurer les combattants que les guerres infinies dévoraient comme le Minotaure.

— Oui. César est dément et il faut l'arrêter. Il est temps.

La voix d'Aurélien était sèche et résolue. Celle qu'on lui connaissait sur les champs de bataille. Maxime sourit de bonheur. Sa main serra affectueusement l'épaule de son ami.

— Il est bon d'entendre enfin ces mots dans ta bouche ! Et ici, tout spécialement.

Il désigna le fleuve.

— Ici où est né l'Aurélien des « mille et des mille » !

À demi riant, Maxime se mit à fredonner la chanson qui avait célébré la victoire sur les Sauromates : « *Mille, mille, mille, nous avons décapités... Nul ne pourra jamais boire autant de vin qu'Aurélien a versé de sang !* »

Aurélien le fit taire d'une bourrade amicale.

— Ne crains rien, je n'ai pas oublié ce qui s'est passé ici.

— Tu n'imagines pas le soulagement des légions quand elles te sauront sous les lauriers. Leur acclamation courra d'un bout à l'autre de l'Empire, je te le promets.

— Nous n'y sommes pas encore, Maxime. Rien n'est fait. César est tout aussi rusé que Pulinius. Sa police et ses espions rôdent partout. Il faudra être d'une grande prudence.

Maxime haussa les épaules.

— Le plus dur est fait : te convaincre. Cela a pris tant d'années. Étrangement, je n'ai jamais désespéré.

Aurélien hésita.

— Je regrette ce que je t'ai dit à Rome. J'étais en colère.

Maxime lui jeta un regard.

— C'est sans importance. J'ai oublié depuis longtemps.

Aurélien se tut, sachant combien c'était faux. L'un comme l'autre ne pouvaient oublier ce jour terrible, à Rome, où il avait chassé Clodia et, avec elle, l'ami de tous les combats. Pour l'un comme pour l'autre, les mots échangés s'étaient gravés dans le cœur, brisant une complicité qu'ils avaient crue indestructible.

Le remords d'Aurélien s'était alourdi dans la solitude. Pour la première fois, il avait combattu sans la présence de Maxime à ses côtés. Curieusement, cela lui avait ôté de la force. Il avait vaincu, encore, mais sans plus connaître le rire et l'ivresse qui, avec Maxime, donnaient à ses combats l'étrange désinvolture d'un jeu.

— Non, tu n'as pas oublié, ni moi non plus, murmura

Aurélien. Je le devais... Il fallait que je me sépare d'elle. Je ne pouvais plus.

Maxime l'interrompit, soudant son bras au sien dans le sceau d'amitié des légionnaires avant le combat.

— Je le sais, dux majorum. Je l'ai toujours su. Tu as eu raison... Oublie. Ce qui compte, c'est demain.

Maxime relâcha le bras d'Aurélien. La mine gourmande, il désigna le fleuve.

— Je peux te le dire aujourd'hui. Jamais, de ma vie, je n'ai eu aussi peur que cette nuit qui précéda le combat avec les Sauromates. Et pour découvrir que la plupart étaient des femmes ! Il s'interrompit avant d'ajouter :

— Souvent, j'ai pensé que Clodia était de la trempe de ces guerrières.

Aurélien posa la question qui lui brûlait les lèvres :

— Comment va-t-elle ?

— Bien, sans doute. Attendant ton signe comme moi je l'ai attendu. À sa manière. En te détestant autant qu'elle te vénère.

— Que veux-tu dire ?

Maxime secoua la tête en souriant.

— Je n'ai pas vu Clodia depuis plus d'une année. J'ai été nommé préfet de camp à Nicopolis. Elle a refusé de m'y suivre. Nicopolis lui rappelle de mauvais souvenirs. Et moi aussi, j'étais devenu un mauvais souvenir pour elle. Pour ce que j'en sais, elle a vécu quelques mois dans votre maison de Sirmium, mais depuis le printemps dernier elle est à Rome. Tu l'ignorais ?

Oui, de sa sœur, il ne savait rien depuis longtemps. Il avait même fait le vœu de ne jamais la revoir. Un vœu qui n'avait peut-être plus de sens.

Il haussa les épaules comme s'il voulait se décharger d'un poids.

— Pulinius m'a suggéré de la faire venir. Elle, aussi bien qu'Ulpia. D'après lui, la folie d'Ulpia s'est apaisée.

— C'est vrai : ton épouse a sa place près de toi. Ulpia t'a toujours été dévouée et nul ne te sera plus fidèle. Mais Pulinius a aussi raison pour Clodia. Il est temps que tu lui pardonnes.

Aurélien se tut. Même à Maxime il ne pouvait dire la vérité. Le pardon était accordé depuis longtemps. Mais la peur, la peur de Clodia, elle, ne s'était pas apaisée. Et dans cette peur, le feu qui avait calciné ses désirs depuis toujours.

— Cela peut attendre encore un peu, dit-il. Quand tout sera réglé.

23

ÉMÈSE

Dieu était une présence lumineuse.

Les fous, les blasphémateurs imaginaient que le soleil était un dieu. Leur ignorance était sans bornes. Dieu, le Seul, l'Unique, l'Éternel était Dieu et Lumière.

Il était la grâce et la promesse du Paradis !

Oh oui, la grandeur de Dieu était dans le Paradis. Rien, aucune douleur de ce monde vil et fade, n'était insupportable lorsqu'on portait en soi la promesse du Paradis. La grande, l'immense parole du Dieu de bonté ! Mourir, souffrir, tout était assurance de récompense.

— Pour moi, ô Seigneur tout-puissant, une promesse que Tu as gravée dans mon corps.

Nul ne l'avait mieux formulé qu'Origène, ce grand martyr et pur esclave de Dieu :

« *Haïssez votre propre vie de sorte qu'en la haïssant vous la gardiez pour la vie éternelle, ainsi est la parole de Jésus le Christ qui enseigne à haïr d'une bonne et profitable haine.* »

Que la souffrance des jours est douce pour celui qui sait! Oh, grande est la promesse du Paradis de Dieu!

Quand donc allaient-ils comprendre? Le Père et le Fils n'avaient pas voulu l'homme et la femme pour se contenter de ce misérable amas d'os et de chair! Les bêtes qui couraient le monde le souillaient assez de leurs immondices.

Dieu n'avait pas créé l'âme pour qu'on la corrompe de sentiments ridicules, de peines et de passions si versatiles que la durée d'une vie suffisait à les broyer et n'en laisser que poussière.

Comment pouvait-on croire que Dieu ait voulu l'homme pour si peu? Et créé les femmes pour n'être que faiblesse?

Étaient-ils tous aveugles au point de ne pas discerner le dessein si grand que leur corps fragile abritait?

« N'aimez ni le monde ni rien de ce qui est dans le monde! Celui qui aime le monde, l'amour du Père n'est pas en lui. »

Ils entendaient la parole de l'apôtre et n'en comprenaient que si peu.

« Tout ce qui est dans le monde, la convoitise de la chair, la convoitise des yeux et l'orgueil de la vie ne viennent pas du Père mais du monde! »

Que vienne le temps de Jean! Que vienne la frayeur qui doit tomber sur eux. Qu'ils entendent la grande voix du ciel leur ordonner : « *Montez ici!* » Qu'ils montent dans une nuée... Que les paroles de Jean se réalisent!

Le bruit qui le détourna de sa méditation fut léger. Il se tourna, la colère déjà dans la bouche et le poing. Il la reconnut et se pétrifia.

Elle s'était apprêtée comme une chrétienne. La tête et le buste enveloppés d'un voile blanc qui lui tombait sur les pieds. Le visage en partie recouvert. Pas assez cependant pour qu'il ne la reconnaisse pas sur-le-champ. Et si elle avait changé, pris le corps et le visage d'une femme endurcie par les épreuves, les combats, les vents du désert, si elle avait acquis cette beauté nouvelle qui n'est plus celle du tout jeune âge mais de la force de l'âge, il savait quand même la reconnaître d'un regard. Le Seigneur tout-puissant ne lui avait pas encore accordé la force de tout oublier.

Sa colère n'en diminua pas, au contraire. Pourtant, la surprise lui souffla la pensée qu'elle venait animée d'une bonne volonté.

Le Père et le Fils qui pouvaient tout, peut-être la conduisaient-ils vers lui pour la seule vraie cause ?

Il retint la violence du reproche dans sa voix.

— Que fais-tu ici ?

Il eut, un bref instant, l'espoir d'avoir raison. Elle se mit à genoux. Elle ne leva pas le visage vers lui pour parler.

Elle dit :

— Simon, que ton Dieu te bénisse. Tu as appris la mort de mon époux, j'en suis certaine. Il a été assassiné par la main et la volonté de Rome. Cela peut-être ne le sais-tu pas. Demain, je retourne à Palmyre et j'y entrerai comme doit y entrer une reine. Mais avant, je viens tenir ma promesse devant toi. Une promesse que je t'ai faite en naissant dans le lac du désert. Cette promesse ne m'a jamais quittée. Lorsque je t'ai rejoint à Doura Europos et que... c'était pour la tenir. Les dieux du désert et ton Dieu ne l'ont pas voulu. Maintenant, tout est possible. Deviens mon époux. Entre dans Palmyre comme doit y entrer un roi.

La stupeur retira les mots de son esprit.

Un instant, il ne fut plus rien. Pas plus chair qu'homme. Colère ou joie.

Seulement un vide où résonnaient les phrases que prononçait Zénobie.

Le front toujours incliné, elle dit encore :

— Deviens mon époux, Simon. Deviens roi de Palmyre, toi qui as été Schawaad, toi que j'aime plus que tout. Enfin, je cesserai de vivre dans le mensonge et je serai la pureté que tu aimes.

Ces mots le réveillèrent. Il commença à comprendre.

Il devina les mille têtes démoniaques qui serpentaient dans la volonté de Zénobie. Elles crachaient une haleine horrible qui l'enveloppait déjà.

Dieu, alors, lui rendit le pouvoir de la parole. Il cria :

— Pas ici ! Pas de blasphème dans la maison du Seigneur. Ton mensonge ne cessera que quand tu deviendras l'esclave du Christ !

Elle leva la tête vers lui, le regard plein d'incompréhension. Il agita les mains vers les images de Jésus le Sauveur peintes sur les murs.

— Ce n'est pas moi qu'il faut épouser, c'est Lui. C'est Lui qu'il faut aimer. C'est à Lui que tu dois te soumettre. Pas à moi !

— Mais, Simon, ce serait un mensonge de nouveau. Ce n'est pas mon Dieu et c'est toi que j'aime.

La colère l'emporta.

— Ne souille pas cette maison avec des mots pareils ! Ignorante, ignorante ! Il est écrit : « *Que celui qui a femme et enfants, frères et sœurs les haïsse, car sa haine sera leur bien dans l'amitié de Dieu !* » Il n'y a d'amour, folle ignorante, que pour le Seigneur Dieu et Son fils Jésus-Christ !

Sa face blessée lui faisait mal tant il hurlait. Mais les démons sont ainsi conçus par le diable que rien, jamais, ne les convainc.

Elle tendit les mains dans un simulacre de prière. Elle dévoila son visage, sa bouche et ses yeux brillants de larmes. Elle projeta vers lui sa beauté bien trop grande comme une nuée ardente et maléfique.

— Simon ! supplia-t-elle. Simon, mon amour sera si léger qu'il ne te pèsera pas ! Ton dieu sera le bienvenu à Palmyre.

Tu seras sa volonté. Rome est ton ennemi autant que le mien, et je te soutiendrai contre Rome. Palmyre sera la cité des chrétiens. Vous ne craindrez plus les humiliations ni les violences. Tu pourras conduire ton peuple de croyants selon ta loi! Tu auras tout l'argent nécessaire pour créer le bonheur. Le palais de Palmyre deviendra la plus belle et la plus grande maison chrétienne de l'univers. Et moi, ton épouse, ô Simon, mon amour, je saurai être humble.

Elle fit alors une chose qui lui coupa le souffle.

Elle rampa jusqu'à ses pieds.

Elle souleva sa toge et enlaça ses mollets à la chair racornie et détruite par le bûcher. Elle lui baisa les chevilles.

Ce fut plus fort que lui. Il vit ce qu'avaient vu les apôtres lorsque la Pécheresse avait baisé les pieds de Jésus le Christ.

Il ne sut pas réagir et la laissa faire.

La puissance hallucinante du mal lui interdit le moindre geste.

Ceux de la maison, alertés par les cris, accoururent et s'attroupèrent sur le seuil de la pièce. Ils le découvrirent dans cette posture atroce.

Alors il se reprit.

Il lui attrapa les bras. Il l'arracha de ses jambes martyrisées et la repoussa loin de lui.

Cette fois, enfin, il sut parler avec calme.

— Reprends la souillure de tes paroles, reine de Palmyre! Ton offre est inutile. Le Seigneur Dieu est déjà roi dans ton royaume. Il est roi à Rome! Il l'est partout sur terre comme au ciel. Toi et les tiens, vous êtes tellement aveugles! Oh, le châtiment qui s'abattra sur toi quand tu comprendras!

Cette fois, elle faiblit. Elle s'enroula sur le sol dans son voile blanc. Elle rampa dans les sanglots de sa défaite, tressautant comme une taupe qui veut retourner dans son obscurité.

Enfin, enfin, elle ne trouvait pas de quoi répliquer!

Les frères et les sœurs dans l'amour du Christ la tirèrent vers la porte pour la jeter au-dehors. Il lança :

— Fuis, Zénobie de Palmyre. Fuis cette maison. Fuis ma présence et crains celle de Dieu.

Et puis encore, dans un dernier cri, alors qu'elle s'aidait des murs pour se relever :

— Souviens-toi de cela pour toujours. Dans l'âme de Simon d'Émèse, tu es morte, Zénobie. Morte depuis longtemps !

24

MILAN

Ainsi que Pulinius l'avait prédit, ils furent nombreux au rendez-vous. Plus de quinze, venant de Réthie, Dalmatie, Pannonie, de Mésie ou de Germanie. Tous avaient déjoué les espions de César, parfois franchissant des milles sous l'apparence de commerçants ou de simples voyageurs, afin de ne pas éveiller les soupçons lorsqu'ils traversaient les villes et les bourgs.

Quatre jours durant, ils campèrent sans feu dans un bois proche du camp afin d'apprendre les allées et venues de César. À tour de rôle, ils se déguisèrent en simples légionnaires pour aller glaner les rumeurs du camp. Un matin, le légat de Dalmatie revint avec une bonne nouvelle. César s'était levé de mauvaise humeur. Quand il en allait ainsi, Gallien était capable de ne pas quitter sa tente de tout le jour. C'était l'occasion qu'ils attendaient.

Depuis le début, il avait été convenu que leur conjuration serait indestructible. C'était tous ensemble qu'ils devaient affronter César et porter le poids de sa mort.

Maxime, alors, déclara :

— Si nous entrons dans le camp sous nos tuniques de légionnaire, nous nous ferons vite repérer. Beaucoup connaissent désormais nos visages et doivent se demander pourquoi ils ne nous retrouvent ni dans les tentes ni aux appels. Je suis certain qu'il en est qui se posent des questions. Si, au contraire, nous nous montrons tels que nous sommes et passons ainsi la poterne, cela produira beaucoup de bruit et d'étonnement. Gallien sera aussitôt prévenu et aussitôt sur ses gardes. Il aura une décurie autour de lui quand nous l'approcherons.

L'un des officiers remarqua :

— Alors nous combattrons. Nous devrions pouvoir être supérieurs à une décurie !

— C'est ainsi que nous avons, dès le début, accepté les choses, renchérit un autre. Tous ensemble autour du dux majorum. Nous devons partager le sang de Gallien.

Chacun approuva. Aurélien objecta :

— Je suis de l'avis du préfet Maxime. Si nous sommes contraints de nous battre, nous laissons la possibilité à Gallien de s'échapper. Il est impossible de risquer un échec. De plus, je ne veux pas combattre les soldats de Rome. Je veux la vie de César, et elle seule.

Il se tut, attendit qu'on le contredise, mais les bouches demeurèrent closes.

— J'irai avec le préfet, décida-t-il. C'est moi seul qui prendrai le sang de César. Vous vous tiendrez près de la poterne du camp pour y apparaître dès que les cris annonceront que notre devoir est accompli.

Il n'y eut pas davantage de discussions. Chacun avait conscience que Lucius Domitius Aurelianus venait de donner son premier ordre d'Augustus.

★
★ ★

Leur arrivée, l'un et l'autre conduisant son char dans l'apparat de son grade, provoqua la surprise mais pas la suspicion.

À la demande d'Aurélien, un centurion les escorta sur-le-champ jusqu'à la tente de Gallien. César y partageait son repas avec quelques femmes tandis qu'un esclave lui lisait en grec des aphorismes de sagesse ancienne. Il se leva de sa couche à leur entrée, poussa des cris qui voulaient être des protestations d'amitié.

Maxime nota que les gardes, à l'exception du décurion de faction, étaient absents de la tente. Gallien lui-même n'était vêtu que de sa tunique du matin et ne possédait aucune arme visible à sa ceinture.

Comme à son ordinaire, il était arrogant, sûr de lui et un peu gras. Cette barbe qu'il portait en conservant menton et bouche à découvert lui donnait plus que jamais une mine boudeuse et butée.

— C'est une longue route que tu as faite pour me rejoindre, dux majorum, s'étonna-t-il. Mais la surprise est trop rare pour ne pas être bonne. Viens donc prendre un lit, nous allons manger et boire à cet événement.

D'un geste, il ordonna à l'esclave lecteur de disparaître et repoussa la jeune femme qui partageait son lit.

— Toute cette sagesse commençait à m'ennuyer, pour dire la vérité, grommela-t-il. Je ne sais si tu connais ce sentiment, dux majorum, mais il est des jours où rien ne parvient à me divertir !

Aurélien approuva aimablement.

— Je crois avoir là quelque chose qui t'amusera, César, fit-il en déposant le sac contenant le crâne venu d'Antioche devant Gallien. Un présent que t'envoie la reine de Palmyre.

— Un présent pour moi ?

Gallien eut assez d'empire sur lui-même pour marquer

son étonnement. Il parvint à ne montrer qu'une naturelle surprise et un peu d'amusement. Aurélien lui répliqua avec la même désinvolture. Maxime fut étonné par son aisance et le calme de sa voix.

— De Zénobie, oui, épouse du défunt sénateur et roi Odeinath, César. Le préfet Maxime l'a reçu à Nicopolis d'un messager d'Antioche. Il s'est assuré qu'il te parviendrait et j'ai songé qu'il était assez inestimable pour que je te l'apporte moi-même.

Un éclair de défiance passa dans le regard de Gallien. César était trop rusé pour ne pas entendre la raillerie dans les mots d'Aurélien. Mais il se crut plus fort qu'il n'était. Il plaisanta :

— Ne me dis pas, dux majorum, que la déesse Alath m'envoie un morceau de sa cuirasse rouge en signe d'affection !

Maxime devina que les choses iraient vite. Il pressa discrètement mais fermement sa paume contre le pommeau de son glaive. Aurélien, lui, continuait de badiner avec une légèreté qui pouvait sans peine paraître sincère.

— Cela y ressemble beaucoup, César. Pour ce que je me suis permis d'en voir !

Alors Gallien, cette fois intrigué pour de bon, ouvrit le sac et y plongea la main.

Il fronça les sourcils avec répugnance. Sans même sortir le crâne desséché, il se retourna vers Aurélien. Il n'eut pas besoin de poser de questions pour que le dux majorum, sans se départir de son calme, lui réponde :

— Le messager et le message, Gallien. La reine de Palmyre te remercie pour le meurtre de son époux.

Avant que Gallien puisse faire un geste, Aurélien fut contre lui, la lame de sa dague entaillant déjà son cou. Maxime avait bondi, agrippant les bras de Gallien et les tirant dans son dos. Le hurlement des femmes recouvrit le grondement d'Aurélien :

— Tu as commis ton dernier crime, César. Le plus stupide. Supplie les dieux pour leur clémence.

Gallien se débattit avec une fureur inutile. D'un geste du poignet, Aurélien lui trancha la gorge, sautant en arrière en même temps que Maxime afin que le sang ne les souille pas.

Les cris des femmes résonnèrent à nouveau contre la toile de cuir de la tente. César vacilla, pressa les mains sur sa blessure. Maxime croisa le regard stupéfait du garde en faction à la porte.

Il n'avait pas émis un son. Et ne semblait pas avoir l'intention de faire un geste. Gallien vacilla dans sa direction avant de s'écrouler. Il respirait dans un crachat rauque, les yeux avides, la bouche noyée d'un sang qui l'étouffait déjà.

Il y eut du brouhaha au-dehors. Personne pourtant n'osa entrer. Dans un instant, les autres conjurés seraient là.

Des années de lutte étaient enfin achevées.

Maxime vint se placer à côté d'Aurélien qui contemplait froidement l'agonie de son ennemi.

— Ce qu'on raconte dans les bas-quartiers de Rome est vrai, murmura-t-il. Il est plus facile de tuer un César que d'en recevoir un merci.

25

PALMYRE

— Ah, seigneur Nurbel, te voilà enfin.

La haute, la très vieille et branlante silhouette du shuloï Sharha émergea des créneaux et encorbellements de briques vernissées. Dans un ultime effort, s'appuyant des deux mains sur son bâton, il acheva de gravir l'escalier parvenant aux toits en terrasses du palais.

— Tu me cherchais, shuloï ?

— Je m'étonnais surtout de ton absence.

Sharha reprit son souffle.

— Tes esclaves m'ont appris que tu prenais ton repas ici. J'ai cru qu'ils se moquaient de moi. Mais non.

Nurbel, d'un signe amical, désigna la table bien garnie qui lui faisait face, les coussins et les carafes de vin ou de lait de chèvre.

— Prends place, ami Sharha. Tu es le bienvenu. Ton ascension jusqu'ici mérite récompense.

Le shuloï gloussa en plissant des paupières.

— « Ami Sharha » ? Je ne souviens pas de t'avoir entendu

m'appeler ainsi, seigneur Nurbel, remarqua-t-il en s'installant précautionneusement.

— Les choses changent, shuloï. Je me fais vieux. Un ami de ton âge me convient désormais.

Un petit rire aigrelet agita la main que Sharha tendait vers les figues enrobées de viande séchée.

— Je te souhaite une aussi longue vie que la mienne, ami Nurbel. Bien que les dieux n'aient pas conçu les guerriers pour que leurs existences durent beaucoup.

— Bien dit. Les dieux me font un prêt. Mais ce n'est qu'un prêt. Je n'oublie jamais qu'ils nous donnent la vie pour qu'on la leur rende.

Sharha opina.

Ils se turent un long moment, mangeant et buvant. Le shuloï mâchait avec précaution, prenant soin de ne pas blesser ses gencives dénuées de dents.

Les hirondelles dansaient au-dessus de la ville, se jouant des premières fumées des offrandes. Le matin enrobait Palmyre d'une lumière de douceur où les ors ne brûlaient pas encore.

Depuis leur hauteur, Nurbel et Sharha pouvaient admirer le jeu infini des courbes et des volutes de la cité, les colonnades et les frontons, les portiques et les statues altières. Tout paraissait à la fois neuf et aussi vieux que l'univers.

Vers l'ouest, la longue enfilade des tombeaux allait se perdre dans les collines nues. Se succédant par dizaines et dizaines, ils formaient un collier de géant aux pierres sculptées avec les visages et les vies des défunts. Le plus beau d'entre eux, une tour si haute qu'elle surplombait toutes les autres, se découpait sur les crêtes ocres. Il était neuf. Il contenait la dépouille du Très Illustre.

Les pilastres du grand portique, celles de la Nymphée et du Cesareum, agrippaient la première lumière du jour. Les ombres naissantes animaient les yeux et les bouches des statues ceintes aux colonnes ainsi que les visages d'une foule prête à se mettre en marche. À l'opposé, tout à l'Est, le péristyle et les crénelages splendides du sanctuaire de Bel émergeaient dans l'éblouissement du soleil rasant.

Tout près, il y avait le fronton du temple de Nebo-Apollon et les arcs du grand théâtre. Au-dessus, dans la partie nord de la ville, surgissaient les murs bleus et les marbres éclatants du temple de Baalshamîn. Ici brillaient des aigles de briques vernissées, là des antilopes à queue de dragon, des chamelles et des chevaux ailés. Des litanies de feuilles d'acanthe, des vignes de marbre, des grappes de porphyre émergeaient des verts épais des jardins.

Et partout à leurs pieds, tel un troupeau pressé autour du palais, dessinant le réseau d'ombre des cours et des rues, la blancheur des maisons éblouissait. Çà et là les grilles, les volets ou les balcons aux vantaux peints en bleu et rouge piquetaient cette pureté de quelques couleurs.

Le shuloï Sharha branla de la tête avec satisfaction.

— C'est un bon endroit que tu as choisi là, seigneur Nurbel. Il y a longtemps que je n'avais vu Palmyre aussi bien.

— Le Très Illustre aimait se tenir ici. Quand nous avions l'humeur à boire sans être vus.

— Il te manque, n'est-ce pas ?

— Cela fait deux ans que je l'ai découvert la gorge grande ouverte. Il n'est pas un jour qui passe sans que ses yeux se posent sur moi à mon réveil.

— Hmm.

Sharha glissa sa langue sur ses gencives, les paupières presque closes.

— Sais-tu que parfois, je me retourne dans une pièce car je crois l'avoir entendu m'appeler ?

— C'est ainsi, shuloï. Il vient nous remémorer ce que nous lui devons.

Nurbel se tut, immobile.

— Et moi, soupira-t-il enfin, je lui dois plus que je ne

pourrai lui rendre. Moi qui n'ai pas su le protéger quand il le fallait.

— Je sais que tu le penses, seigneur Nurbel. Mais tu as tort. Tu n'as fait que suivre la volonté du Très Illustre et celle des dieux. Jamais le Grand Odeinath n'a eu d'ami ni de serviteur plus fidèle que toi.

L'émotion les réduisit au silence.

Les bruits montaient par petites vagues. Toujours les mêmes cris du matin : ceux des femmes et des enfants. Quelquefois l'aboiement d'un chien, la mauvaise humeur d'un âne ou d'un chameau. C'était un bonheur. On pouvait croire que la vie n'était que cela. Ce moment où les dieux laissaient aux hommes l'illusion que chaque chose et chaque souffle étaient conçus pour la paix du jour à venir.

Le shuloï pointa son bâton vers l'est, où se tenait autrefois le camp de la légion romaine.

— Il y a longtemps que je ne suis pas sorti du palais. Ces toits là-bas, ces dômes, c'est bien beau, mais je ne les reconnais pas.

— Ce sont ceux de la prochaine résidence de notre reine, s'amusa Nurbel.

— Ah ! Bien sûr. J'aurais dû le deviner…

Sharha hocha la tête, eut une moue de désapprobation.

— Puisqu'il n'y a que toi pour m'entendre, je vais dire que je trouve cela mauvais. Pas le temple d'Alath. Mais le nouveau palais. Pourquoi Zénobie ne pourrait-elle pas demeurer ici avec nous ? N'est-ce pas là qu'a vécu notre Très Illustre ?

— Le Grec l'a convaincue du contraire, ami Sharha. Et le Grec est très convaincant. Plus que toi ou moi. Il est démangé de tout faire en neuf. Regarde ces échafaudages, là-bas, sur la gauche de la grande colonnade. Ce sera le nouveau sanctuaire où Zénobie déposera la pierre noire de sa naissance. Selon le Grec, l'ancien temple de Baalshamîn ne convient plus. Celui-ci sera achevé avant l'été. Et là-bas, au nord, ce fatras de poutres et de planches, c'est le chantier de la nouvelle muraille. Le Grec a acheté deux mille esclaves pour la construire. Elle cernera toute la ville, jusqu'à la grande porte. Longin assure qu'elle est indispensable. Peut-être bien, qui sait ?

— Le fait est que ce maître Longin est un homme entreprenant.

— Malin, shuloï. Surtout malin. Et ambitieux.

— Sachant bien parler aussi, il faut le reconnaître. Je me souviens encore de son discours devant les cendres du Très Illustre. Je m'en suis répété des phrases, tant elles étaient belles. Pour un homme qui de sa vie n'avait jamais rencontré le Grand Odeinath, n'était-ce pas extraordinaire ?

— Oui. Il sait s'y prendre.

Il y avait dans le ton en apparence léger de Nurbel assez d'acidité pour que le shuloï lui lance un regard incisif.

— Penses-tu qu'il est de mauvais conseil pour notre reine ? demanda-t-il avec douceur.

Nurbel ne répondit pas tout de suite. Avec une lenteur mesurée, il mangea des tranches de gazelle séchées, farcies d'aubergine fondue, but un peu de crème allongée de bière.

— Je ne sais pas, Sharha, avoua-t-il enfin. Je ne sais pas et cela m'agace. Il y a du bon dans ses conseils. Et il y en a... que les dieux n'ont pas encore jugé.

Sharha secoua la tête, plus sévère.

— Il a tort de vouloir que la langue royale de Palmyre soit le grec. La nôtre n'est-elle pas assez belle ? Les pères des pères de nos pères la parlaient déjà. On dit qu'on en usait au temps des rois de Babel. C'est curieux de vouloir en changer.

— Ce n'est pas notre langue qu'il veut chasser de Palmyre, c'est le latin des Romains. La haine de Rome le tenaille... Tu sais ce que je pense moi-même des Romains, shuloï. Ils sont fous. Ils adorent leurs dieux, mais sans que cela leur donne la moindre sagesse. Ils s'entre-tuent pour un rien, mentent comme ils respirent et n'aiment que ceux qui leur lèchent le cul. Mais ils achètent et vendent comme nul autre peuple. Leur folie nous rend riches. Longin, lui, les hait au point de ne parvenir jamais à rien trouver d'appréciable en eux. Depuis le premier instant où il est arrivé près de Zénobie, le Grec n'a eu de cesse qu'elle ne s'oppose aux Romains.

— Le fait est qu'il faut une bonne vue pour discerner ce qu'ils ont d'aimable. Mes yeux sont trop fatigués pour y parvenir. Pour ça, je suis d'accord : maître Longin n'a pas tort de nous éloigner des folies des Romains. Ils ont tué notre Très Illustre et...

— Tu réfléchis trop court, shuloï, l'interrompit Nurbel. Zénobie est désormais la Basilissa de toute la Palmyrène. Antioche, Émèse, Héliopolis, Doura, Babylone, Charax sont les villes de son Empire. Depuis dix ans, je conduis nos guerriers plus loin que les armées de Palmyre ne sont jamais allées. Nous avons atteint Tarse, et les villes de Capadocce s'agenouillent devant la reine de Palmyre. Nous sommes entrés chez les Perses jusqu'à Ctésiphon. L'an dernier, nous avons pris Césarée, traversé la Palestine et le Néguev, déambulé en Arabie et même sur les plateaux de Saracènes sans qu'on nous résiste pour de bon. Et comme si cela ne suffisait pas, Zénobie veut aller jusqu'en Égypte ! Jamais encore nous ne nous sommes battus contre des légions, shuloï. Mais en poussant partout ainsi notre avantage, cela arrivera. L'Égypte est précieuse aux Romains. Elle leur fournit leurs fruits et le blé de leur pain ! Crois-tu qu'ils nous laisseront faire ? Qu'ils accepteront que la Basilissa Zénobie devienne aussi forte et puissante que leur Empereur ?

— Ah...

— Ce sera la guerre, Sharha ! Et qui, depuis que les hommes ont une mémoire, qui a vaincu les légions de Rome ?

— Ma vieille tête n'avait pas tout compris, ami Nurbel.

— L'assassinat du Très Illustre donnait grandement

raison au Grec et je l'ai dit. La Basilissa a envoyé le crâne du messager de Gallien, elle a montré sa colère. César Gallien, l'assassin du Grand Odeinath, est mort. Mort comme il devait mourir : égorgé par celui qui devient aujourd'hui Augustus. Il a envoyé une lettre à Zénobie. Une belle lettre avec tout ce qu'il faut de regret et d'admiration : « *La honte de la mort du Très Illustre Odeinath pèse sur nous, ô reine de Palmyre. Moi, Lucius Aurelianus, je te tends la main, Basilissa, pour renouer l'alliance que la folie de Gallien a distendue. Ton époux et ton courage ont repoussé les Perses, Rome t'est redevable devant les dieux...* » Et ainsi de suite, tout un chapelet de belles paroles. Je la connais par cœur comme on doit connaître par cœur le chant avec lequel ton ennemi veut t'enjôler. Elle ne vaut pas plus, mais elle vaut la paix.

— Hmm ! soupira le shuloï. Quand même, cet Augustus-là n'est pas encore tout à fait Augustus...

— Bah... . Encore une folie de Romain. Il ne veut pas devenir Augustus tant qu'il n'a pas la certitude que leur vieux Valérien n'est pas mort sous la semelle de Shapûr ! Son tourment devrait cesser bientôt. Zénobie devrait lui répondre : « *Ta lettre me satisfait. Restons en paix.* »

— Ce serait justice, tu as raison. L'ennemi d'hier n'est pas toujours celui de demain.

— Longin l'a convaincue du contraire. Il a eu les mots qu'il fallait. Il lui a dit : « *Ma reine, Aurélien t'endort avec ses jolies promesses. Il te flatte. As-tu remarqué que sa lettre est en grec, comme celle que nous lui avions envoyée avec la tête tatouée ? Cela dit tout...* »

— Ah ! s'exclama Sharha avec un enthousiasme juvénile. Ce maître Longin est malin, il sait voir la ruse...

— Écoute la suite si tu veux comprendre : « *Rome s'imagine encore puissante : elle n'a jamais été aussi faible. Les Barbares sont partout sur ses frontières, la peste sème la mort dans les villes, le sénat ne décide de rien. Ce nouvel Augustus n'est qu'un homme des légions. Il sait se battre, oui, mais penser est une autre chose.*

Il n'a pas de stratégie. Il court de-ci de-là. Aujourd'hui, Basilissa Zénobie, tu es la plus forte partie de l'Empire. Prends l'Égypte : là se trouve la plus grande richesse de Rome. Alors tu deviendras la première Augusta de l'Empire. »

— Tu vois qu'il parle bien, gloussa Sharha. Toi aussi, tu te souviens de ses discours.

Nurbel but longuement pour faire passer tous ces mots.

— Ma mémoire est facile, shuloï. Elle s'encombre même de ce qu'elle n'aime pas.

— Cependant, il y a du vrai dans ce qu'affirme maître Longin. On dit que sans le blé d'Égypte, Rome ne peut plus se nourrir.

— Les rêves sont toujours enveloppés de trompeuses vérités.

— Tu es dur, seigneur Nurbel. Tu ne crois pas à la grandeur de notre Zénobie ?

— Si, j'y crois autant que toi, ami Sharha. Zénobie est déjà grande. Elle est Alath. Elle est la Basilissa, reine de Palmyre. Elle est tout ce que nous savons et aimons... La pousser à devenir Augusta de Rome, shuloï, ce n'est plus croire en sa grandeur. C'est attraper la maladie d'ambition des Romains qui pourrit leur Empire.

— Hmmm, oui... Bien sûr, marmonna Sharha. Tu dis les mots de la sagesse. Mais si le Très Illustre et toi-même aviez été sages, vous n'auriez pas soutenu Zénobie lorsqu'elle a décidé de combattre Shapûr. Tout le monde criait à la folie. Sauf vous deux. Vous disiez : c'est Zénobie, elle peut tout. Pourtant vous n'en saviez rien et vous risquiez gros. Maître Longin ne fait rien d'autre que de vous suivre. Avec sa jeunesse et son savoir.

Nurbel approuva, soupira et claqua de la langue.

— Il n'y a pas que le Grec à être malin et rompu à défendre ses idées, shuloï. Mais tu as raison. Il n'y a pas à être sage si l'on veut suivre Zénobie.

— Alors ?

— Alors je la suivrai ! Mais comme un aveugle sait qu'il s'approche du précipice. Quand Zénobie allait se battre contre Shapûr, derrière elle, il y avait le Très Illustre et moi. Nous savions aussi ce qu'était la guerre. Nous connaissions nos forces, nos faiblesses et nos manœuvres. Le Grec n'y connaît rien. Sous le prétexte que les Romains n'en possèdent toujours pas, il veut que je prépare une cavalerie de cuirassiers. Comme celle de Shapûr lorsque nous l'avons vaincu. Les Romains devraient nous redouter comme ils ont redouté les Perses. La belle idée ! Le Grec est un philosophe, pas un guerrier. Il croit que le plus lourd est le plus puissant. Il se trompe. Mais Zénobie l'écoute. Il ouvre la bouche et elle boit du miel.

Sharha observa Nurbel d'un regard aigu.

— Est-ce à cause de cette dispute que je te trouve ici ce matin et que ces derniers jours, tandis que l'on fêtait le retour de Zénobie de sa campagne dans le pays d'Arabie, tu n'étais pas là ?

De la pointe du pied, Nurbel frappa un coffre de cuir, long et plat, déposé près de la table.

— Non, je suis allé chez les Perses chercher un cadeau pour notre reine. Cela fera bientôt dix ans que nous les avons vaincus ensemble pour la première fois. Cela mérite un présent tout à fait spécial.

Le shuloï voulut demander ce que pouvait être ce cadeau, mais le sourire radieux qui illumina brutalement le visage du vieux guerrier lui fit dévier sa pensée.

— Tu peux me trouver très indiscret, seigneur Nurbel, mais j'ai toujours considéré que tu éprouvais pour notre reine… disons, l'affection d'un homme pour une femme.

— Pas moins que toi, shuloï.

— Oh que si, ami Nurbel. À mon âge, c'est impossible ! Toi, tu as beau vieillir, tes rêves ne sont pas les miens !

Ils rirent ensemble.

— Je me souviens de la première fois que je l'ai vue

monter à cheval, un arc à la main. Jamais mes yeux n'avaient rien vu de si beau. Elle était la promise du Très Illustre, j'ai baissé les paupières comme je le devais. Mais les coups que sa beauté frappait contre ma poitrine, je les sens encore.

Ils s'interrompirent. Les prêtres des temples criaient la fin des offrandes.

— Elle n'est plus cette jeune fille, reprit abruptement Nurbel. Elle est une femme de bientôt trente ans et sa beauté est de celles qui imposent le respect. Mais comme tu dis, le Grec n'est pas à l'âge où la beauté d'une femme s'admire seulement comme l'œuvre des dieux. Sans doute rêve-t-il qu'il pourrait la mettre dans son lit.

— Ah, toi aussi tu as songé à cela.

— Tout le monde y songe. Mais tout le monde se trompe. Ils ne la connaissent pas assez. Zénobie n'ira pas dans son lit ni dans aucun autre.

La tête de Sharha dodelina, ses yeux se rétrécirent.

— La jalousie n'est pas bonne compagne, ami Nurbel.

— Détrompe-toi. Je ne suis pas jaloux.

— Hmm...

— Non. Je ne l'étais pas quand la Basilissa était l'épouse du Très Illustre. Je ne le suis toujours pas. Je connais le cœur de Zénobie. Celui qui sait ce qu'il contient ne peut plus être jaloux.

— Pourtant, cela se voit que maître Longin lui plaît. Et pas seulement pour ses jolies phrases.

— Il lui plaît parce qu'il la distrait de son malheur.

— De son malheur ? Que veux-tu dire ?

— Que, tous autant que vous êtes, la vérité vous crève les yeux et vous ne la voyez pas, shuloï. Zénobie est malheureuse. Le Grec, les batailles, le temps qu'elle passe avec son fils Whabalath, les changements dans la ville, tout cela n'a qu'une raison. Elle veut se distraire du malheur qui l'attend à son réveil chaque matin.

— Mais de quel malheur parles-tu? Et depuis quand cela…?

— Après la mort du Très Illustre.

— Ah…

— Non, tu es sur une fausse voie.

Une drôle de lumière assombrit les yeux de Nurbel.

— Zénobie avait une grande affection pour le Très Illustre. À sa manière. Mais non, son malheur ne vient pas de sa mort. Ne me demande pas d'où il vient. Je ne le sais pas plus que toi. Mais il est là. Plus dur que toutes les cuirasses.

Le shuloï demeura un instant replié sur lui-même, le visage soudain plus fripé, plus terne.

— Que va-t-il se passer, alors? souffla-t-il.

— La guerre avec Rome, ami Sharha. C'est le plus grand divertissement que Zénobie puisse s'accorder. C'est pour cela qu'elle écoute si bien le Grec. Et c'est pour cela que je ne le contredis pas.

— Même si cela nous conduit au désastre?

— Que nous importe, shuloï ? Tu as assez vécu pour savoir quelle sera ta place auprès des dieux, et moi, ils ne m'en voudront pas de mourir au combat contre Rome pour divertir ma reine bien-aimée de son malheur.

26

BOSRA

La nuit était profonde, trouée à l'intérieur des remparts par les feux du camp romain.

De temps à autre, désinvoltes, des sentinelles déambulaient sur les chemins de ronde. Elles allaient sans bouclier et parfois sans casque. Tout était paisible.

Les seuls bruits venaient des caracals et des hyènes qui, parfois, débusquaient une proie. Les soldats alors tendaient l'oreille. En souriant, heureux de la distraction, ils suivaient la course et la lutte à travers l'obscurité, attendaient les cris stridents des lièvres ou des blaireaux à l'agonie.

Quelquefois, seul le froissement d'ailes d'un faucon de nuit frissonnait dans le noir. Il emportait entre ses griffes une alouette ou un pigeon que leur sommeil avait trahi.

Une heure avant l'aube, une cinquantaine de légionnaires quittèrent discrètement leurs tentes. L'un après l'autre, ils se glissèrent furtivement dans les allées. Tous prenaient soin de ne pas faire cliqueter leurs cuirasses et leurs armes. Ils se retrouvèrent près des entrepôts d'huile et de grains, vidés la veille par une noria de caravanes en partance pour Césarée.

Là, tenant une lampe sourde à la main, un homme vêtu d'une longue cape à capuchon les attendait. L'obscurité interdisait que l'on distingue ses traits. Chacun des légionnaires, cependant, savait son nom, sa puissance et son terrible visage.

Avec le même respect fervent, ils vinrent s'agenouiller devant lui. Un à un, après le murmure d'une brève prière, ils baisèrent la main qui leur offrait l'azyme sacré du corps de Jésus le Christ.

Ensuite, sans qu'un mot soit prononcé, l'homme leur désigna des sacs déposés dans un recoin des entrepôts. Ils y trouvèrent des capes, des tuniques et des insignes de l'armée de Palmyre. Il ne leur fallut qu'un instant pour troquer leur uniforme de légionnaire et devenir des guerriers de la Basilissa Zénobie.

Quand cela fut fait, toujours en silence, l'homme les entraîna dans le dédale des ruelles de la cité. Ils coururent par groupes espacés. Leurs sandales ne faisaient pas plus de bruit sur les dalles et la poussière que la brise qui s'était levée avec la toute première lueur du jour.

L'homme à la cape les réunit sur la place carrée du forum. Il n'eut qu'un ordre silencieux à donner. Chacun savait ce qu'il avait à faire.

Par groupes, ils se précipitèrent dans les temples. Les portes des sanctuaires de Sol-Invictus, de Jupiter, de Cybèle et Junon, furent forcées au même instant. Avec une fureur à laquelle rien ne résista, les faux guerriers de Palmyre renversèrent les coupes des offrandes, les braises et les cendres des autels. Ils brisèrent les statues de marbre ou de bois, arrachèrent les torches pour porter les flammes sur les tentures. Jetant les meubles dans le brasier, ruinant les fresques des murs avec tout ce qui leur tombait sous la main, ils braillaient, psalmodiaient à tue-tête. En un instant, les chambres des dieux furent souillées et détruites.

Prêtres, prêtresses, les serviteurs réveillés en sursaut, eurent à peine le temps de crier leur effroi avant d'être égorgés. Certains luttèrent dans le temple de Jupiter. Ils furent massacrés avec la lance qui, l'instant d'avant, supportait encore les emblèmes sacrés. Les servantes de Cybèle, tombées à genoux pour implorer grâce, furent décapitées.

Nul ne reçut de pitié, ni homme, ni femme, ni objet sacré. Dans le temple de Sol-Invictus, l'homme à la cape mit à bas lui-même le disque d'or de l'autel. Un coffre contenait les sceaux de l'Augustus Valérien qui, dix ans plus tôt, s'était ici soumis à son dieu. Il le jeta dans le feu qui ravageait déjà l'entrepôt des offrandes.

Alors que les flammes léchaient les voûtes et les charpentes des temples, les premiers habitants accoururent sur le forum pour entendre les gémissements des mourants. Terrifiés par ce qu'ils découvraient, ils n'eurent que le temps de voir les soldats se ruer hors des temples embrasés.

Précédés par l'homme à la cape comme par une ombre maléfique, les massacreurs se précipitèrent dans un ordre parfait jusqu'à la porte de l'Ouest.

Là, les sentinelles, tirées de la torpeur d'une longue veille, ahuries de découvrir des assaillants à l'intérieur des murs, n'eurent pas même l'esprit de se défendre. Le seul qui voulut porter sa trompe à sa bouche eut les mains tranchées avant qu'une lance lui perce les reins. Les autres moururent plus vite.

Des cris montèrent pourtant des maisons alentour, mais les poutres refermant la porte étaient déjà soulevées, livrant passage aux tueurs. Des chevaux les attendaient. Ils disparurent sur la route de Césarée alors que le ciel tout blanc de l'aube n'accueillait pas encore le soleil.

Ce n'est que plus tard, dans la ruine du temple de Cybèle, que l'on découvrit le corps d'un des massacreurs, écrasé par une statue. Sous la tunique de Palmyre et la cotte de mailles que déchirèrent avec fureur les habitants de Bosra, on découvrit le poisson d'argent des chrétiens.

27

ROME

Ulpia sortit du bain, franchit chaque marche de la piscine avec grâce. Caressantes et attentives, ses esclaves l'enveloppèrent d'un linge. Elle prononça quelques mots. Les jeunes filles rirent aux éclats en l'accompagnant à la couche de repos.

Dissimulée derrière un paravent, Clodia ne la quittait pas des yeux. Contre deux deniers d'or, la matrone de la maison lui avait fourni la cachette et l'assurance qu'on ne la dérangerait pas. Sans un mouvement, elle épiait Ulpia.

Maintenant, les esclaves enduisaient leur maîtresse d'huiles parfumées. L'une d'elles lui épointait et polissait les ongles. Les unes et les autres ne cessaient de bavarder joyeusement. Ulpia, de temps à autre, lançait une plaisanterie, un mot léger, une remontrance.

Surgissant du vestibule des chambres, un jeune et joli garçon entra dans la salle de bains. Un visage fin, des lèvres ourlées, une blondeur de Goth ou d'Angle. Son corps d'éphèbe n'était couvert que du pagne à rayures des esclaves.

Il apportait un long plateau où Clodia devina des bijoux. Un collier d'or à petits pendentifs de béryl, des boucles d'oreilles en forme de grappe de raisin et une améthyste sertie dans un cœur d'or pour la broche. Ulpia les souleva. Elle les fit jouer entre ses doigts dont chacun, déjà, était orné d'une bague. Elle approuva le choix d'une caresse tendre et sans équivoque sur la joue du garçon. Il alla disposer les bijoux sur une table au plateau de marqueterie, près d'un haut chevalet où étaient suspendus une tunique à surplis brodé de soie et de perles et des sous-vêtements noirs.

À chaque instant, Clodia s'attendait que quelque chose d'étrange, de bizarre, advienne. Un geste, un mot d'Ulpia. Un rire ridicule et déplacé ou un éclat dément de colère. Pourtant, même la manière dont l'épouse d'Aurélien avait remercié l'esclave goth était dénuée d'ambiguïté. Ulpia se comportait comme une personne à l'esprit sain. Clodia croyait même avoir devant elle la douce, la tendre Ulpia d'autrefois, l'innocente Ulpia qui l'avait amusée à Nicopolis.

Ce vieux renard de Pulinius semblait avoir deviné juste. Cinq jours plus tôt, elle avait reçu une lettre du vieux secrétaire, l'assurant avoir rencontré Ulpia avant de quitter Rome et pu constater qu'elle possédait à nouveau toute sa raison. Une lettre qui contenait bien d'autres surprises :

« *Chère et belle Clodia, voilà presque un an que César s'est effacé devant ton frère et nous ne t'avons toujours pas vue près de lui. Cela nous manque, à lui, à moi, au préfet Maxime. Que cela ne te paraisse pas étrange de trouver ces mots de ma main et non de celle de ton frère. L'orgueil d'Aurélien n'a d'égal que son affection pour toi. Tu sais que je viens de désigner là les deux valeurs qu'il porte le plus haut. Outre l'amour de l'Empire, cela va de soi.*

Comme tu peux le deviner à ces mots, je suis en présence des deux hommes qui te sont chers et à qui ton absence pèse. La raison en est simple : Lucius Aurelianus sera enfin acclamé sous les lauriers le mois prochain, à Sirmium, votre ville natale, par toutes les légions du Danube.

Ce grand moment a été stupidement retardé par ton frère au prétexte que la mort de l'ancien Augustus Valérien n'était pas prouvée. Mais enfin je l'ai convaincu. Le sénat lui-même l'a reconnu Augustus. Donc voilà le but de cette lettre : viens ! Viens nous rejoindre, sois présente, très chère Clodia, en ce grand jour. Il est temps que ta beauté illumine pour tous la puissance de ton frère.

Comme tu n'en doutes pas, mon insistance est celle du cœur autant que de la raison. Aurélien ne sait pas bien respirer sans toi. Les tâches qui l'attendent exigeront son calme et sa lucidité. L'une et l'autre sont tes jouets. Tu ne l'ignores pas. Depuis qu'il t'a contrainte à l'exil de sa vue autant que de son cœur, il n'est qu'un peu lui-même. L'Augustus Aurélien devra être tout entier le fils des dieux.

Que ma franchise ne te choque pas. C'est celle des vieillards qui n'ont plus rien à craindre. Je ne m'agrippe à la vie que pour voir Aurélien dans la splendeur de son titre. C'est là ma dette envers Rome. Mais, aujourd'hui, tu dois m'aider.

Viens, chère Clodia. Et fais venir avec toi Ulpia. Sa santé d'esprit ne nourrit plus aucune inquiétude. J'ai pu m'en assurer avant de quitter Rome. Ses fureurs bizarres lui sont passées et je la devine dans l'espoir intense de retrouver sa place ordinaire près d'Aurélien. Elle fournira, à la vue des légions et des peuples de l'Empire, le temps que tu jugeras nécessaire, l'utile présence d'une épouse. »

Oh, le bonheur que lui avait procuré cette lettre !

Aurélien Augustus !

Augustus Lucius Aurelianus, enfin, enfin !

Après tant d'années, tant de combats et de déceptions ! Presque coup sur coup, elle avait appris l'assassinat de César Gallien et reçu cette lettre du premier secrétaire.

Elle y devinait toutes les ruses, tous les silences de ce renard de Pulinius. Qu'il vienne ainsi lui manger dans la main effaçait d'un coup ces années d'humiliation et de solitude auxquelles Aurélien l'avait contrainte.

La volupté de la toute-puissance si proche incendiait doucement ses reins.

Oui, elle se ferait accompagner par Ulpia. Celle-ci en semblait capable. Elle ne devrait pas être difficile à convaincre. C'était une bonne suggestion. La douce Ulpia, la tendre épouse, ferait taire les mauvaises langues et les jalousies qui ne manqueraient pas si elle se tenait seule près de son frère.

Et dans l'ombre chétive de la chère Ulpia viendrait le temps du règne.

Pulinius avait compris et dit le vrai : Aurélien ne savait pas respirer sans sa sœur. Sans elle, il ne connaissait ni l'extase ni la paix. Il saurait encore moins régner sans sa main et sa présence.

Oh, comme il était grisant et léger tout à la fois de songer aux temps à venir. Le temps enfin venu de la puissance. Le temps merveilleux du pouvoir que seuls les dieux et les Augustus pétrissaient selon leurs caprices!

Ulpia poussa un petit cri en la découvrant sur le seuil de la salle de bains. D'un bond elle quitta sa couche de repos, toute nue et luisante d'huile parfumée qu'elle était.

Clodia s'en amusa. Elle tendit les mains dans un geste apaisant.

— Ulpia! Pardonne-moi de t'avoir effrayée, ma chérie! Je voulais te faire une surprise. J'ai demandé à tes servantes de ne pas m'annoncer.

La bouche d'Ulpia se déforma dans une grimace de stupeur enfantine. Son visage était aussi livide que ses yeux écarquillés. Elle recula vers le bassin, bras et poings serrés sur sa poitrine, voilant avec pudeur ses seins tout en découvrant ses hanches et son pubis délicat. Une esclave se précipita afin qu'elle ne tombe pas dans l'eau. Une autre s'approcha vivement pour lui jeter un linge sur les épaules.

— Ulpia! s'exclama encore Clodia avec douceur. Oh, pardonne-moi! Je ne croyais pas te faire peur à ce point.

Ulpia se mordit les lèvres, un peu de vie revint dans son regard. Elle reprit ses esprits, rougit.

— Que je suis ridicule! C'est à moi de te demander pardon, Clodia!

Elle gloussa, se moquant d'elle-même, retrouva son souffle en serrant le bras d'une servante.

— Oh oui, vraiment tu m'as effrayée... Idiote que je suis. Quelle frousse!

Elle éclata de rire, normale, gentiment moqueuse d'elle-même.

— C'était stupide de ma part, convint Clodia. J'aurais dû m'en douter. Il y a si longtemps que tu ne m'as vue.

Ulpia opina, rougissante, belle de toute son innocence.

— Oh oui, j'ai... j'ai cru voir un fantôme.

Elle rit encore, cette fois tout à fait maîtresse d'elle-même. Une moue espiègle ourla ses lèvres. Son visage et son corps se détendirent, elle repoussa les esclaves et se jeta dans les bras de Clodia sans crier gare. Avec une fougue enfantine elle l'enlaça, la serra contre son corps nu et parfumé, lui baisa les yeux, pressa sa joue contre la sienne.

— Heureusement ce n'est pas vrai, ronronna-t-elle. C'est bien toi pour de bon. Oh, Clodia, comme je suis heureuse! Quel bonheur tu me fais de venir me voir enfin.

Elles mêlèrent encore un instant les baisers aux rires puis Ulpia ordonna qu'on l'habille, qu'on lui donne ses bijoux et que l'on apporte des fruits, des boissons et des coussins dans le *triclinium*.

Légère, excitée comme une enfant qui retrouve sa vraie et bonne amie perdue, elle y entraîna Clodia. Et Clodia ne put s'empêcher de s'en sentir un peu émue. Un peu honteuse aussi des minutes qu'elle venait de passer à l'épier. Elle lui attrapa le bras, l'attira contre elle, ainsi qu'elle le faisait autre-fois. Sa paume pressa la nuque d'Ulpia, lui leva le visage. Elle posa ses lèvres sur sa bouche avec douceur.

— Moi aussi je suis heureuse de te revoir !

Un frisson intense parcourut le buste d'Ulpia. Elle pesa soudain si lourdement contre Clodia qu'elle sembla vouloir s'affaisser. Clodia l'agrippa mieux, chuchotant :

— Et si contente de te trouver en si belle santé. Tu as rai-son. J'aurais dû venir plus tôt. Nous étions toutes les deux dans Rome comme des âmes errantes... En vérité, j'étais aussi solitaire que tu as pu l'être. Plus peut-être. Et puis c'est vrai. Je craignais de te trouver encore... fâchée.

Elle avait failli prononcer le mot de *folle*, ne s'était reprise qu'au dernier instant. Le regard d'Ulpia scintilla. Elle s'écarta, rougissante, sérieuse de nouveau comme si le flot de l'émotion était passé.

— Oui, admit-elle avec un peu d'embarras. Je n'ai pas tou-jours été gentille avec toi... Pas toujours la « douce Ulpia » !

Clodia la suivit dans le triclinium, une pièce petite où les lits de repas rapprochés dessinaient la forme d'un U. Elle se laissa choir sur les coussins les plus proches en riant, saisit une prune dans la coupe disposée sur la table.

— Si tu penses à ces terribles tablettes d'envoûtement que tu avais écrites, fit-elle désinvolte, le plomb en est fondu depuis longtemps ! Et ma colère avec.

— Oh, Clodia... Quelle sotte j'ai été !

— Très sotte. Quelle passion tu avais contre moi ! Mais tu es pardonnée, je te le jure. C'est oublié.

Ulpia lui sourit, le visage reconnaissant. Un visage qui, d'un coup, se mua en un masque d'effroi. Elle ouvrit grands les yeux, se couvrant les joues de ses doigts bagués.

— Clodia... Tu n'es pas venue me voir parce qu'il... il est arrivé quelque chose de terrible à Aurélien ? Oh non ! Que les dieux soient avec moi !

Clodia rit avec tendresse :

— Mais non ! Non, bien au contraire ! Ton époux va recevoir l'acclamation des légions aux ides de novembre ! Dans un mois, ma belle, tu seras Augusta ! Voilà la nouvelle que je t'apporte.

Ces mots rendirent Ulpia silencieuse. Elle parut désemparée. Elle hésita à s'asseoir près de Clodia, se détourna. Ses yeux soulignés de khôl brillèrent. Des larmes y perlaient. Elle grimaça un sourire.

— Je suis si heureuse pour toi et Aurélien. Comme vous devez être contents...

— Mais ce bonheur est pour toi aussi ! protesta Clodia.

— Oui ! Oh oui, bien sûr !

— Être l'épouse de l'Empereur te laisserait-il indifférente ?

— Au contraire... C'est seulement si inattendu. Tu arrives et tu m'annonces...

Clodia lui attrapa les mains, la fit asseoir à côté d'elle. Ulpia obéit, de nouveau enjouée.

— Je veux que tu me racontes ! minauda-t-elle. Je veux tout savoir.

Alors que Clodia allait répondre, Ulpia bondit sur ses pieds, s'écria :

— Attends, attends ! Pas encore. J'ai soif ! Il faut fêter ça avec du vin.

Clodia rit, accorda le moment de fête comme on concède un caprice à une enfant.

Tandis qu'Ulpia appelait les esclaves, les houspillait pour avoir une grande carafe, les congédiait parce qu'elles s'y prenaient mal pour remplir les gobelets, les préparait elle-même en jouant de ses doigts bagués, Clodia songea qu'elle était, sans plus aucun doute, redevenue tout à fait comme avant. La douce, l'innocente Ulpia si loin de sa folie.

Elles trinquèrent à la mode des hommes. Elles s'écrièrent ensemble : «Longue vie à l'Augustus Lucius Aurelianus !» avant de boire cul sec. Agitant ses mains comme des papillons, Ulpia remplit de nouveau les gobelets, demanda avec cette fois de l'impatience dans la voix :

— Raconte, raconte !

Clodia raconta ce qu'elle savait de la fin de César Gallien, de la volonté des légions d'acclamer Aurélien, qui s'y refusait à cause de l'ancien Augustus Valérien que tout le monde avait maintenant oublié. Elle se moqua, achevant son vin à petites gorgées.

— Il n'y a qu'Aurélien pour se souvenir de ce pauvre vieil Augustus. Même les dieux l'ont oublié. Tout l'Empire se fiche qu'il soit vivant ou mort. Mais ton époux, lui, ne l'oublie pas. Avec ces vieux, je t'assure, il est des moments où il se comporte comme une amante délaissée.

Ulpia lui adressa une œillade de reproche, prit son verre et le remplit encore tandis que Clodia assurait avec un peu d'ivresse dans la gorge :

— Si si, je t'assure. Je me demande s'il n'a pas toujours préféré ces vieillards à nos beautés.

Elle raconta quelques anecdotes sur l'Augustus Decius, mort depuis longtemps mais qu'Aurélien aimait tant avant de succomber aux charmes séniles de Valérien, puis du secrétaire Pulinius.

— Enfin, tous ces barbons, c'est fini, conclut-elle, un peu théâtrale. C'est son tour d'être Augustus. Nous irons ensemble le rejoindre à Sirmium. Il nous y attend, il te veut près de lui... Tu le veux aussi, n'est-ce pas ?

— Oh, bien sûr. Comme je serai heureuse, fit Ulpia avec émotion. Vous ne pouvez savoir comme vous m'avez manqué, toi comme lui !

Clodia voulut approuver d'un signe. Un élancement

bizarre lui raidit la nuque. Elle voulut parler encore mais sa mâchoire lui sembla soudain de plomb.

— Sais-tu, dit Ulpia avec une paisible tendresse, que je suis souvent allée porter des offrandes à votre mère, dans son joli tombeau ?

Une indicible terreur descendit sur Clodia. Elle voyait le sourire d'Ulpia, son visage qui se mouvait selon les mots, mais sa voix la heurtait, semant des milliers d'éraflures à l'intérieur d'elle-même.

Elle voulut bander tous ses muscles pour protester. Mais rien de son corps ne lui obéissait plus.

— Sais-tu, disait encore Ulpia, que j'ai fait un rêve étrange, il y a quelques jours ? Aurélien était Augustus et toi son épouse. Vos enfants avaient deux têtes : l'une qui me ressemblait et l'autre qui était la tienne. Quel drôle de rêve, maintenant que tu viens de m'apprendre la bonne nouvelle. Mais il est vrai que vous vous ressemblez tant, Aurélien et toi. Je regarde tes yeux, et je crois voir les siens. Ils sont si beaux, d'un bleu si parfait, si profond.

La brûlure de ses poumons devenait une flamme. Les mots d'Ulpia pénétraient en elle, souples comme des bulles de couleur claire. Des bulles qui explosaient partout dans ses entrailles en y essaimant de nouvelles douleurs.

— Qu'y a-t-il ? s'étonna Ulpia sans perdre le sourire. Tu trembles. Qu'as-tu à trembler ainsi, chère Clodia ?

Les mots, cette fois, se muèrent en cristaux acides dans la brûlure de l'étouffement aussitôt qu'ils parvinrent à ses oreilles.

Oh, la folle ! La folle qui m'a empoisonnée !

Ulpia !

Hurler sans un son.

La douleur ! La douleur partout. La mort ! La mort était là, déjà, sa lumière dansait, éblouissante comme la conscience suprême des choses, tandis qu'os par os, grain de peau par grain de peau, son corps et sa chair se brisaient et se déchiraient!

— Avec tes beaux yeux et ta belle bouche, tu m'as beaucoup menti, Clodia, chuchotait Ulpia. Mais je ne suis pas folle. Oh non. Je sais entendre ce que les mots ne disent pas. Je sais voir les mensonges des regards. La douce Ulpia n'est pas folle. Pas stupide non plus. Oh, Clodia, tu voulais être l'épouse d'Aurélien. Lui faire des enfants avec ton corps tout puant de caresses, voilà ce que tu voulais! Tu vois comme tu te tords? Les enfants, c'est fini. Tu n'en feras pas. Ulpia accomplit la volonté des dieux, et les dieux ne veulent pas que la sœur et le frère s'aiment comme l'épouse et le mari.

Oh, l'enfer!

Qui la punirait? Qui saurait?

Aurélien! Aurélien, mon frère, mon amour! Ne m'abandonne pas! Aide-moi! Je ne veux pas mourir! Pas déjà...

Oh, pas déjà, alors que tout était possible!

Oh, la douleur, la douleur de toi, Aurélien! Aurélien, mon amour...

Mais son corps avait basculé sur le sol, renversant la table, vibrant comme la corde d'un arc, la bouche écartelée sur la douleur et les crachats de sang.

Avant de s'engloutir dans l'obscurité, pleine d'effroi, torturée par l'incompréhension, Clodia perçut l'écho ultime des cris d'Ulpia qui appelait ses serviteurs à l'aide. Son amie, sa sœur, était malade.

28

PALMYRE

L'enfant s'esclaffait à gorge déployée. Son rire ruisselait contre les voûtes et les murs de la salle comme des étincelles de joie. Par instants, le rire de Zénobie se mêlait au sien.

Installé dans une nacelle d'osier suspendue aux poutres du plafond, vêtu d'une véritable petite cuirasse, Whabalath brandissait un sabre à lame d'ivoire. La face rouge d'excitation, il se balançait de toutes ses forces, fondant sur Zénobie. À chaque passage de la balançoire, il décochait des coups fulgurants et savants que sa mère parait avec le plus grand mal. Feignant d'être mille fois blessée, elle se défendait avec une maladresse grotesque, agitant un cimeterre d'entraînement à lame de corne. De temps à autre, cependant, ses coups étaient adroits et précis. Ils atteignaient l'enfant légèrement, déclenchant la cascade de ses rires.

Nurbel se retint de franchir le seuil de la salle. Le plaisir était trop rare d'assister à ce bonheur entre l'enfant et la mère. Zénobie devina sa présence. Elle lui jeta un regard par-dessus son épaule, poussa un cri de feinte faiblesse.

— Nurbel ! Nurbel, vite, viens m'aider à combattre ce démon. Je n'y arriverai jamais seule, il va me massacrer !

Nurbel entra dans le jeu. Avec des grognements sourds, il s'offrit aux coups que Whabalath distribuait avec une énergie redoublée. Jusqu'à ce que des hurlements plus violents encore que leurs rires les submergent.

— Cessez, mais cessez donc !

Jaillie d'une tenture dissimulant un couloir, Ashémou traversa la salle aussi vite que ses grosses jambes la portaient.

— Avez-vous perdu la tête ?

Elle agrippa la nacelle, y pesa de tout son poids pour interrompre son ballant. Whabalath, saisi de fureur, se déchaîna en assenant des coups de son sabre factice sur les épaules de la vieille nourrice. En un tournemain, Ashémou attrapa la lame d'ivoire et lui retira le jouet.

— Vous ne voyez pas qu'il est en nage sous cette ridicule cuirasse ? vociféra-t-elle à l'adresse de Zénobie et de Nurbel. Avec la chaleur qu'il fait aujourd'hui ? Lui qui avait encore la fièvre de chaleur hier ? Vous n'avez pas plus de jugeote l'un que l'autre.

De fait, la tunique de l'enfant était trempée de sueur. Ses joues et son front étaient rubiconds, ses lèvres sèches et pâles tandis ses mains tremblaient encore d'excitation.

Whabalath, au bord des larmes, s'insurgea, protesta qu'il allait très bien et qu'il voulait encore jouer. Zénobie le serra dans ses bras.

— Ashémou a raison de nous gronder. Nous n'aurions pas dû jouer si fort. Maintenant il faut se calmer, comme ça, nous pourrons encore combattre demain. Je te le promets.

— Je suis pas fatigué du tout. Ashémou est trop vieille pour savoir…

— Chuuut ! Elle va te conduire au bain, tu vas te reposer un peu et je viendrai te voir bientôt.

— Ashémou a jamais raison ! protesta Whabalath. Tout ce qu'elle sait faire, c'est m'empêcher de jouer ! Pourquoi tu la renvoies pas ? Tu es la reine et moi je suis le prince ! On n'a pas à lui obéir !

Nurbel éclata de rire. Mais, avant que Zénobie puisse répondre à l'enfant, Ashémou le lui retira des bras en grommelant :

— Si c'est tout ce que maître Longin t'apprend pour devenir roi, mon bonhomme !

Elle l'entraîna hors de la pièce, clouant le rire de Nurbel d'un regard noir qui engloba Zénobie dans son courroux.

— Toi, seigneur Nurbel, ne fais pas le malin. Tu ne vaux pas mieux que le Grec ou la Basilissa. Tous autant que vous êtes, dès qu'il s'agit de vous battre, tout est bon. Même un enfant !...

Il y avait dans le reproche plus qu'une colère concernant la santé de l'enfant. Nurbel le perçut et sa gaieté s'envola.

— Quel caractère ! grommela-t-il lorsque l'Égyptienne fut hors de la salle. Whabalath n'a pas tort. Elle ne connaît rien aux garçons ! Elle n'a jamais été que ta nourrice. Une nourrice de fille.

La plaisanterie tira à peine un sourire à Zénobie. Avec un pincement au cœur, il vit que, derrière les jeux et les rires, la lumière sombre du malheur qui possédait la reine de Palmyre depuis des mois et des mois ne s'était pas éteinte.

— Allons donc, railla encore Nurbel. Whabalath est aussi solide que son père et n'a qu'une envie : être aussi bon guerrier que sa mère. Ashémou est jalouse, comme toutes les nourrices. Elle veut l'amollir pour en faire un joli prince d'apparat.

Cette fois, Zénobie lui accorda un sourire.

— Il y a bien peu de chance qu'elle y parvienne. Pas plus qu'elle n'y est parvenue avec moi.

— À ce propos...

Nurbel alla prendre la boîte de cuir qu'il avait déposée pour jouer avec Whabalath.

— Ceci est un présent pour toi.

— Un cadeau ? Et pourquoi ?

— Oh ! Il y aurait beaucoup de raisons de te faire des cadeaux, Basilissa, marmonna Nurbel avec embarras. Je me suis rendu compte qu'à la prochaine lune, cela fera dix années que tu m'as offert le double plaisir de vaincre la cavalerie de Shapûr avec des chamelles et d'assister à la naissance d'Alath. Je voulais fêter ce souvenir.

Il caressa son crâne chauve ainsi qu'il le faisait toujours lorsqu'il voulait masquer sa gêne.

— Sois sans crainte, ajouta-t-il, les pommettes rosies, ce n'est pas une robe ni un bijou ! Seulement... un présent qui pourrait t'amuser.

— Oh ! Nurbel !

— Ne me remercie pas avant d'avoir ouvert ce coffre.

Zénobie en défit les lanières. Une exclamation de surprise lui échappa lorsqu'elle ôta le couvercle.

— Qu'est-ce... ?

Ce qu'elle voyait au fond de la boîte n'avait ni forme ni nom. C'était une membrane brune, vaguement translucide, à l'aspect cassant et parcheminé.

Nurbel ne dit un mot ni ne fit un geste.

Avec réticence, elle saisit entre ses doigts la matière fine qui s'avéra plus souple qu'elle l'imaginait. Curieusement douce et agréable au toucher. Alors qu'elle la retirait du coffre, la bande de matière prit forme. Une forme si stupéfiante qu'en la déployant en entier Zénobie eut un coup au cœur. Elle la laissa retomber dans le coffre. Ce n'était rien d'autre que la peau d'un homme, vide et transparente ainsi qu'une baudruche.

— La peau de l'Augustus Valérien, annonça Nurbel dans un gloussement.

Il se saisit à son tour de l'étrange relique et l'éleva à sa hauteur, la brandissant devant lui, goguenard.

— Voilà tout ce qu'il reste d'un grand Empereur de Rome, Basilissa.

— Que les dieux le protègent! murmura-t-elle.

— Shapûr a fait écorcher l'Empereur à sa mort. Il voulait le voir suspendu sous sa tente de guerre. Mais il en a conclu que cette peau lui portait malheur puisque nous le vainquions chaque fois. Il l'a offerte à l'un de ses généraux pour s'en débarrasser. Et moi j'ai fait la fortune de cet homme en la lui achetant.

— Voilà un curieux présent, Nurbel! Je ne te promets pas d'en décorer mon nouveau palais.

— Ce n'est pas dans ce but que je te l'offre, Basilissa. En vérité, mon cadeau n'est pas cette dépouille, mais ce que tu peux en faire.

— Et que dois-je en faire?

— L'offrir au nouvel Augustus.

Zénobie, narquoise, considéra Nurbel.

— Où veux-tu en venir, seigneur Nurbel?

— À Rome comme chez nous, un mort sans dépouille n'est jamais mort. Plus encore un Augustus. À ce jour, celui qui portait cette peau n'a toujours pas franchi le fleuve des ombres ni atteint la demeure des dieux. Il va errant jusqu'à la fin du monde. Si tu offres cette relique au nouvel Augustus, ce Lucius Aurelianus, il t'en sera reconnaissant. Tu lui offriras la possibilité d'être en paix avec les mannes de son vieil Empereur, lui qui a assassiné son fils. Et en paix avec nous, par la même occasion.

Zénobie fronça le sourcil, la moue devenant sérieuse.

— Ah, voilà. La paix avec Rome. C'est cela que tu veux?

La ruse brilla sur les traits de Nurbel.

— C'est un beau cadeau pour Rome. Un cadeau qui pourrait apaiser l'inquiétude de l'Augustus Aurélien à notre égard. Lui faire oublier pour quelque temps que la Basilissa Zénobie, qui règne de la Cappadoce jusqu'à l'Arabie, est devenue plus puissante que les Perses eux-mêmes...

— C'est bien pensé, seigneur Nurbel. J'en conviens. Mais je crains que ce ne soit trop tard. Et inutile...

La voix froide de Longin les fit se retourner.

Il était là, à l'écart d'une tenture, un rouleau de papyrus à la main, sans doute écoutant depuis un instant déjà. Il fit un signe respectueux en direction de Zénobie. Puis, avec moins de souplesse, vers Nurbel.

— Pardonnez-moi de vous surprendre ainsi, dit-il aimablement. J'ai une nouvelle importante pour toi, ma reine.

Du coin de l'œil, Nurbel jugea l'humeur de Zénobie. Il aurait aimé qu'elle réponde à l'intrusion du Grec avec plus de raideur. Hélas, comme aurait dit le shuloï Sharha, elle faisait preuve, il fallait en convenir, d'une tendresse inaccoutumée.

— Tu ne nous déranges pas, Longin. Regarde cette chose extraordinaire que Nurbel vient de m'apporter.

Le Grec décocha à peine un regard vers la boîte.

— Pardonne-moi, ma reine, si je ne goûte guère le plaisir de voir la peau vide d'un homme. Même s'il fut un Augustus qui méprisa mon peuple et ma belle cité d'Athènes.

— Que veux-tu dire, maître Longin, demanda sèchement Nurbel, en assurant qu'il est trop tard pour l'envoyer aux Romains?

Longin leva le papyrus qu'il tenait à la main.

— Qu'il est trop tard pour faire croire aux Romains que la Basilissa de Palmyre est une reine puissante mais inoffensive. Des chrétiens déguisés en soldats de Palmyre ont détruit et incendié les temples de Bosra. Ils y ont massacré les prêtres et prêtresses. Les incendies des sanctuaires se sont propagés à une grande partie de la ville et le camp de la légion a lui-même été détruit...

— Des chrétiens? s'étonna Zénobie, livide.

— On a retrouvé le poisson des chrétiens sur le cadavre de l'un de ces faux soldats, expliqua Longin. De plus, les gens de Bosra assurent qu'ils entendaient les prières que chantaient ces hommes en détruisant tout. Des prières de chrétiens. On dit aussi que celui qui les conduisait n'était pas un officier mais un chef de leur Dieu.

— Ont-ils vu son visage?

— Il semble que non. Il prenait grand soin de le dissimuler. Mais des caravaniers se souviennent qu'un chrétien d'Émèse a voyagé avec eux quelques jours avant cette profanation. Un homme dont le visage ne s'oublie pas : à moitié mangé par le feu.

Nurbel dévisagea Zénobie avec stupeur. Jamais encore il ne l'avait vue si défaite. Longin en prit conscience, lui aussi. Ses traits élégants marquèrent la surprise. Il hésita à continuer.

— Qu'y a-t-il? s'inquiéta Nurbel.

— Rien, mentit Zénobie. Peut-être ai-je trop joué avec Whabalath et j'ai besoin de me désaltérer. Ashémou a raison, la chaleur de l'été commence à se faire sentir.

Longin s'accommoda du mensonge avec un sourire entendu. Elle se détourna, réclama à boire aux esclaves, entraîna Nurbel et Longin vers la terrasse et l'air libre où elle pouvait mieux respirer.

— Il est certain, reprit Longin à l'adresse de Nurbel, qu'il est un peu tard pour ruser avec le nouvel Augustus. Dès qu'il apprendra cette offense faite aux dieux de Rome, il considérera que la Basilissa se dresse contre lui.

— Allons donc! s'indigna Nurbel. Il est très simple de prouver que Zénobie a été trompée par des chrétiens! Nous les connaissons, nous savons où les trouver, à Émèse comme à Antioche. Je n'ai besoin que de cinq jours : leurs maisons seront en cendres et leurs chefs, ceux qu'ils appellent des diacres et des évêques, plieront le genou devant toi, Basilissa. Cela suffira à calmer l'Augustus...

— Non, lança Zénobie d'une voix aussi blanche que son visage. Non, Nurbel! Je ne veux pas que l'on touche aux chrétiens.

Nurbel la considéra avec ahurissement.

— Si tu ne prouves pas ta bonne foi aux Romains…

— Cela vaudra une déclaration de guerre à Rome ! acheva pour lui Longin en souriant. Tu as bien compris, seigneur Nurbel.

— Pourquoi veux-tu épargner ces chrétiens ? s'indigna Nurbel en ignorant le Grec. Que leur dois-tu ? Ils sont fous par nature ! Ils te conspuent dès qu'ils le peuvent. Leurs prêtres passent leur temps à clamer dans Émèse et Antioche que tu es une fausse déesse, qu'il n'y a qu'un seul dieu, le leur, et que nul ne peut être roi ou reine sinon leur prophète ! Jamais tu n'as voulu leur fermer la bouche. Et maintenant tu veux te laisser trahir sans répliquer ? Je ne te comprends pas…

Pour toute réponse, Zénobie offrit son regard à Nurbel. Il y vit toute l'ombre qui l'effrayait depuis si longtemps et sut qu'il serait impuissant à la vaincre.

— La Basilissa a raison, seigneur Nurbel, reprit Longin avec calme. Les chrétiens nous sont utiles. Ils ne nous tendent pas un piège : ils nous offrent l'occasion que nous espérions.

— Dois-je imaginer que tu les as toi-même manœuvrés à Bosra, Longin ? grinça Nurbel. Ce serait bien dans tes manières.

Zénobie voulut intervenir, mais Longin leva une main aussi dédaigneuse que son sourire.

— Je n'en ai pas eu besoin, seigneur Nurbel. Je me contente d'observer et de considérer la bêtise des hommes. Cela suffit à faire ce qu'il faut quand il faut. D'ailleurs, ajouta-t-il en se tournant vers Zénobie, qui sait ? Rome, peut-être, ne réagira pas ! Ils sont si faibles. Ils se battent partout et peinent à entretenir leurs légions. Cela va être un bon test du courage de l'Augustus Aurélien. S'il veut la guerre, ma reine, il sait qu'il devra affronter la plus puissante armée de tout l'Orient. Celle qui a vaincu Shapûr et…

— Ne me raconte pas notre histoire, le Grec ! explosa

Nurbel. Je la connais. C'est moi qui l'ai faite avec le Très Illustre et son épouse Zénobie. Moi, Nurbel, le commandant des armées de Palmyre! Je sais aussi ce que valent les légions de Rome quand il s'agit de vaincre ou de mourir. Toi, tu te laisses aveugler par ta haine des Romains. Tu t'imagines rusé, tu l'es moins que les chrétiens. Eux sont fous pour de bon. Ils se répandent dans le désert telles des sauterelles, prêchant les miracles et le paradis de leur dieu, mais ils savent que si Palmyre et Rome s'affrontent, il n'en sortira que du désastre et de la faiblesse pour nous tous. C'est cela qu'ils veulent: que nous soyons faibles. Alors adviendra le règne de leur Christ, comme ils disent. As-tu, ne serait-ce qu'une seule fois, maître Longin, prêté l'oreille à leurs sermons?

— Je goûte seulement les discours des philosophes, très peu les sornettes de ces demi-juifs.

— Tu aurais dû. Tu te serais rendu compte qu'ils n'ont qu'un désir, que leur Dieu unique règne sur le monde et Rome en entier.

— Dois-je comprendre que tu aurais peur de te battre contre Rome, seigneur Nurbel? demanda Longin.

— Tu parles de ce que tu ignores! Ta sagesse grecque ne conduit pas un char ou une chamelle de combat. Elle n'a jamais entendu le bruit des flèches et des lames dans la chair. Le murmure des phrases creuses lui suffit.

— Nurbel, s'il te plaît, protesta Zénobie en posant les mains sur la poitrine du vieux guerrier.

Nurbel, emporté, lui agrippa le poignet.

— Laisse-moi te dire une vérité que tu n'entendras jamais de la bouche de ton cher Longin, Zénobie. Si tu décides de la guerre, tu dois savoir ce qui t'attend. L'Augustus Aurélien n'est pas un vieux bonhomme lâche et fatigué. Il combat depuis trente ans. Il a tué de sa main plus de mille hommes et n'a jamais, tu m'entends, jamais perdu une bataille!

— On peut dire cela de la Basilissa Zénobie, intervint Longin d'une voix cinglante. Alath est invaincue, elle aussi, seigneur Nurbel, ne l'oublie pas. Et elle n'a pas affronté de vulgaires Barbares du Nord.

— Pour une fois tu as raison, le Grec, ironisa Nurbel. En nous combattant, Aurélien fait la guerre à aussi puissant que lui. Il fait la guerre à une Basilissa qui veut l'Empire dans sa main ! Car c'est bien cela que tu désires, maître Longin : que Zénobie prenne Rome et la couronne de laurier. Alors songez à ceci, tous les deux : en nous affrontant, Aurélien n'aura rien à perdre. S'il est vaincu par Zénobie, il perdra tout. Et moi, le vieux chasseur, je vous le dis, les lions acculés sont forts de toutes les âmes des lions morts avant eux.

Cette fois, les paroles de Nurbel furent suivies d'un silence.

Longin tout autant que Nurbel, ainsi que deux combattants s'étant affrontés dans une joute sans qu'aucun des deux ait pris le dessus, regardèrent Zénobie, guettant ses lèvres.

Elle leur fit face. L'ombre était plus grande que jamais dans ses yeux. Sa main chercha la panière de la balançoire où jouait Whabalath, un instant plus tôt, pour s'y appuyer. Elle sembla sur le point de s'y effondrer. Nurbel fit un grand effort pour ne pas aller la prendre dans ses bras. Mais la présence hostile de Longin le contraignit à l'immobilité.

— Tu as raison pour beaucoup de choses, Nurbel, dit-elle enfin avec un faible sourire. Tu as toujours raison, quand il s'agit de guerre. Mais il ne s'agit plus de guerre. Il s'agit de la grandeur de Zénobie et des promesses faites à son époux et à son fils. Pour cela, je suis de l'avis de maître Longin. Il est temps que Rome sache que la volonté de la Basilissa de Palmyre est de régner sur l'Empire.

29

SIRMIUM

Les esclaves posèrent avec douceur le fauteuil portatif de Pulinius dans la *cella* du temple. L'autel surmonté du grand disque d'or de Sol-Invictus était tout proche. La fumée des encens réduisait encore le peu de lumière venue de la voûte.

Recroquevillé entre les coussins, le corps chétif du premier secrétaire disparaissait sous une peau d'ours. Pourtant la chaleur d'août était étouffante. Sa tête dodelina, la bouche molle, sa peau tavelée tendue à craquer sur les tempes et les os de ses pommettes. Puis ses paupières se soulevèrent, découvrant ses prunelles pâlies. Il marmonna quelques mots inaudibles. Ne recevant aucune réponse, il tira une main de sous sa fourrure. À tâtons, il palpa l'air.

— Tu es là, préfet ? Je ne te vois pas !

Sa voix contenait un reste d'impatience et d'autorité. Maxime s'approcha, frôla les doigts de Pulinius avant de se glisser derrière le fauteuil.

— Je suis là, secrétaire. Comme tu l'as voulu.

— Ah!

Pulinius respira plus vite. Un sifflement rauque crissait dans sa gorge. Ses yeux roulèrent dans leurs orbites, cherchant une lumière, des formes, des couleurs qu'ils ne trouveraient plus jamais.

— Chaque heure, c'est pire, gémit-t-il. Peux-tu croire que j'y vois encore moins que ce matin?

— Il fait très sombre ici. La fumée voile la lumière...

— Balivernes, préfet Maxime! le coupa nerveusement Pulinius. Mes yeux ne voient plus, c'est tout. C'est la fin. Mais je veux savoir jusqu'au bout...

Il dut s'interrompre pour reprendre son souffle. Ses poings se serrèrent sur sa poitrine.

— Qu'est-ce qu'il fait?

Son geste et sa question désignaient Aurélien. Ils étaient dans le temple de Sirmium, là même où Julia Cordelia avait si longtemps officié et rendu ses augures. Aujourd'hui, Aurélien avait souhaité remercier les mannes de sa mère et la clémence de son dieu par des offrandes fastueuses. Pulinius avait voulu assister à la cérémonie, exigeant la présence de Maxime en guise de garde-malade, lui qui, jusque-là, évitait le plus souvent possible l'intérieur des temples.

Les doigts secs de Pulinius frappèrent le poignet de Maxime avec agacement, le tirant de son silence.

— Raconte, préfet! Tu es venu pour cela. Qu'est-ce qu'il fait?

— L'Augustus vient de se placer devant le disque d'or, annonça sobrement Maxime. Les prêtresses déposent ses offrandes sous l'autel. Il n'a gardé avec lui qu'un bouclier.

— Le grand? Celui de son trésor de Nicopolis?

— Oui. Celui de Kniva, couvert d'or et d'une tête de dragon du Nord. Celui qu'a vu l'Augustus Decius avant de mourir dans les marais d'Abrittus.

— Bien, bien! Une bonne offrande.

Une belle offrande, assurément. Qui rappelait à Maxime

cette terrible nuit, vingt ans plus tôt, où, aux côtés d'Aurélien et jusqu'à la nausée, il avait retourné des centaines de corps gonflés par les gaz des marais sans jamais retrouver celui de l'Empereur. Aurélien s'était alors juré d'abattre Kniva et sa descendance. Il l'avait fait. Il avait vaincu le Barbare, massacré ses fils, rendu à Rome le fabuleux trésor que les Goths avaient pillé dans les villes de l'Empire. Mais il avait toujours gardé pour lui le bouclier d'or des Goths. Moins pour la fortune qu'il représentait que par une manière de superstition. Comme s'il pouvait y trouver l'écho du corps disparu du grand Augustus qui, le premier, lui avait accordé affection et confiance.

— Raconte, préfet. Ne songe pas, raconte !

— Il n'y a pas grand-chose à raconter, secrétaire. Les prêtresses se placent autour de l'Augustus pour...

— Elles sont jeunes ?

— Très jeunes.

— Le soleil est sur le disque ?

— Pas encore. Il ne va pas tarder.

— Je n'entends pas les prêtresses chanter.

— Elles murmurent, secrétaire. Elles attendent le soleil, je suppose.

— Tu supposes ?

— Je ne connais pas grand-chose aux cérémonies de Sol-Invictus, secrétaire.

Pulinius émit un petit grincement qui accéléra son souffle rauque.

— Pas grand-chose à Sol-Invictus ni aux autres dieux, gloussa-t-il.

Sa poitrine s'agita, ses joues sèches tremblèrent. Il riait. Il demanda encore :

— Aurélien porte la toge pourpre ?

— La grande toge aux feuilles d'acanthe et la couronne de laurier, comme il se doit.

— Tu ne sembles guère enthousiaste, préfet.

Maxime se contenta de hocher la tête. Pulinius avait raison. Il n'était pas enthousiaste.

En vérité, pour la première fois de sa vie, il était abattu. Une tristesse poisseuse lui collait à la peau autant qu'à l'esprit. Rien, pas même son pouvoir nouveau de premier officier auprès de l'Augustus Aurélien, ne pouvait l'en divertir. Au contraire, la proximité quotidienne d'Aurélien accroissait cette amertume lancinante.

Il en savait la cause : la mort de Clodia.

Elle l'avait frappé d'un coup dont il ne parvenait pas à se relever.

La surprise en avait été absolue et terrible. La nouvelle de l'assassinat leur était parvenue la veille de l'acclamation d'Aurélien par les légions du Danube, de Pannonie et de Dalmatie. Une nouvelle si ahurissante que Maxime avait refusé de l'accepter. Et quand enfin il l'avait admise, quand son fiel amer s'était diffusé dans ses veines, il avait pris conscience de l'indifférence d'Aurélien.

Lui que Clodia avait aimé jusqu'à la folie ne montrait pas un signe de douleur. Pas un instant ses yeux ne brillaient ni sa bouche ne tremblait. Ses poings ne se refermaient pas sur le vide, sa nuque ne pliait pas. Il n'avait pas envie de hurler, de déchirer. Non. Il était calme. Plus que calme : serein. Apaisé, peut-être. Et lorsque Maxime, en sa présence, avait laissé échapper sa rage douloureuse, se frappant la poitrine pour étouffer des sanglots, Aurélien, froidement, lui avait conseillé d'aller se reposer.

— Demain, la journée sera longue et tu devras oublier ma sœur, préfet Maxime.

Lui, l'Augustus Lucius Aurelianus, l'avait certainement oubliée. Durant cette journée bruyante et épuisante, nul n'aurait pu se douter qu'il venait de perdre celle qui avait œuvré dans son ombre depuis toujours pour qu'il reçoive les lauriers qui ceignaient enfin son front.

Et il en avait été ainsi chaque jour depuis. Pas une fois Aurélien n'avait prononcé le nom de Clodia.

Aidé par l'ivresse, Maxime avait voulu l'y contraindre. Il s'était heurté à un regard de glace, à des ordres de silence qui n'admettaient aucune amitié.

Alors l'amertume de la solitude était descendue sur lui. Une glaciale et rageuse solitude. Bien que les nuits soient les plus chaudes de l'année, il les passait debout. Frissonnant, incapable de dormir. Nuit après nuit, il affrontait la vérité. Il avait aimé Clodia. Il avait éprouvé pour elle un amour si enraciné dans l'obscurité de son être que même maintenant, après sa mort, il ne parvenait pas à s'en défaire.

Oh, il se souvenait de lui avoir affirmé plus d'une fois son indifférence à l'amour. Mensonges! Il voulait seulement ne pas paraître plus faible qu'elle.

Il avait supporté sans grand effort leur séparation lorsqu'elle avait refusé de le suivre après sa dispute avec Aurélien, à Rome. Elle ressassait jusqu'à l'obsession l'humiliation d'avoir été chassée par son frère. Sans le dire, peut-être même sans se l'avouer, il ne doutait pas qu'elle lui reviendrait un jour. Cette absence n'était qu'un jeu de plus dans leur union tissée d'ombres et de ruses.

Il la savait vivante, à Sirmium ou à Rome. Il la savait vivante, elle ne lui manquait pas. Il espérait encore que le jour viendrait où il saurait deviner sur son visage ou dans un geste, peut-être même dans un cri de plaisir, l'écho de l'amour qui le consumait.

Oh! Clodia! Clodia!

Et maintenant, tout d'elle lui manquait. Tout. Ses mensonges, ses tricheries, ses froides cruautés. Sa bouche qui pouvait être si rouge et si avide. La brûlure de sa peau, la force de ses cuisses pendant l'amour, le frémissement de son désir, la pointe dure de ses seins qu'il avait si souvent prise entre ses lèvres. Tout lui manquait.

Une absence qui creusait un vide glacé dans l'air près de

lui. Il aurait pu étendre la main et la voir se pétrifier de gel dans ce vide.

Les nuits étaient une torture. L'obscurité se peuplait d'images de Clodia rameutées par son esprit. Il la voyait beauté autant que laideur. Il happait l'air nocturne comme s'il pouvait toujours frôler des lèvres le grain de sa peau.

Lui, le grand guerrier, il fermait les poings sur ses paupières comme un enfant afin de chasser les illusions inventées par sa douleur et pour que la nuit ne se peuple pas du silence de l'abandon.

Une souffrance qui n'effleurait pas l'Augustus Aurélien. Lui, la mort de Clodia le laissait intact.

Un glapissement éraillé tira Maxime de sa songerie.

— Alors quoi, préfet ! Tu as perdu ta langue ? Le soleil n'atteint toujours pas le disque ?

— Si, secrétaire. Il l'atteint.

Oui, il franchissait la fente dans la voûte du temple. Il mordait dans l'or du disque et se fondait doucement en lui. Les prêtresses se balançaient avec une lenteur calculée. En rythme elles soulevaient leurs voiles, les agitaient comme s'ils étaient saisis par le souffle d'un vent. Leurs voix montaient, leur chant vibrait contre le métal et la pierre :

— Eeeooo ! Eeeeeyohoyooho !

Les reins creusés, les épaules et la poitrine secouées de petits spasmes, elles encerclèrent Aurélien. L'éclat du disque était maintenant assez intense pour transpercer la houle transparente des tissus, dessinant leurs jeunes corps.

— Je le vois ! s'exclama Pulinius. Je vois le soleil ! Une lumière toute blanche. Il vient dans mes mauvais yeux !

Avide, il tendit le visage en avant. La lumière d'or dévoilait une à une ses rides et sa décrépitude. La chaleur de la réflexion devenait étouffante, insupportable. Maxime dut se protéger les yeux avec la main.

— Que fait Aurélien, préfet ?

Aurélien brandissait le bouclier au-dessus de sa tête, réfléchissant l'éclat d'or du disque de Sol-Invictus en un autre éclat d'or. Sa toge avait glissé, les muscles de ses bras étaient aussi brillants que le bronze d'une statue. Les prêtresses dansaient autour de lui avec plus de violence, leurs cris emportés quelquefois par la transe.

— Le soleil me prend, glapit à nouveau Pulinius avec un tremblement de tout son corps. Il chauffe, il chauffe...

Il leva vers le disque ses doigts tordus, ses paumes flétries. Dans un trémoussement grotesque, il esquissa un semblant de danse, d'accompagnement des cris et des chants qui saturaient désormais le temple autant que les fumées et la chaleur. Maxime réprima une grimace de dégoût. Cette laideur d'homme trop vieux qui déployait toute son impuissance et sa frustration à quelques pas de l'exubérance équivoque des jeunes prêtresses était aussi burlesque que pathétique.

Cependant, l'esprit du vieux secrétaire n'avait rien perdu de sa lucidité.

— J'entends les prêtresses et la voix d'Aurélien, préfet Maxime, mais pas la tienne.

Maxime se baissa jusqu'à l'oreille de Pulinius.

— Pardonne-moi, secrétaire, mais je n'ai jamais été un grand admirateur des dieux. Pas plus de Sol-Invictus que des autres.

Pulinius trembla un peu plus fort. Son menton s'agita un instant tandis que ses paupières battaient.

— Moi non plus, gloussa-t-il, la voix rauque. Moi non plus, préfet. Même aujourd'hui, à deux doigts de la mort.

Il lui fallut reprendre son souffle avant un nouveau rire. Le disque à présent incendiait le temple et chauffait les visages et la pierre à les brûler.

— Au moins Sol-Invictus est-il bon avec moi. Il chauffe! Il chauffe! Ah, préfet, je n'ai pas eu aussi chaud depuis des mois!

Pulinius se dandina avec des glapissements de plaisir.

Brusquement sa main agrippa celle de Maxime. Il leva vers lui ses yeux sans lumière.

— Motus! Motus, préfet. Suis mon exemple. Ce que tu penses des dieux, ne le montre pas. Surtout à Aurélien. Lui, il y croit terriblement. Un Augustus, il doit croire aux dieux.

La cérémonie dura assez longtemps pour que Pulinius se fatigue, en vienne à somnoler dans son fauteuil. Maxime, lassé, en profita pour quitter la cella, rejoindre le portique du temple afin de donner quelques ordres à l'escorte impériale qui y maintenait les badauds éloignés.

Lorsqu'il revint près de l'autel, le disque d'or n'était plus qu'une masse de lumière sourde et brûlante. Les chants avaient cessé. Aurélien et les prêtresses entouraient si étroitement le fauteuil de Pulinius que Maxime ne vit pas immédiatement le corps avachi sous la fourrure.

— Que se passe-t-il?

Les tempes moites, le regard encore aveuglé, Aurélien releva le visage.

— Pulinius est mort. Sol-Invictus l'a accueilli près de lui.

Étrangement, Maxime eut l'impression qu'Aurélien souriait.

Peut-être fut-ce l'ombre imaginaire de ce sourire qui embrasa la haine en lui.

— Alors te voilà satisfait, Augustus Aurélien! Surtout ne montre aucune peine. Aucune compassion. Demeure bien raide et bien froid. Tout meurt, tout se défait autour de toi. Mais surtout ne cille pas! Les dieux te sont si cléments! Ils te prennent ceux qui ont voulu ta force et ta gloire, et toi tu fais comme si de rien n'était.

— Maxime…

— Remercie tes dieux, Augustus. Tu es à peine acclamé que l'Empire se brise ! Oh oui, ils te soutiennent...

— Tais-toi, préfet ! Tais-toi, tu es ici dans un temple.

Les paroles d'Aurélien résonnèrent si fort que les prêtresses sursautèrent. Inquiètes, encore épuisées par la cérémonie, elles tournèrent vers eux des visages effarés.

— Tu ne sais plus ce que tu dis ! gronda encore Aurélien.

Leurs regards s'affrontèrent avec une brutalité qui jamais ne les avait opposés. Maxime ne céda rien au bleu de glace qu'il connaissait si bien. Au contraire, ses lèvres se plièrent en un rictus de mépris qu'il ne put contrôler.

— Je crains que tu ne te trompes, Augustus. Mes mots ne dépassent pas ma pensée. Ni les faits.

Du même geste qu'il avait pour abattre son épée, Aurélien lui agrippa le bras. Pesant de tout son poids, les doigts crispés sur sa nuque, il poussa Maxime jusqu'à l'autel, le précipitant vers le disque d'or en grondant :

— Sens la brûlure de Sol-Invictus ! Sens-la, au moins une fois !

Rebondissant contre le métal, Maxime pivota sur lui-même. Dans une torsion, il tenta de saisir les poignets d'Aurélien. Mais Aurélien l'enlaça, l'emprisonna contre sa poitrine tout en le pressant contre le disque.

— Je sais ce que tu penses depuis des jours, murmura-t-il tout près de l'oreille de Maxime. Tu me hais parce que je ne pleure pas Clodia, que je ne me lamente pas comme toi, nuit après nuit, sans trouver le sommeil. Mais tu ne comprends rien car ton cœur est fermé aux dieux. Tu ne vois pas leur œuvre. Clodia devait mourir : elle ne soutenait plus mon destin, elle le salissait. Mithra et Sol-Invictus m'ont libéré de son poids. Ils m'affranchissent du passé afin que rien ne pèse sur l'éclat de l'Augustus Aurélien. Ma mère m'a mis sur le chemin et s'est effacée. Pulinius m'a soutenu jusqu'à l'acclamation et devait s'effacer. Ne l'avait-il pas annoncé lui-même, devant toi? Clodia devait s'effacer. Elle le devait! Ô Maxime! Ne comprends-tu pas?

Maxime cessa de lutter, ferma les yeux. L'or du disque brûlait encore du soleil, c'était vrai. Il vibrait sous leurs respirations haletantes, incendiait sa joue et ses cuisses.

— Tu deviens aussi fou qu'Ulpia, Aurélien. Clodia ne te voulait que du bien. Elle te voulait grand et puissant. Elle ne vivait que de l'amour de toi, et tu ne lui as pas même laissé voir les lauriers sur ton front.

— Elle ne devait pas. Son regard les aurait souillés! Tu le sais mieux que personne.

Maxime tenta de se dégager, mais Aurélien l'immobilisa plus durement.

— Tu perds la raison, Augustus, grinça-t-il.

— Elle portait la faute, Maxime! As-tu oublié? Elle ne voulait que le pouvoir, elle voulait être moi. Les dieux l'ont punie comme ils le devaient.

— C'est Ulpia qui l'a tuée, pas eux. Ton épouse. Ton épouse folle.

— Tu ne sais pas voir la puissance des dieux au-delà des apparences. Ulpia a accompli son destin.

— Alors quel est le mien, Augustus Aurélien? Vais-je aussi mourir pour que le poids du passé ne pèse pas sur tes lauriers?

— Non, Maxime! Non! Tu es mon ami. Depuis toujours. Tu dois me soutenir comme les dieux me soutiennent.

Maxime ricana.

— Ils te soutiennent en dressant la reine de Palmyre contre toi? Elle refuse de faire la paix. Ses soldats brûlent les temples de Rome et marchent sur l'Égypte. Ce que tu voulais éviter depuis toujours arrive, Aurélien. Le jour même où tu deviens Augustus, l'Empire se brise entre tes mains.

— Non! C'est tout le contraire.

Cette fois, la voix d'Aurélien fut calme. Il relâcha sa pression, laissa se redresser Maxime. Il souriait. Le feu de l'or jouait dans son regard.

— L'Empire ne se brise pas et ne se brisera pas. Zénobie ne veut pas la paix ? Elle aura la guerre. Et elle la perdra.

Maxime ne répondit pas. Il était soudain épuisé, vaincu par une indifférence qu'il n'aurait jamais cru pouvoir éprouver. Le visage exultant d'Aurélien était celui d'un frère devenu étranger.

Il voulut s'en détourner, rejoindre Pulinius dont le corps sans vie et les yeux aveugles étaient maintenant glissés dans un drap par les prêtresses. Aurélien lui fit face, lui saisit les épaules comme il avait coutume de le faire depuis leurs premiers gestes d'amitié.

— Ma mère avait raison, Maxime. Une femme fera le triomphe d'Aurélien, et aujourd'hui je sais qui elle est. Julia Cordelia a toujours eu raison. Moi qui ne voulais pas la croire, qui ne songeais qu'à Clodia ou même à Ulpia ! Regarde, ami Maxime, regarde : les dieux nous découvrent enfin celle qui fera mon triomphe. La reine de Palmyre. Zénobie la déesse rouge, comme disait Pulinius. Celle que les gens du désert appellent Alath !

Aurélien eut un rire violent.

— Je la vaincrai. Les dieux ont voulu qu'elle soit assez forte pour oser se dresser contre moi, mais c'est seulement pour que sa chute engendre la splendeur d'Aurélien.

Maxime souleva un sourcil las.

— Pardonne-moi de ne voir que ce que mes yeux me montrent, Augustus. Zénobie n'est pas encore à genoux devant toi. Elle a vaincu Shapûr, conquis les peuples et les villes d'Orient jusqu'en Arabie. Elle sait se battre dans le désert et possède des guerriers capables de mourir pour elle les yeux fermés. Elle a dix mille cavaliers et deux ou trois mille chevaux cuirassés. Nous, nous réunirons à peine un millier de cavaliers maures pour accompagner nos légions. Et combien de légions ? Nous ne pouvons en regrouper plus de trois ou quatre sans mettre en danger les frontières du Nord et du Danube. Ne te fais pas d'illusions. Zénobie n'envahit pas l'Égypte sans se douter que Rome marchera sur elle. Cela ne l'impressionne pas : elle connaît nos faiblesses aussi bien qu'elle connaît sa force.

Aurélien rit encore. Cette fois d'un rire léger, comme on ne lui en avait pas connu depuis longtemps.

— Maxime ! Aurais-tu déjà oublié nos combats ? Nous vaincrons Zénobie comme nous avons vaincu les Sauromates sur le Danube. Par la ruse et le courage. Ô Maxime, ne vois-tu pas comme tout s'éclaire et se rejoint ? Comme Mithra et Sol-Invictus tracent ma route à chaque pas ? Depuis toujours, mais aujourd'hui sans rien m'en dissimuler ? Fais-moi confiance, ami. Zénobie n'est née que pour assurer le triomphe de l'Augustus Aurélien dans Rome.

Partie 4

LES CHAÎNES D'OR

271-275 apr. J.-C.

30

PALMYRE

Whabalath scrutait le désert. Des bourrasques soulevaient la poussière, la projetaient en colonnes tournoyantes vers le ciel voilé de longs nuages d'où jamais la pluie ne tomberait. La palmeraie était sombre, l'eau du Ouadi Qoubour brune et lente. La route d'Émèse demeurait vide.

Elle sortait de la ville droit en direction de l'ouest, serpentait entre les tombeaux pour disparaître derrière les collines sans une herbe ou un arbuste et où le soleil déjà creusait des ombres. Plus loin, la trace pâle de la route brillait de nouveau dans la terre calcinée avant de s'effacer sur l'horizon.

Depuis des heures qu'il la surveillait, Whabalath n'y avait compté que quelques ânes ou mules conduits par des enfants. Des femmes de temps à autre y apparaissaient, allant on ne savait où, leurs voiles flottant autour d'elles, pareils aux ailes malhabiles des scarabées.

Une route vide, vide, vide !

Whabalath pensait à ce jour terrible où, à Antioche, il avait attendu sa mère pour l'anniversaire de ses six ans. C'était ainsi : il avait attendu, attendu longtemps. Puis les assassins avaient égorgé son père, massacré sa tante Dinah et manqué de le tuer lui-même.

Par instants, un frisson le secouait des pieds à la tête. Il fermait les yeux, mordait ses lèvres.

Il devait se comporter en guerrier. Il était le prince Whabalath, le fils de la Basilissa Zénobie. Il devait avoir son courage, savoir dissimuler sa peine et sa peur.

Pourtant, la déception et la crainte lui tordaient le ventre. Elles insinuaient une boule étouffante dans sa poitrine.

Comment était-ce possible ? Comment cela avait-il pu advenir ?

Il ne doutait pas de la vérité qu'il avait entendue. Il suffisait d'observer les visages dans le palais, dans les rues de Palmyre. Les quelques archers qui déambulaient en sentinelle sur les remparts n'osaient pas croiser son regard. Comme lui, ils scrutaient la route d'Émèse, les lèvres serrées et l'air anxieux.

Mais la route demeurait vide. Qu'importe, il attendrait sa mère. Aussi longue que serait l'attente, il ne devrait rien montrer de son angoisse. Il était le seigneur de la ville. On devait comprendre au premier coup d'œil qu'il était le fils d'Alath.

— Prince Whabalath ! Ah ! Te voilà.

Whabalath ne tourna pas la tête. Ce n'était pas la peine, il avait reconnu la voix.

— Ashémou s'inquiétait…

— Ashémou s'inquiète toujours. Elle veut toujours me

courir après. Sauf qu'elle peut plus. Elle est trop vieille. Elle est comme toi, shuloï.

Le souffle court, Sharha roula sa langue sur ses gencives, ses deux mains serrées sur son bâton. Il considéra le garçon avec bienveillance.

— Tu as raison. Nous sommes vieux. Beaucoup trop. Mais la Basilissa nous a demandé de garder les yeux sur toi. Si nous ne le faisons pas, que va-t-elle dire ?

Whabalath s'abstint de répondre. Il demeurait raide, comme aimanté par le fil blanc de la route dansant dans la chaleur du désert.

Sharha leva une main au-dessus de ses yeux pour l'observer, lui aussi. C'était un geste machinal. Sa vue n'était plus assez bonne pour qu'il distingue autre chose que des bruns et des jaunes s'emmêlant en de grosses taches.

Il savait bien pourquoi l'enfant se tenait là, silencieux et mordant dans sa peine. Il n'était pas besoin de le questionner. Il comprenait.

Il l'avait dit à Ashémou :

— Que veux-tu qu'il fasse d'autre ? Il attend sa mère.

Clouée sur sa couche par des jambes qui ne voulaient plus la soutenir, l'Égyptienne n'en avait pas démordu.

— Va le chercher, shuloï. Va le chercher et ne le laisse pas seul ! J'ai promis à Zénobie. Et toi, si tu veux encore de ma compagnie, fais ce que je te demande.

Ashémou n'avait pas tort, mais Whabalath avait raison. Le grand âge ne rend ni intelligent ni raisonnable. Hélas, l'un de ses privilèges était de tout comprendre, une chose et son contraire.

Il eut envie de poser sa main sur la nuque fragile du garçon. Il songea à sa paume rêche. Le contact n'en serait pas agréable pour l'enfant et il s'en abstint.

Finalement, sans se détourner, Whabalath déclara :

— J'ai tout entendu, shuloï. Ils ne voulaient pas que

j'entende, mais j'ai écouté quand même. Les Romains ont vaincu ma mère.

Comme ces mots étaient difficiles à prononcer ! La voix de l'enfant tremblait.

— Non, prince Whabalath. Ils ne l'ont pas encore vaincue. C'est seulement une bataille qu'ils ont un peu gagnée.

Le demi-mensonge sema brièvement un espoir pareil à une fumée d'encens. Whabalath finit par secouer la tête.

— C'est plus qu'une bataille, tu le sais bien. Les traîtres d'Émèse et d'Antioche ont donné les villes de ma mère à l'Empereur de Rome.

Cruelle jeunesse, pensa Sharha. Comme elle ne se satisfait que de la vérité !

— Ce ne sont que deux villes, prince Whabalath. L'Augustus n'est pas encore dans Palmyre.

Le garçon demeura silencieux, les poings serrés sur son ventre.

— Jamais ma mère n'a été vaincue, dit-il enfin d'une voix étouffée par les sanglots. Jamais ! Ça n'aurait pas dû arriver.

— Ton père, le Grand Odeinath, a parfois perdu des batailles, remarqua Sharha avec douceur. Devant Shapûr le Perse, entre autres. Pourtant, à la fin des guerres, c'était lui le vainqueur.

— Il n'y a jamais de fin des guerres, shuloï ! Et c'est les Romains. Nurbel me l'a dit : si tu laisses les Romains gagner une fois, ils deviennent comme les lions, ils n'ont de cesse de te manger tout entier.

L'enfant était intelligent et savait retenir ses leçons, songea Sharha avec une tristesse amusée. Il fallait espérer que Nurbel ait su ne pas lui confier sa terrible conviction que la guerre contre les Romains était perdue d'avance.

— Nurbel est comme toi et Ashémou, reprit le garçon avec rancœur. Il est trop vieux. Trop vieux et trop stupide. Si ma mère a été vaincue, c'est sa faute. Il est tombé dans le piège des Romains…

— Prince Whabalath...

— Ne cherche pas à le défendre ! Je sais ce qu'ont dit les messagers. L'armée de Palmyre était deux fois plus nombreuse que celle de l'Empereur. Ma mère avait les grands chevaux de cuirasse et quatre ou cinq fois plus de cavaliers que les Romains. Jamais, jamais elle n'aurait dû être vaincue !

Sharha haussa un sourcil circonspect, inclina la tête sur le côté comme il aimait à le faire, ce que beaucoup prenaient pour une approbation.

— Même un enfant comme moi sait que nos grands chevaux cuirassés ne doivent pas galoper longtemps, s'emporta Whabalath. Ils s'épuisent trop vite. C'est comme ça que ma mère a vaincu Shapûr la première fois. C'est elle qui me l'a appris. Alors, tu peux me dire pourquoi Nurbel a fait galoper les nôtres derrière les cavaliers romains ?

Sharha aurait été bien en peine de répondre. Aux choses de la guerre, il n'y connaissait vraiment rien.

Sinon la crainte d'un jour comme celui-ci. Sinon la douleur de songer à l'humiliation que devaient endurer au même instant son ami le seigneur Nurbel et leur Basilissa bien-aimée.

— Non, tu ne peux pas le dire, constata rageusement Whabalath. Moi, je sais. C'est qu'il est trop vieux ! Voilà pourquoi ma mère a été vaincue à Émèse. Parce qu'elle n'a que des vieux comme toi et Nurbel autour d'elle. Et même le Grec qui veut tout diriger mais n'y connaît rien, il est trop vieux... Si j'avais dix ans de plus ! Même pas dix, cinq, ça suffirait. Je serais à côté d'elle maintenant. Nous aurions vaincu. J'aurais compris que la fuite des cavaliers romains était un piège. J'aurais vu que Nurbel entraînait nos chevaux cuirassés trop loin. J'aurais pris la tête des archers avec ma mère et nous aurions su résister aux légions. Même si elles faisaient la tortue et tous ces trucs qu'elles font d'habitude, on les aurait vaincues. Les soldats de Palmyre sont les meilleurs, tout le monde le dit. On aurait vaincu les Romains, voilà...

L'enfant se tut. Ses mots flottèrent autour d'eux un instant, tissant les lambeaux fragiles d'un rêve impossible. Oh, que le temps ne soit pas le temps ! Que les dieux laissent les hommes effacer leurs fautes. Que le mal ne soit pas le mal. Que le rire et la joie reviennent !

— Oui, reconnut avec douceur Sharha. Tu as sans doute raison, prince Whabalath. Il est dommage que tu ne puisses soutenir la Basilissa. Mais rien n'est perdu, crois-moi. Ils seront bientôt ici. Tu pourras aider notre reine à défendre Palmyre contre les Romains. À les vaincre, bien sûr. Je suis certain que ta présence lui sera précieuse.

Whabalath approuva d'un signe de tête. Ainsi est faite la jeunesse que les rêves de demain peuvent encore tout emporter des douleurs d'aujourd'hui.

Ensemble, en silence, ils contemplèrent la route toujours vide d'Émèse tandis qu'autour d'eux, dans la ville comme dans la palmeraie, les bruits et les allées et venues des habitants paraissaient étouffés, plus lents et plus précautionneux que d'habitude.

— Pourquoi les habitants d'Antioche et d'Émèse ont trahi ma mère, shuloï ? demanda soudain Whabalath. Elle ne leur a fait que du bien. Elle les a rendus riches. Pourtant, quand l'Empereur est venu devant les portes, ils les ont ouvertes aussitôt. Le messager a même dit que les gens dansaient et chantaient comme en un jour de fête. Pas un n'a voulu se battre parce que la ville était celle de la Basilissa Zénobie.

L'étonnement de l'enfant était sincère. Sharha soupira, roula ses lèvres sur ses gencives édentées.

— Les chrétiens n'aiment pas notre reine. Ce sont eux qui ont ouvert les portes et qui ont manigancé avec les Romains.

— Les chrétiens !

— Que veux-tu, prince, ils ne croient en rien de ce que nous croyons. On ne sait jamais ce qu'ils vont décider. Un jour, ils crient que Rome est un grand Satan et accourent à

Palmyre pour s'en protéger. Le lendemain, ils gémissent que la Basilissa est une fausse déesse et que leur Dieu va la frapper.

— Tu le crois, toi?

— Quoi donc?

— Que ma mère est une fausse déesse?

— Certainement pas! Les chrétiens aiment les dieux invisibles! Mais moi, je crois à ce que j'ai vu. La Basilissa est née de la volonté de Baalshamîn et de son étoile. Elle est arrivée ici un jour, devant moi, bien vivante, alors que tout le monde l'avait crue morte. Même ton père le Très Illustre a été convaincu sur-le-champ. Ensuite, la Basilissa a toujours accompli ce qu'elle avait prédit. Et ce qu'elle a accompli, aucun humain ordinaire ne l'aurait fait. Pas même un homme. Tandis qu'elle, elle n'était encore qu'une jeune fille. D'une beauté à vous couper le souffle. Tu peux me croire, prince.

— Plus belle qu'aujourd'hui?

— Non. Différente. Mais toujours plus belle qu'une femme ordinaire.

Sharha crut percevoir une ombre de sourire sur les lèvres de l'enfant et s'en sentit le cœur plus léger.

— Elle ne le veut pas, mais moi, quand je serai plus grand, je chasserai les chrétiens de Palmyre et de partout où nous serons les rois... Ce ne sont que des traîtres et des fous.

Il s'interrompit avec un sursaut. Pointa le doigt vers l'est en criant:

— Shuloï! Regarde! Shuloï! C'est eux...

Sharha devina, entre les tombeaux et sur la crête d'une colline, une boule de poussière. Peut-être un mouvement, oui, dans la croûte brune du désert. Mais ce pouvait n'être qu'un tourbillon de vent, un tremblement de chaleur. Il n'y voyait pas assez pour confirmer ou mettre en doute l'assurance de l'enfant.

Whabalath courait déjà vers les escaliers des remparts,

réclamait un cheval à grands cris. Sharha n'eut ni la force ni le désir de protester, ordonna qu'on lui donne une monture prudente, pas trop fougueuse.

Saisi d'un doute nouveau, il espéra que c'était bien les guerriers de Zénobie et de Nurbel que le garçon avait aperçus et non pas les rangs serrés des légions romaines.

Il galopait comme le vent, le rire aux lèvres. Il chevauchait comme un guerrier de Palmyre devait chevaucher, fouettant sa monture et hurlant : « Alath ! Alath ! »

Les murs des tombeaux le long de la route lui répondirent. Quand il passa devant la haute tour contenant les cendres de son père le Grand Odeinath, il lui sembla entendre l'écho d'un encouragement.

— Alath ! Alath !

Ceux qui encombraient la route, des femmes, des vieux avec des chameaux, d'autres avec des charrettes de volailles, le petit peuple de Palmyre, levaient les yeux vers lui, le reconnaissaient et se garaient vivement sur les bas-côtés. Les sabots de son cheval soulevaient la poussière, crachaient des cailloux. Il devinait leurs murmures, il imaginait leur admiration, leur envie.

— Alath ! Alath ! Alath, ma mère !

Il franchit le haut d'une colline et elle fut là. L'armée de Palmyre.

Une colonne immense. La route ne lui suffisait pas. Il y en

avait partout dans le désert. Des milliers de guerriers qui recouvraient les pentes d'une infinité de têtes et d'armures. On ne pouvait pas même en voir la fin. On eût cru une marée de tissus multicolores, agitée de secousses cliquetantes, d'éclats de métal, de chatoiements de fourrure. Un océan de vie déferlant dans les replis du désert, les engloutissant. Hommes, chameaux, mules, charrettes se mêlant dans un chaos gueulard et bringuebalant. Seuls les cavaliers et les archers allaient en bon ordre. Mais eux n'étaient que des centaines.

Sans s'en rendre compte, Whabalath mit son cheval au pas, le cœur battant, la gorge nouée.

Il chercha la cuirasse rouge de sa mère, tout devant. De nouveau, il hurla :

— Alath, ma mère !

Il lança sa monture. Le son d'une trompe trancha sur le vacarme. Les colonnes de cavaliers et d'archers s'immobilisèrent, puis, par secousses, se fractionnant tel un monstrueux serpent, toute l'armée ralentit et s'arrêta.

La trompe sonna encore. Whabalath comprit que sa mère l'avait reconnu, lui, son fils, qui volait à sa rencontre. Un silence de tombe s'installa progressivement. On n'entendit plus que le galop de son cheval.

Mais quand il fut assez près, toute sa joie s'envola.

Zénobie, sa mère, allait à pied, tirant sa monture épuisée par la bride. Elle comme beaucoup d'autres. Les ors des cuirasses et les visages étaient recouverts de poussière. Les visages plâtrés de sueur et de fatigue, avec des bandes en guise de casque. Les yeux hagards. Une armée vaincue. Voilà ce qu'il découvrait. Pour la première fois. Des guerriers retournant à la poussière de la terre, Alath les conduisant dans une retraite sans repos et désespérée.

Le visage de sa mère était blanc d'épuisement, les lèvres sèches et craquelées, les yeux rouges, aussi rouges que sa cuirasse.

Et lui qui n'avait pas même pensé à prendre une gourde d'eau !

Elle ne levait pas les bras vers lui. Elle le regardait seulement approcher.

Quand il fut à portée de voix, il cria :

— Maman !

Et eut honte aussitôt.

Il se reprit. Il sauta au vol de son cheval, s'obligea à s'approcher d'elle sans courir. Hélas, les larmes qu'il avait retenues depuis trop d'heures brûlaient ses joues. Ce fut plus fort que lui. Il bondit comme un fou pour se jeter dans les bras de Zénobie, pressant sa joue contre la cuirasse, la meurtrissant contre la figure d'or d'Alath.

Elle l'enveloppa avec douceur, posa ses lèvres durcies dans ses cheveux.

— Je suis là, mon fils, je suis là.

Autour d'eux, sans attendre, on se remettait en marche. On retournait dans le vacarme, l'ultime effort de la marche, chacun ne songeant qu'à l'abri des remparts de Palmyre.

31

ÉMÈSE

Il ôta ses phalères, dégrafa les sangles de sa cuirasse, la laissa tomber à ses pieds. Il déchira sa tunique, pour s'en débarrasser plus vite. Le torse nu, ses cicatrices offertes au soleil, il s'approcha de la haute stèle noire.

La pierre divine de Sol-Invictus.

Trois fois haute comme un homme, polie par les pluies et les lunes, plus noire et plus opaque que toutes les nuits accumulées depuis l'histoire des hommes.

Vingt Empereurs l'avaient baisée avec crainte et soumission. Héliogabale avait fait ériger autour d'elle un portique de deux cents colonnes à chapiteaux d'or, telles les griffes d'une bague sertissant un diamant.

Aujourd'hui, elle l'accueillerait, lui, Lucius Aurelianus.

Le soleil la chauffait comme il chauffait le disque d'or du temple de Sirmium. Mais la pierre n'avait pas été façonnée par des mains d'homme. L'haleine de Sol-Invictus l'avait jetée là, à l'origine du monde, dans cette terre aride qui entourait Émèse.

Elle était la marque de tous les temps engendrés par le sang et la poussière des hommes. Elle était la présence unique et véritable du dieu des Empereurs. Celui qui l'avait poussé de victoire en victoire, le rendant aussi invincible que l'étaient son feu et sa lumière.

Aurélien franchit les quelques pas qui le séparaient de la stèle.

Bandant ses muscles pour en supporter la brûlure, il plaqua sa poitrine contre la pierre. S'abandonnant avec un gémissement sourd, il pressa la cicatrice boursouflée qu'avait laissée le fer de Mithra dans sa chair ainsi que les lèvres de l'amant baisent le corps de l'amante laqué par la nuit. Soleil de chair contre soleil de pierre, il enlaça le tronc de basalte, paupières closes.

La chaleur de la pierre se glissa partout en lui, inonda ses épaules puis ses reins. Il répéta sa prière jusqu'à ne plus savoir si les sons sortaient bien de sa bouche. Il pressait les lèvres contre la surface de la stèle. Son ventre brûlait plus que sous les caresses qu'aucune femme, aucune épouse, aucune sœur n'avait su lui prodiguer.

Comme soudain il se sentait pur ! Lavé de toutes les scories de la vie, de tous les bruits de sa mémoire, de ce grand vacarme de contradictions, d'énigme et de colère qu'il avait dû endurer des années durant, ne parvenant à le noyer que dans la fureur meurtrière des combats.

Oh, comme la paix immense que seuls les dieux dispensent coulait dans ses membres !

Ses genoux tremblèrent, ses jambes ne le soutenaient plus. Il se laissa glisser au sol, sans honte, sans crainte, s'offrant comme un enfant à la caresse enivrante de la pierre.

Quand il se releva, titubant, il eut conscience qu'ils étaient sous le portique, leurs yeux rivés sur lui. Tous. Préfets, légats, tribuns, tous les officiers qui le suivaient de bataille en bataille, fidèles et assoiffés de victoires. Et aussi les secrétaires, les procurateurs, leurs aides, leurs favoris, toute cette cour d'ombres rapaces qui fourmillaient dans les bagages d'un Augustus.

Ils étaient là, sous le portique aux chapiteaux d'or, le contemplant dans son humilité de dévot, dans sa puissance d'élu de Sol-Invictus, la poigne résolue de Mithra sur le monde de Rome.

Les regards étaient impressionnés et dociles. Sauf un. Sauf celui qu'il cherchait parmi tous. Celui de Maxime.

D'un geste, Aurélien chassa les esclaves qui accouraient avec une toge propre. Il ramassa sa cuirasse au pied de la stèle et l'enfila sur sa peau nue, rougeoyante encore du feu de la pierre. Il marcha sur Maxime, soutint l'éclat moqueur qui ne disparaissait plus du visage autrefois si admiratif.

Maxime se tourna, poussa devant lui un homme qu'encadraient des décurions. Aurélien eut une grimace de dégoût. L'homme n'avait plus visage humain. Son œil gauche paraissait vouloir sortir de sa face, sa bouche, ses narines n'étaient que des orifices. Le peu de peau qu'il possédait sur le côté droit rendait l'horreur de son apparence plus obscène. Pourtant, cette face monstrueuse exprimait la puissance et le calme comme peu d'hommes en était capables.

— Le chef des chrétiens d'Émèse, dit Maxime avec un sourire narquois. Il voulait te voir et j'ai pensé que l'instant était bien choisi pour lui montrer la pierre de Sol-Invictus, lui qui n'aime qu'un dieu invisible.

Aurélien ne sut de qui Maxime voulait se moquer. Il demanda au chrétien :

— Quel est ton nom ?

— Simon, l'esclave de Jésus le Christ.

La voix était à peine déformée par la bouche suppliciée.

— Il est tout-puissant parmi les chrétiens de la ville, expliqua Maxime. Ce qu'il a à te dire peut t'intéresser, Augustus.

Aurélien fit signe d'approcher à l'esclave qui portait sa toge. Sa cuirasse lui semblait soudain insuffisante à protéger sa peau nue de l'horreur propagée par ces traits.

— Tu n'aimes pas mon visage, Augustus, remarqua Simon. Pourtant, il a été sculpté ainsi par ton bien-aimé Valérien, celui qui t'a précédé sous cette toge. Il a cru me réduire en cendres. Il ignorait, comme vous tous, que seul Dieu décide de la vie et de la mort.

— Ne me fais pas perdre mon temps. Que veux-tu ? demanda brutalement Aurélien.

— T'offrir Palmyre.

Des exclamations retentirent. Les officiers et les courtisans s'étaient rapprochés.

— M'offrir Palmyre ?

Aurélien ricana, méprisant.

— Je n'ai pas besoin de tes services. Je prendrai Palmyre des mains de la reine Zénobie comme je lui ai pris Antioche et Émèse.

— Ne sois pas présomptueux ! grinça Simon sans le moindre respect. Tu as gagné une bataille sur la Basilissa par la ruse. Ne t'imagine pas l'avoir déjà vaincue.

— Parce que toi, chrétien, tu crois aussi qu'elle est une déesse de la guerre, une déesse invincible ?

Il y eut des rires autour d'eux. Simon eut un geste d'impatience.

— Ne méprise pas tes ennemis, Augustus. Tu n'as pu entrer dans Antioche et Émèse sans combattre que par ma volonté. Ce sont mes frères sur le chemin de Christ qui t'en ont ouvert les portes.

Aurélien leva un regard surpris vers Maxime, qui opina.

— Pour ce que j'ai pu en apprendre, il ne se vante pas. Les chrétiens ont dissuadé les habitants de soutenir Zénobie.

— Bien sûr que c'est vrai ! lança Simon. Tout comme il est vrai que la reine de Palmyre soutiendra ton siège sans douleur. Les murailles de la ville ont été relevées de cinquante pieds depuis l'automne. L'eau y parvient en abondance par des canaux souterrains. Ses magasins regorgent de nourriture, tandis que toi et ton armée, vous devrez vous tenir dans le désert. Tu n'auras ni pierres ni arbres pour fabriquer des machines pour abattre les murailles. La Basilissa saura patienter autant de lunes qu'il le faudra. Jusqu'à ce que tes soldats meurent de soif, car les guerriers du désert, les M'Toub qui font la loi dans le Turaq Al'llab, du sud au nord, sont ses amis depuis toujours. Ils pilleront vos convois d'eau et de vivres. Ils vous harcèleront jour et nuit. Ils sauront vous tomber dessus aux heures les plus chaudes, quand le soleil rendra vos cuirasses insupportables et inutiles.

Il eut un geste ironique vers la stèle de basalte.

— En moins de jours qu'il n'en faut pour le dire, ton prétendu dieu sera ton pire ennemi !

D'un sourcil, Aurélien fit taire les grognements outrés autour de lui. Il laissa le silence peser un instant.

— Tu en sais beaucoup sur la guerre, pour un prêtre.

— Les chrétiens doivent en savoir beaucoup en toutes choses pour survivre.

— Que me proposes-tu ?

— T'ouvrir les portes de Palmyre comme je t'ai ouvert celles d'Antioche et d'Émèse.

— Quel en sera le prix ?

— La paix pour mes frères, partout dans l'Empire. Le respect des maisons où nous recevons la bénédiction de Notre Seigneur Dieu. Ta promesse que nous n'aurons plus à nous agenouiller, ni à baiser, ni à faire des offrandes aux faux dieux de Rome.

Un murmure sidéré suivit l'arrogance de ces propos. Aurélien demeura impassible. Chacun put voir la colère qui se levait en lui.

Il dit à Maxime :

— Je déciderai plus tard. Ne le laisse pas retourner dans la maison des chrétiens. Nous verrons si nous avons besoin de lui.

32

PALMYRE

 Les trompes annoncèrent les Romains au milieu du jour. Malgré la chaleur, toute la populace qui s'était enfermée dans l'enceinte de Palmyre depuis trois nuits se précipita sur les remparts et les toits pour apercevoir l'ennemi.

Ce qu'ils découvrirent n'accrut pas leur inquiétude. Au contraire, des rires et des quolibets fusèrent. Les légions avançaient dans un grand désordre, se rejetant la poussière de leurs chars d'une colonne à l'autre. Les hommes allaient sans casque ni cuirasse, les chevaux des officiers étaient démontés, les mules qui tiraient les carrioles remplies d'outils et de tentes n'avançaient que sous le fouet. La foule des suivants, femmes, serviteurs et esclaves, était si lente et si épuisée par la traversée du désert qu'on ne la vit apparaître que des heures plus tard.

Ce spectacle n'avait rien de celui d'une armée de vainqueurs prête à fondre sur la cité. Le désert avait fait son œuvre.

— Mais ils ne sont pas venus pour se battre, seulement pour nous affamer, grommela Nurbel avec amertume.

Il se tenait au côté de Zénobie sur une haute tour de bois, érigée depuis la terrasse du nouveau palais. Bien sûr, le Grec Longin était là aussi, sans se départir de cette mine condescendante avec laquelle il les avait accueillis, cinq jours plus tôt, à leur retour en vaincus.

Zénobie pointa le doigt vers le nord-est.

— Regarde.

Détachée du gros des légions et prenant une route plus au nord qui lui faisait contourner la vallée des tombeaux, une colonne avançait en bon ordre. Trois ou quatre mille hommes. La garde impériale, l'élite des combattants qui entourait l'Empereur. Les éclats qui scintillaient de temps à autre témoignaient que ceux-ci portaient leurs cuirasses, et les étranges taches de couleur qui flottaient au-dessus d'eux dans la chaleur du désert provenaient des crêtes de leurs casques.

— Pourquoi attendre ? suggéra Nurbel. Voilà une belle occasion. On peut lui tomber dessus avant qu'il ait battu des paupières. J'ai deux ou trois centaines de chameaux prêts. Il reste de bonnes heures avant la nuit. Si nous contraignons l'Augustus au combat dès maintenant, la surprise nous donnera l'avantage. Sa colonne a beau se tenir en ordre et briller sous le soleil, elle est comme les autres : fatiguée par la traversée du désert.

Zénobie ne répondit pas tout de suite. Une longue tunique plissée, serrée à la taille par un cordon de pourpre et que le vent faisait flotter à chaque instant, voilait et livrait la beauté de ses hanches ou de son buste. Un baudrier, décoré d'une phalère à l'image du Grand Odeinath, soulignait le dessin de sa poitrine autant qu'il soutenait une courte épée. Un diadème d'or et de perles surmonté d'une étoile de lapis-lazuli pesait sur son front et retenait les boucles lourdes de sa chevelure.

Depuis qu'elle s'était enfermée dans la ville, elle apparaissait ainsi, unissant dans une même silhouette la femme, la reine et la guerrière. D'un visage impassible, elle attendait avec patience la venue des Romains, tandis que Nurbel, dévoré par l'humiliation de la défaite d'Émèse, n'était que fureur et vengeance. Ceux qui, en cet instant, se retournaient sur les remparts et les toits de la ville, l'apercevant dressée sur sa tour de guet, ne pouvaient retenir un murmure de plaisir et d'admiration. Un mot, sans réfléchir, leur venait entre les lèvres, toujours le même : « Alath ! Alath… »

Comme par magie, ce mot déployait leur confiance. Zénobie veillait sur eux. La défaite d'Émèse n'était rien, une escarmouche. Baalshamîn et les dieux de Palmyre ne pouvaient se détourner de celle qu'ils avaient portée de victoire en victoire. De celle qui était devenue si puissante que Rome avait besoin de pousser toutes ses légions dans la poussière et sous l'incandescence du soleil pour faire son siège. Alath allait vaincre à nouveau. Zénobie allait, encore et pour toujours, combler leurs yeux de sa beauté.

Alors, ils levaient le poing vers les colonnes romaines qui maintenant approchaient de la palmeraie, hurlaient des quolibets, nettoyant la haine de leurs bouches en scandant de nouveau le nom d'Alath.

Quand le vacarme fut retombé, Zénobie répondit à Nurbel.

— Non, dit-elle. Si l'Augustus arrive en milieu de journée, c'est qu'il a pris le temps de bien faire reposer sa garde cette nuit et s'attend à une manœuvre de ce genre. Je commence à le comprendre, il est plus prudent qu'il ne paraît.

Longin, qui n'allait plus maintenant que vêtu à la mode de Palmyre, en tunique de soie et large pantalon, un mortier de feutre brodé d'argent sur ses cheveux blancs, désigna les colonnes chaotiques qui s'immobilisaient à bonne distance. Avec une douceur qui ne lui était pas naturelle, il remarqua :

— Il se pourrait bien que la mauvaise apparence de son armée ne soit qu'une ruse.

Nurbel rougit sous l'allusion.

— Sa ruse, il l'a déjà épuisée à Émèse, nous le savons, maître Longin. Nous ne lui donnerons pas le plaisir d'en avoir d'autres.

Zénobie posa une main apaisante sur son poignet.

— Quand bien même tu surprendrais Aurélien avec tes chameaux, tu sais que nous ne sommes pas assez nombreux pour te suivre.

Cela, hélas, Nurbel ne le savait que trop. Des trente ou quarante mille guerriers revenus jusqu'à Palmyre après la défaite d'Émèse, les trois quarts s'étaient débandés. Il leur avait suffi d'apprendre que l'Augustus Aurélien marchait sur la ville pour qu'ils se dissolvent dans le désert. La plupart étaient d'anciens légionnaires et craignaient la vengeance de leur premier maître. D'autres, Perses, Arabes, Lyciens, Grecs ou même Égyptiens, s'étaient agglutinés à l'armée de Palmyre lorsqu'elle triomphait. Combattants, certes, ils ne possédaient rien de la fidélité de fer des vrais Palmyréniens. Ils ne se battaient que pour les pillages et se montraient plus sensibles qu'une feuille d'automne aux vents tournants de la victoire.

Zénobie les avait regardés plier leurs tentes sans émotion.

— Laisse-les faire, avait-elle dit à Nurbel. Nous ne pourrions tous les nourrir. Les briques de la muraille les remplaceront avantageusement. L'Empereur ne vient pas se battre. Il veut nous user. Nous serons plus solides avec seulement nos archers et nos cavaliers.

Zénobie avait raison. La loi de la guerre était sans détour. Seul le plus patient gagnait un siège, qu'il fût l'assiégeant ou l'assiégé.

— Rien de ce qui se passe n'est imprévu, avait déclaré sentencieusement maître Longin. Souvenez-vous que j'y travaille depuis des mois. Moi, je n'ai jamais exclu que Rome doive venir se faire battre devant les murs de Palmyre. Tout est prêt pour son arrivée. Les entrepôts à l'intérieur de l'enceinte regorgent de grain et de fourrage. Les jardins sont semés de légumes et l'eau court dans le souterrain du vieux palais grâce aux canaux secrets que nous avons percés. J'ai même prévu quelques passages pour les hommes. Des flèches ont été fabriquées en quantité telle que nous devons les entreposer dans les rues. Une palissade particulière a été bâtie sur le rempart du côté de la rivière et de la palmeraie, afin que les archers puissent abattre tous les légionnaires qui voudraient s'y abriter et s'y désaltérer. Que l'Augustus vienne au chaud de l'été, et nous verrons combien de temps il trouvera du plaisir à nous enfermer.

Et tandis que sonnaient tout autour de la ville les trompes romaines annonçant l'arrêt des colonnes et l'établissement des campements, le Grec ajouta de son ton de grande satisfaction :

— Si le cœur t'en dit toujours, seigneur Nurbel, tu auras de meilleures occasions de surprendre les Romains lorsqu'ils seront accablés par quelques jours de mauvaise intendance. Les guerriers M'Toub, qui sont plus fidèles à la Basilissa que les doigts de ses mains, ont promis d'attaquer les convois romains venant d'Émèse ou d'Antioche. Aurélien ignore tout de l'enfer qui l'attend.

Et nous, songea aigrement Nurbel, ne l'ignorons-nous pas tout autant ? La bataille d'Émèse n'avait-elle pas montré qu'on ne sait rien d'avance quand il s'agit de guerre ? Mais le Grec voulait se montrer assuré en tout et lui, Nurbel, avait trop à se faire pardonner pour lui rabattre son caquet.

Au troisième jour du siège, ils eurent une première surprise.

Les tentes, la mine et l'énergie des Romains ne laissaient plus rien à désirer. Ceux-là mêmes qui avaient paru épuisés détruisaient méthodiquement les entrepôts vides des maisons éparpillées hors de l'enceinte. Ce n'était pas par une manie stérile de la destruction, mais pour les entasser près de la muraille.

— Et à quoi ce tas de briques va-t-il leur servir ? demanda, goguenard, maître Longin.

— Ce n'est pas un « tas de briques », le Grec. Cette plateforme supportera bientôt une tour et une machine de jet assez puissante pour incendier nos toits. Ils ont dû en apporter les pièce démontées.

Nurbel avait répondu avec calme. Enfin ! Il n'était plus impuissant. La guerre reprenait. Il savait comment répondre à la provocation des Romains.

Il laissa les légionnaires s'agglutiner autour de leurs ouvrages jusqu'au lendemain. Quatre terrasses étaient alors naissantes. Mille ou deux mille hommes charriaient les briques et les disposaient en une besogne qui rappelait l'obstination des fourmis. Un travail épuisant sous la chaleur. Le matin, ils portaient encore des tuniques de cuir ou matelassées. Mais la plupart les abandonnèrent lorsque la sueur les durcit tant qu'elles entravaient leur labeur.

Alors Nurbel disposa en silence cinq à six cents archers derrière les créneaux des remparts. Les grands arcs à double membrure se détendirent à son signe. Cette première salve fut renouvelée avant même que les flèches atteignent leurs cibles. Puis une autre encore. Le crissement qui emplit l'air stupéfia les légionnaires. Rares furent ceux qui purent se mettre à l'abri ou relever un des boucliers entassés bien trop loin.

Le crépitement mat des pointes de fer déchirant les chairs parut ne devoir jamais finir. Il y eut peu de cris ou de hurlements. Le massacre fut rapide et complet. L'effroi immobilisa l'armée de l'Augustus jusqu'à la nuit.

De sa tour de guet, Zénobie regarda sans frémir les amoncellements de cadavres. Ils remplaçaient maintenant les briques sur la plate-forme. Nul ne les déplaçait, de crainte de subir la pluie mortelle des archers. Si elle tira une satisfaction de ce coup porté à l'Empereur, elle ne le montra pas non plus. Pas même à Nurbel, qui s'exclama avec soulagement :

— Maintenant, le Romain sait qui nous sommes.

La puanteur des cadavres empesta l'air dès l'aube. Il fallut quelques jours pour que chacun s'y habitue. Cette putréfaction accompagna un temps sans vrai repère et gorgé d'ennui. Ceux qui déjà avaient vécu un siège le connaissaient bien.

C'étaient des jours d'attente, d'activités réduites et machinales. Sans drames ni escarmouches d'envergure. Tout au plus, quelques cavaliers maures, auxiliaires des Romains, tentèrent-ils de jeter des lances enflammées contre les deux portes de la ville. Les archers n'eurent aucun mal à les repousser. Leurs chiffons enduits de poix se consumèrent à vingt pas de leurs cibles.

Chacun ne songeait qu'au lendemain, à sauvegarder son moral et à préserver ses forces. Il fallait éviter de craindre ce que l'on ignorait. Les nuits, pour cela, étaient plus redoutables que les jours. Plus lentes. Plus difficiles à combler d'un vrai sommeil. Si bien que les rues ne se vidaient plus.

Au cœur de l'obscurité, les uns et les autres allaient user leur insomnie sur les remparts. On voulait s'assurer que les Romains ne fomentaient pas un mauvais coup. C'était plus un prétexte qu'une inquiétude véritable. Les soldats de garde demeuraient vigilants. Cependant, l'esprit se reposait mieux à le constater par soi-même.

Ce fut lors de ces premières nuits que Whabalath quitta silencieusement son lit. Il se glissa entre les couches des servantes pour rejoindre la chambre d'Ashémou. Désormais, elle dormait seule dans un lit au sommier de bronze et de bois sculpté d'acanthe, de soleil et de fleurs, presque aussi beau que celui d'une princesse.

Whabalath resta un moment à contempler les lourdes formes de l'Égyptienne. Elle était si immobile, sa respiration si ténue, qu'il fronça le sourcil. Il se pencha, posa les doigts sur le bras nu qui sortait de la tunique de nuit.

— Tu es morte ? chuchota-t-il.

Il n'obtint pas de réponse, agita un peu la main.

— Ashémou ! Tu es morte ou tu dors ?

Elle n'ouvrit pas les yeux, n'eut pas un mouvement, sinon des lèvres. La voix était peu amène.

— Qu'est-ce que tu veux ?

— Tu n'es pas morte ?

— Tu verras ça demain. Va dormir.

La réponse ne plut guère au garçon. Il pinça la peau d'Ashémou pour la contraindre à se réveiller. Elle grogna, plus amusée que fâchée. Elle se retourna enfin, l'agrippa pour le faire basculer sur le lit, dans sa chaleur. À un autre moment, Whabalath aurait aimé le jeu. Les distractions étaient rares ces derniers jours. Mais il se dégagea fermement.

— Je veux savoir quelque chose.

— Je m'en doute, sinon tu ne viendrais pas réveiller une morte.

— Tu me promets de dire la vérité ?

— Hélas, mon garçon, je n'ai jamais su rien dire d'autre que la vérité.

— Tu étais là quand ma mère est née ?

— Je te l'ai raconté mille fois. C'est moi qui ai coupé la petite ficelle de son ventre avec mes dents.

Ashémou rit, attirant Whabalath contre elle et cherchant à lui mordre le nombril.

— Comme une lionne. J'étais très jeune, alors, je savais être une lionne.

Whabalath ne se laissa pas distraire.

— Tu as vu l'étoile de Baalshamîn ?

— Oui. Et la nuit de la nuit, et l'eau et tout ça. Tu le sais bien, mon mignon. Pourquoi ces questions ?

— Certains disent que c'est pas vrai. Je les ai entendus.

— Ils ne savent pas de quoi ils parlent. Ne les écoute pas.

— Mais, toi, Ashémou, tu es sûre et certaine que ma mère a été prise par Baalshamîn ? Qu'il l'a emportée avec lui ? Ça, tu en es sûre de sûre ?

Cette fois, Ashémou marqua un petit temps avant de répondre. Et sa voix fut moins légère. Un peu tremblante.

— Oui. J'étais là aussi.

— Tu as vu quand il l'a emportée ?

— Non. Mais j'étais là quand elle est revenue. Le vieux Sharha aussi était là. Il te l'a déjà raconté lui-même. Tu dois nous croire, mon mignon. Il ne faut pas écouter les racontars des jaloux. Il y en a toujours. C'est ainsi quand on est reine ou prince. Il y en a toujours pour être jaloux.

Whabalath opina légèrement mais ne répondit pas. Ashémou lui saisit le menton et l'obligea à lui faire face dans l'ombre.

— Qu'est-ce qu'il y a, prince Whabalath ? Pourquoi toutes ces questions ? Tu en connais les réponses aussi bien que moi. Tu as peur ?

— Non ! J'ai pas peur. Jamais.

— Bien sûr.

Whabalath se dégagea des bras de l'Égyptienne. Il se remit debout près du lit. Il avait un corps fin, musclé par les jeux et les courses. Et un esprit tourmenté par l'étrangeté de sa mère, songeait souvent Ashémou. Avec un cœur doux et profond, une intelligence vive et du courage. Et toujours des craintes de jeune enfant malgré ses douze ans.

— Si Baalshamîn est venu chercher ma mère une fois déjà, il ne laissera pas l'Empereur de Rome la prendre. Il viendra de nouveau la chercher. Et moi avec, puisque je suis son fils.

La gorge d'Ashémou se serra durement. Elle eut beaucoup de mal à murmurer :

— Oui. Tu as raison. Bien sûr, mon ange.

Durant les dix jours suivants, un vent continu poussa la chaleur des hauts plateaux du Turaq Al'llab. La brûlure du soleil tétanisa les Romains et, dans la ville, on ne sortit plus des maisons que par nécessité. Les cadavres, sur les plate-formes abandonnées, ne sentirent plus tant le soleil sécha ce que les bêtes n'avaient pas encore dévoré.

Ce trop grand calme était plus pesant qu'une menace. Nurbel s'activait sans cesse, vérifiant une chose ou une autre, faisant tourner les gardes, lançant des alertes pour mainte-nir ses guerriers sur le qui-vive.

Il fit sortir des espions par le souterrain de l'ancien palais qui donnait dans le lit du Ouadi Qoubour. La moitié ne revint pas, soit qu'ils aient fui, soit que les Romains les aient découverts.

Mais, alors que la chaleur refluait enfin, l'un d'eux rentra une aube avec une mauvaise nouvelle. L'Augustus Aurélien avait acheté les guerriers M'Toub à prix d'or. Ils n'attaqueraient plus les convois de ravitaillement venant d'Émèse. Déjà, ils n'étaient plus dans les parages de Palmyre, mais en route pour les rives de l'Euphrate.

Saisi d'une fureur qui dura tout le jour, Nurbel traita les M'Toub de tous les noms orduriers qu'il avait appris au cours de sa longue vie. La trahison des guerriers du désert qui, depuis toujours, pour ainsi dire depuis la naissance de Zénobie, l'avaient soutenue était un coup grave. Le siège désormais allait pouvoir durer aussi longtemps que l'Augustus le voudrait.

— Ce n'est pas le pire, grinça-t-il devant Zénobie et Longin.

— Ah? Et quel est le pire? marmonna le Grec en levant les sourcils.

— Le mauvais effet que cette nouvelle va avoir dans la ville. Si les M'Toub se sont laissé acheter par le Romain, cela signifie qu'ils ne nous craignent plus.

Il s'était abstenu de dire : «qu'ils ne craignent plus Zénobie». Ou «ne craignent plus Alath». Mais Longin, cela, on pouvait le lui accorder, savait comprendre à demi-mot.

Pourtant, Zénobie ne montra aucune colère. Pas même de l'amertume. Depuis quelques jours, jugea Nurbel, elle faisait preuve de trop de calme. Elle se montrait moins sur la tour de guet ou sur les remparts. Parfois, elle ne prononçait pas dix mots de la journée.

La chaleur comme sa patience de guerrière et sa responsabilité de Basilissa pouvaient en être la raison. Peut-être songeait-elle qu'il lui faudrait conserver sa lucidité et ses forces plus longtemps que les autres. Plus longtemps que l'Empereur de Rome, là-bas, sous sa tente, et dont on lui avait ressassé à souhait combien c'était un grand guerrier.

Entre eux deux, même s'ils ne croisaient pas le fer, même si les coups étaient subtils, donnés et reçus par d'autres corps que les leurs, entre eux deux, c'était un combat à mort. Zénobie ne l'ignorait plus.

Cependant, Nurbel craignait que le calme de Zénobie n'ait une autre source que la nécessaire tension réclamée par ce combat.

Lorsqu'il observait à la dérobée sa reine, il n'aimait pas ce qu'il découvrait. Elle devenait une autre.

La défaite d'Émèse avait ébranlé ses certitudes. L'ombre qui stagnait dans son regard semblait s'accroître, corrompre ses forces autant que sa volonté.

Elle semblait, en vérité, n'avoir plus envie de se battre.

Comme il était à craindre, de n'être plus soumis au harcèlement des M'Toub revigora le moral des Romains.

On les vit se livrer à toutes les activités possibles : reconstruire des entrepôts abattus pour y disposer leurs propres surplus, en construire d'autres avec des palmiers abattus, creuser des mares assez profondes au bord de la palmeraie pour y prendre des bains sous les yeux des gens de Palmyre !

Du soir au matin les cohortes manœuvraient bruyamment. Les exercices se voulaient intimidants. Parfois ils s'achevaient en attaques véritables sur les parties les plus accessibles de la muraille. Ces combats laissaient toujours des morts dans un camp ou dans l'autre. Ils testaient les résistances autant qu'ils agaçaient les nerfs des assiégés.

Les légions semblaient avoir reçu l'ordre de faire de la cuisine en quantité si grande que les fumets résistaient au vent de sable. Il y eut aussi des jeux, des chasses et, dix jours seulement après la trahison des M'Toub, une fête avec du vin et des femmes convoyées depuis Antioche à dos de chameau !

Il n'était pas rare que l'on puisse apercevoir l'Augustus Aurélien.

Dûment sanglé dans sa cuirasse d'apparat, la poitrine recouverte des torques et des phalères habituels, casqué et entouré de sa cour d'officiers, il faisait le tour de la ville. Tantôt il galopait dans un sens, tantôt dans l'autre. Son passage devant les cohortes déclenchait de bruyantes sonneries de trompes.

Nurbel, en représailles, ordonna que les trompes de Palmyre y répondent chaque fois, et sans répit.

Il y eut ainsi des jours boursouflés d'un tintamarre assourdissant et qui vous râpait les nerfs jusqu'à la folie.

Mais de vrais combats, il n'y en avait plus. Les Romains avaient bien appris leur leçon. Ils se tenaient loin des archers de Palmyre.

La vingt-huitième nuit du siège, alors que la lune brillait assez pour que l'on puisse deviner la course des tarentes sur les pierres, Nurbel devina la silhouette de Zénobie.

Il allait s'approcher lorsqu'une ombre le précéda. Au mortier miroitant d'or, à l'ample tunique, il reconnut le Grec en même temps qu'il entendit les paroles chuchotées qui l'accueillaient. Des paroles dénuées de surprise mais non de tendresse.

Son premier mouvement fut celui de la discrétion. Aussi silencieux qu'un félin, il se retira. Il allait rejoindre l'une des chambres de garde lorsqu'une rage sourde, qui pouvait bien être de la jalousie, lui durcit les muscles. Soudain, il ne pouvait faire un pas de plus.

Devait-il croire ses yeux ?

Devait-il croire les voix, la douceur des mots entendus ?

Devait-il croire ce que l'amertume de son cœur lui soufflait ? Le vieux shuloï aurait-il raison, envers et contre tout ?

Zénobie souhaitait-elle le Grec dans sa couche? L'avait-elle déjà?

Il aurait voulu que son indignation soit toute dévouée à la mémoire du Très Illustre. Mais il était encore assez lucide pour ne pas se tromper de vérité. Que Zénobie offre au Grec ce qu'elle avait refusé à tout homme, il ne le supporterait pas. Ce serait une humiliation sans bornes.

Plus silencieux que quand il s'était éloigné, il revint près des ombres.

Brisant son orgueil, il se plia en deux, rampa sous un parapet qui le protégea de la clarté de la lune. Il s'immobilisa, ébranlé de nouveau par le ton de Zénobie.

— Je voulais te dire deux choses, maître Longin. La première est un remerciement. Pour toute l'œuvre que tu as accomplie dans Palmyre. Pour tes conseils et, je le crois, cette amitié que tu me portes. Ta présence m'a été précieuse dans la solitude qui m'accompagne depuis la mort du Très Illustre.

— Ma reine! Pourquoi parler ainsi au passé? Ne suis-je pas ici, près de toi, dès que tu le réclames?

— Ne m'interromps pas, Longin. Ce que j'ai à te dire ne passe pas aisément mes lèvres. Ni mon cœur...

Nurbel serra les poings.

Comme elle lui parlait! D'une voix qui lui donnait, malgré lui et malgré sa fureur, la chair de poule.

— C'est vrai, Longin, j'avais grand besoin de cette sagesse que tu m'as apportée durant ces quatre années. Je n'oublie pas que tu m'as ouvert les yeux sur Rome autant que sur mon destin. Tu as su, aussi, mettre ta marque sur ma ville comme tu l'as mise dans mon esprit. Donc, merci... Non, ne me réponds pas encore. La deuxième chose que je veux te dire est la plus difficile. Tu peux quitter Palmyre. Il est encore temps. Les Romains ignorent encore l'existence du passage souterrain dans l'ancien palais...

— Ma reine!

— Je le comprendrais. Tu ne dois pas croire ta vie liée à la mienne.

— Ma reine ! Cette fois, ne me fais pas taire. Je ne conçois pas la raison de ce discours ! Je pourrais m'en outrager. N'ai-je pas voulu l'affrontement avec Rome autant que toi ? Une fois déjà, tu le sais, j'ai dû fuir ma ville devant les légionnaires de Rome. Cela ne se reproduira pas. Palmyre est ma ville. Tu es ma reine. Ne songe pas un instant que je m'éloigne de toi. Je n'ai qu'un but : voir la fin de l'Augustus Aurélien et ton triomphe d'Augusta.

Il y eut un silence, des froissements de tissus. Un soupir de Zénobie, à peine audible.

— Ah, Longin ! Longin...

Nurbel dut faire appel à toute sa maîtrise pour ne pas passer la tête par-dessus le parapet afin de s'assurer que Zénobie gardait à distance les bras du Grec. Mais l'ombre de la Basilissa glissa sur les briques. Une ombre seule, bien éloignée de celle de Longin. Et la voix inquiète du Grec le réconforta.

— Enfin, ma reine ! Pourquoi te détournes-tu ? Je ne saisis plus ta volonté ! Tu parles comme si tu ne voulais plus te battre. Dans ta bouche, ce combat semble une chose révolue. À t'entendre, on pourrait croire que demain tu ouvriras les portes de Palmyre à l'Empereur !

Zénobie eut un rire amusé.

— C'est que tu m'entends mal, mon ami.

— Alors ?

Un nouveau silence. L'ombre de Zénobie s'éloigna avec une lenteur que Nurbel trouva pesante. On entendait les pas, les appels des sentinelles et aussi des chiens que les légionnaires, loin dans le camp romain, s'amusaient à agacer.

— Il y a beaucoup de choses que tu ignores, maître Longin, murmura Zénobie, presque inaudible. Cela vaut mieux. La connaissance n'est pas toujours ce qui nous aide le plus, si tu me permets de contredire tes écrits. Parfois, elle est un poids que l'on s'use à charrier.

Elle hésita. Nurbel serra les paupières comme il serrait les poings. Il supplia tous les dieux de l'univers pour qu'elle tienne sa langue.

Son vœu fut exaucé. Zénobie n'eut pas à poursuivre sa pensée. Le Grec l'assomma de la sienne.

— Tu dois te battre, Basilissa ! Rome est à portée de notre main. Laisse Aurélien s'épuiser devant Palmyre comme tous les Empereurs de Rome se sont épuisés en Orient. Tu l'as contraint à s'enliser ici comme un rat. N'est-ce pas déjà une victoire ? L'Empire vous regarde. L'Empire sait que le Romain est faible et que Zénobie est forte. Le temps est ton allié, Basilissa. Tu es Alath, tu es invincible. Tu entreras dans Rome sous la couronne de laurier. Je le sais ! Je l'ai su dès l'instant où j'ai été devant toi, à Antioche.

— Longin...

— Zénobie, ma reine, ne faiblis pas aujourd'hui. Nous bâtirons un empire que les Romains n'ont jamais su imaginer et que nul, encore, n'a vu. Oh, ne cède rien, ne faiblis pas ! Car si tu faiblis, alors moi je ne faiblirai pas.

Zénobie eut un petit rire. Non pas moqueur, comme Nurbel aurait aimé qu'il le fût, mais le rire d'une femme flattée, séduite.

— Tu manies toujours aussi bien les mots.

— Pas assez bien, il faut croire, puisque je ne parviens pas à te convaincre de la toute-puissance que tu as sur moi. Tu m'offres la fuite alors que moi je ne désire que t'offrir ma vie. Tu règnes sur moi, Zénobie. Sur ma chair et mes désirs autant que sur mon esprit...

— Longin !

— Ma reine...

— Tu manies bien les mots. Prends garde qu'ils ne t'emportent trop loin.

— Il n'est pas une parole que je prononce sans en être maître.

Un silence encore. Des froissements de vêtements, le cliquetis reconnaissable des boucles d'un baudrier. Nurbel imagina le visage de Zénobie que le Grec pouvait contempler. Un visage dessiné par la lune mieux que la plus sublime des statues.

Il faillit se dresser, mais l'ombre lunaire de Zénobie se jeta au-delà du parapet. Sa voix résonna juste au-dessus de lui. Aussi indifférente et froide qu'il convenait.

— Je te remercie, maître Longin. Je ne doute ni de ton affection ni de ta sagesse. Je songerai à ton conseil. Maintenant, il se fait tard. J'ai promis à Nurbel de visiter moi-même les sentinelles.

Oh, le baume de ces dernières paroles!

Le cœur de Nurbel battait si fort qu'il ne prit pas la peine d'écouter le dépit du Grec qui se noyait de nouveau en protestations.

C'est quatre jours plus tard que le drame se produisit.

Le tunnel dissimulant la conduite de pierre qui apportait de l'eau depuis le Ouadi Qoubour jusqu'à une profonde cuve au cœur de la ville avait été effondré.

— L'étayage a été renversé à la hauteur de la muraille, seigneur Nurbel, confirma l'officier qui avait découvert la catastrophe. Hélas, pas par les Romains. On a retrouvé de notre côté des pioches et des piques.

— Et que faisaient les gardes?

— On les a égorgés, seigneur Nurbel. Les traîtres devaient être une vingtaine au moins. Ils ont travaillé vite et efficacement!

Nurbel n'en croyait pas ses oreilles.

— Peut-on réparer ?

— Les ouvriers y sont, mais avec précaution. Rien n'est sûr. Le lieu de l'attentat a été bien choisi. En déblayant le tunnel, nous risquons de faire effondrer la muraille. Un beau cadeau pour les Romains, sans même qu'ils aient à creuser une sape !

— Plus d'eau du tout ? demanda Zénobie d'une voix blanche.

— Il nous reste les cuves et les bassins, qui sont remplis à plein.

— On le sait dans la ville ? s'inquiéta Longin.

— À l'heure qu'il est, c'est probable. Chaque foyer n'a plus droit qu'à une cruche pour dix personnes. J'ai fait doubler la garde près des cuves et des bassins.

La colère, cette fois, faisait trembler les lèvres et les mains de Zénobie.

— Qui ?

— J'ai une idée. Laisse-moi m'en assurer.

La ville était trop close et les manières d'enquête de Nurbel trop convaincantes pour que le mystère demeure longtemps.

— Les chrétiens, annonça-t-il le lendemain.

— Ah ! ricana Longin, je m'en doutais. Ils ont ouvert les

portes d'Antioche et d'Émèse à Aurélien. Ils veulent ruiner nos forces ici !

— Nous savons dans quelles maisons ils se réunissent, assura Nurbel. Il est très simple de les arrêter.

— Pas seulement de les arrêter, seigneur Nurbel. D'en finir avec eux.

— Non, maître Longin, intervint sèchement Zénobie. Nous ne tuerons pas les chrétiens.

Nurbel ne fut pas étonné, mais Longin en bredouilla de stupeur.

— Ils te trahissent dans tes villes, ils t'ont trahie à Bosra, ils te trahissent ici, sous tes yeux... Et tu ne veux pas les châtier ?

— Tu as entendu ma volonté.

— Je ne comprends pas...

— Ta sagesse devrait te le permettre. Ce n'est pas le moment. Un massacre à l'intérieur de Palmyre ne soutiendra pas le courage de mon peuple, Longin.

— Tu te trompes, Basilissa. Bien au contraire ! Ce soir, tu entendras gronder la fureur des Palmyréniens. Le désir de vengeance résonnera dans les rues et les temples. On criera contre toi qui n'auras pas eu la main assez ferme. Ces chrétiens sont des assoiffeurs. Et des assoiffeurs que tu devras abreuver dans les jours à venir si tu les maintiens en vie !

— Le sang des chrétiens ne coulera pas, martela Zénobie, livide. Si tu veux demeurer près de moi, maître Longin, tu devras te plier à ma volonté.

La poitrine tremblante d'un plaisir qu'il sut masquer, Nurbel interrompit la dispute avant que Longin, le regard incandescent, ne s'emporte tout à fait.

— J'ai songé à une solution qui peut satisfaire la sagesse de maître Longin comme elle peut te convenir, Basilissa. Avant que le soleil se couche, nous réunirons les chrétiens dans le grand théâtre. Ils y demeureront sous la surveillance de mes archers aussi longtemps que tu le décideras. Le théâtre est un bon endroit pour cette tâche. On n'y joue plus de farce ni de drame grec ces temps-ci. On y a parqué des bourriques et des brebis. Les chrétiens y trouveront leur place, eux qui croient que leur Dieu est né dans une étable.

— Quelle clémence ! railla Longin.

— La clémence d'Alath est aussi sa grandeur, le sermonna Nurbel. Comme elle possède ses bornes. Demeurer jour après jour dans le feu du soleil et des pierres du théâtre n'épargnera pas les traîtres, tu peux me croire.

Sans fissurer la glace de son visage, Zénobie approuva d'un signe et d'un regard où Nurbel sut reconnaître la douceur d'un merci.

Longin haussa les épaules. Le mépris gâtait l'élégance de son visage.

— Tu as beau dire, Nurbel, tu devras quand même les nourrir et les abreuver, grinça-t-il en tournant le dos. Et cela ne pourra durer longtemps.

C'était la nuit de ce même jour. L'air vibrant absorbait ce faux silence qui peuplait maintenant toutes les nuits du siège.

Zénobie était debout sur la terrasse, appuyée contre la balustrade de pierre encore gorgée de chaleur et qui chauffait sa hanche. Sans le vouloir, elle songeait aux chrétiens enfermés dans le théâtre. Heureusement bien trop loin pour qu'elle puisse les entendre, de l'autre côté du grand portique, des temples de Bel et de Baalshamîn.

Nurbel avait su accomplir sa tâche sans que des cris déchirent la ville. Mais elle n'avait pas besoin de leurs cris. Leur trahison, leur haine rameutaient en elle toutes les pensées empoisonnées.

À travers chaque coup des chrétiens, elle entendait encore les hurlements de Simon : «*Pour Simon d'Émèse, tu es morte, Zénobie. Morte depuis longtemps !*»

Une mort qui ne le satisfaisait pas. Il lui fallait aussi la défaite et l'humiliation.

Elle renversa son visage, offrant ses paupières lasses aux étoiles. Ses dents retinrent une plainte qui ne quittait plus sa poitrine.

«Oh, Schawaad ! Schawaad, mon amour, jamais je ne lutterai contre toi et les tiens. Pourquoi t'acharner à m'abattre ? Pour quel bien ? Pour quel gain que tu n'aurais pas obtenu à mon côté ? »

Un bruit ténu la fit tressaillir, la raidit aussitôt. Une fine silhouette s'avançait entre les colonnes menant à la terrasse.

— Whabalath ! Mon fils...

Whabalath courut jusqu'à elle, se lova entre ses bras ouverts. Avec un gloussement gourmand, il pressa son visage contre sa poitrine tandis qu'elle lui baisait le front.

— Qu'y a-t-il, enfant ? Tu devrais dormir.

— Personne ne dort. Les servantes chuchotent jusqu'à l'aube. Quand elles ne chuchotent pas, elles ronflent. C'est comme ça, un siège.

Le ton fit sourire Zénobie malgré elle.

— As-tu faim ?

— Non...

Il s'écarta doucement.

— J'ai entendu ce qu'on dit pour l'eau. Bientôt, il n'y en aura plus.

— Non, Whabalath, il...

Elle s'interrompit. Le mensonge ne pouvait pas passer ses lèvres. Elle embrassa de nouveau le front de l'enfant, ne pouvant plus détacher ses lèvres de sa chair si tiède et si douce.

— Mais moi, je sais que nous ne risquons rien, reprit Whabalath avec fermeté. Baalshamîn viendra te prendre, comme il l'a déjà fait. Et moi j'irai avec toi. Je suis ton fils, il me reconnaîtra.

— Oui, murmura avec peine Zénobie. Oui, tu es mon fils.

Chacun, dans Palmyre, la crut devenue soudain folle.

Elle apparut sur la muraille, revêtue de sa cuirasse rouge pour la première fois depuis le début du siège. Sans casque, sa chevelure sublime tourmentée par le vent flottant derrière elle tel un étendard, elle ne quittait pas le chemin de ronde de l'aube au crépuscule. Son grand arc reposait dans sa main et un carquois de flèches à longue empenne battait sa hanche. Elle ne but pas, se nourrit peu, guettait obstinément le camp romain. Ne répondant pas aux questions de Nurbel ou de Longin, bousculant les sentinelles avec des gestes rageurs, elle paraissait saisie de démence.

Elle fit tant et si bien que les Romains finirent par la montrer du doigt. D'abord étonnés, puis rieurs. Avant la fin du jour, l'Augustus Aurélien sortit à son tour de sa tente pour voir de ses yeux cette Zénobie, cette Alath au torse cuirassé de rouge et comme nu, qu'il découvrait enfin.

Au cœur de la nuit, elle apparut de nouveau, une torche dans une main, l'arc dans l'autre, reprenant sa ronde incessante. Les habitants, les prêtres des temples, chacun vint la voir, murmurants, admiratifs et inquiets à la fois. Plus que jamais leur Basilissa avait l'apparence d'une déesse.

Dans le camp romain les trompes des sentinelles résonnèrent. Les légionnaires sortirent de leur tente pour la voir, jeter quelques quolibets. À nouveau, l'Augustus Aurélien se montra, cette fois en simple tunique.

C'est alors que Nurbel comprit.

Dans l'éclat de la torche, il surprit le regard de Zénobie, le vit s'acérer. Un regard de chasseur, celui qui mesure la trajectoire et la distance du gibier.

Mais l'Augustus plaisanta avec l'un de ses officiers à la chevelure de fille, blonde et bouclée, lâcha un grand rire et disparut sous sa tente.

À l'aube du jour suivant, lorsque Zénobie apparut de nouveau sur la muraille, toujours en cuirasse et son grand arc à la main, Nurbel ordonna à ses guerriers de se dissimuler sous les parapets et ne plus se montrer aux Romains.

Eux aussi la guettaient, commençant à croire que les rigueurs du siège avaient eu raison de son esprit. Et que les guerriers de Palmyre la délaissaient. Ils s'encouragèrent à la voir ainsi, comme abandonnée. Les lazzis et les rires redoublèrent. Ils s'approchèrent peu à peu de l'enceinte, oubliant les archers qu'ils ne voyaient plus.

Alors que le soleil franchissait son zénith, ce qu'espérait Zénobie se produisit enfin.

Aurélien apparut de nouveau, cette fois à cheval, entouré par sa cour d'officiers moqueurs et désinvoltes. Une simple tunique de cuir laissait nus ses bras et le haut de sa poitrine.

Encouragé par les vociférations de ses légions, il osa un premier galop proche des murailles. Son rire découvrit le blanc de ses dents. Il dressa le poing vers Zénobie. On la vit s'immobiliser tandis que l'Augustus tirait sa fameuse spatha de son fourreau. Il la pointa sur Zénobie, éclatant de rire à nouveau, lançant son cheval au galop comme s'il allait bondir par-dessus l'enceinte de la ville.

Ce fut une foudre rouge dans le ciel bleu. D'un même mouvement Zénobie leva son arc, le banda à se briser et lâcha sa flèche.

Nul n'eut le temps de voir l'empenne avant d'entendre le cri d'Aurélien. La flèche avait traversé et brisé son épaule gauche.

Il bascula de sa monture.

Nurbel gueula.

Les mille archers de Palmyre sautèrent sur la muraille, hurlant le nom de Zénobie et d'Alath, libérant leurs traits, noircissant l'air à l'instant où les Romains se précipitaient pour recouvrir leur Augustus de boucliers, abandonnant, pour le sauver du massacre, deux ou trois centaines de cadavres.

— Dort-elle enfin ? demanda Longin.

Nurbel opina sans cesser de surveiller le remue-ménage autour de la tente impériale. Le crépuscule se muait en nuit. Les Romains allumaient leurs torches et l'agitation des flammes était le témoignage de leur panique.

— Charmant spectacle, s'amusa Longin.

Comme Nurbel ne répondait toujours pas, il insista :

— Te souviens-tu de cette répugnante dépouille, cette peau de vieillard dont tu souhaitais que la Basilissa fasse présent à Aurélien ?

Nurbel tourna un visage stupéfait vers le Grec.

— Bien sûr que je me souviens.

— J'ai contenté ton désir, seigneur Nurbel. J'ai fait parvenir à Aurélien la baudruche de l'Augustus Valérien.

— Tu l'as… Par les cornes des dieux, le Grec ! Qu'est-ce que tu racontes ?

— Tu as bien compris. J'ai envoyé un homme sûr par le souterrain du palais. Il fallait profiter du moment, avec la confusion qui règne chez les Romains…

— Et pourquoi ? Foutre divin, pourquoi ?...

— Après ce que la Basilissa lui a infligé aujourd'hui, il comprendra quel est le sort qui l'attend.

— As-tu perdu la tête ?

— Pas le moins du monde, seigneur Nurbel. De plus, avec un peu de chance, mon homme nous reviendra et nous saurons jusqu'à quel point l'Augustus Aurélien est blessé, dans sa chair comme dans son orgueil !

Sans ménagement, sans se soucier des guerriers qui les entouraient, Nurbel agrippa la tunique de Longin. Il en perdit son air narquois.

— La Basilissa t'en a-t-elle donné l'ordre ?

— Lâche-moi, Nurbel ! Pour qui te prends-tu ?

Nurbel agita le corps mince du Grec. Le mortier à broderie d'or glissa de son front et roula sur les briques.

— Ne comprends-tu pas, dans ta grande sagesse, la stupidité de ton geste ?

Longin hurla, appela à la garde. Nurbel le repoussa contre un créneau avec un grondement de mépris. Les gardes, ignorant les ordres et les glapissements de Longin, préférèrent se détourner plutôt que d'affronter le regard du vieux guerrier.

— Ignores-tu la différence entre un combat et une humiliation ? siffla Nurbel, hors de lui. La flèche de Zénobie respectait l'honneur d'Aurélien. Lui jeter la dépouille de l'ancien Augustus l'humilie, humilie Rome tout entière. C'est une pratique de Barbare et un suicide. Rien, désormais, ne pourra laver cet affront, que la destruction de Palmyre.

— Ou la mort de Lucius Aurelianus Augustus, Nurbel. Il est étrange que tu l'oublies et ne l'envisages même pas, l'interrompit Longin avec un sourire mauvais. N'est-ce pas pourtant le but de cette guerre ? À moins que la Basilissa et toi n'ayez d'autres intentions ?

Déjà, il s'était repris. Il repoussa la poitrine de Nurbel.

— Crois-tu que je ne vous ai pas devinés ? Vous ne voulez plus vous battre. Cette flèche, tout à l'heure, n'était qu'une caresse. Tu sais comme moi que si elle l'avait voulu, Zénobie lui aurait troué la gorge plutôt que de le blesser. J'ai compris depuis des jours. Elle ne veut que sauver son honneur avant sa reddition. Si je n'avais pas envoyé la dépouille au Romain, demain, vous quémandiez la paix et sa clémence !

— Tais-toi, le Grec ! Tais-toi avant que je t'étripe !

Longin n'eut qu'un ricanement pour la menace.

— Je sais lire dans l'esprit de Zénobie sans même qu'elle prononce une parole, Nurbel. Je m'y suis exercé pendant ces quatre années où je l'ai faite plus grande qu'elle n'a jamais rêvé d'être. Et tu voudrais qu'aujourd'hui je vous regarde détruire mon œuvre ?

Libérant toute sa hargne, ignorant le glaive qui avait surgi dans la main de Nurbel, Longin désigna les torches du camp romain.

— C'est moi qui ai façonné la puissance de la Basilissa Zénobie comme j'ai construit ces murailles qui nous portent. J'ai toujours su que ce jour arriverait. Zénobie aujourd'hui n'est que ce que j'ai voulu. Zénobie de Palmyre sera Augusta parce que je le veux…

La lame de Nurbel fut contre sa gorge. Dans un murmure, le vieux guerrier souffla :

— Ne prononce plus jamais ces mots, le Grec, ou tu n'auras plus de cou. Et si tu ne désires pas te retrouver dans les caves du palais, les fers aux pieds, je te conseille de te taire tout à fait.

— Ce sont les dernières, ami Nurbel, annonça le shuloï Sharha. Je les avais mises de côté pour nous.

Il déposa devant eux un petit panier contenant des figues enrobées de viande séchée de gazelle.

— Je te trouve fatigué, seigneur Nurbel. Tu ne te reposes pas assez. Cela fait plus de vingt jours que nous n'avons pu prendre le temps de nous asseoir côte à côte.

Nurbel approuva d'une grimace ironique.

— Craindrais-tu la solitude, shuloï?

Le petit rire saccadé de Sharha découvrit ses gencives nues.

— Que non. Aujourd'hui moins que jamais. J'ai découvert une personne qui a autant que moi le goût du bavardage.

— Oh?

— La nourrice égyptienne...

— Ashémou? La belle découverte! Tu la connais depuis des lustres...

— Maintenant qu'elle ne peut plus marcher et qu'elle a besoin de mes services, elle n'est plus la même personne. Un bien meilleur caractère.

Le regard de Nurbel pétilla. Ils rirent ensemble, mâchant leurs figues avec l'attention qu'elles méritaient.

— Il n'y a pas d'âge pour trouver du bonheur dans la présence d'une autre personne, ami Nurbel, remarqua doucement le shuloï.

— Et les circonstances s'y prêtent, s'amusa encore Nurbel.

— Ce n'est que du temps que les dieux nous offrent.

Ils burent un petit gobelet de lait de chèvre, appréciant à sa valeur chaque gorgée.

— Puis-je me permettre un conseil, seigneur Nurbel?

— Je t'écoute.

— Prends la Basilissa et le prince Whabalath sous ta garde, et fuis Palmyre le plus tôt possible.

Nurbel reposa son gobelet comme s'il craignait de le briser en mille morceaux.

— Maître Longin ne te veut pas de bien, insista Sharha. À notre Zénobie non plus, je ne crois pas qu'il veuille du bien. Il sait y faire. Maintenant que l'eau vient à manquer, il va monter une partie de la ville contre vous. Déjà, il y en a qui grondent parce que les traîtres chrétiens sont toujours vivants.

— Je peux enfermer le Grec dans une cave du palais. On l'entendra moins.

— Tu sais bien que non. Ce sera pire.

— Je n'aime pas la fuite, ami Sharha.

— Qui te parle de fuite ? Quitter Palmyre ne sera qu'une ruse de plus. N'oublie pas ta promesse au Très Illustre : tu es le gardien de la vie de la Basilissa et de son fils.

Les chrétiens se tenaient à genoux sur la scène du théâtre et priaient assez fort pour que les voix résonnent jusqu'aux plus hauts gradins. Ils étaient deux cents, peut-être un peu plus, blottis les uns contre les autres comme se tenaient serrées autour d'eux les brebis et les chèvres. Les mules avaient été attachées aux colonnettes de la façade et les ânes entravés dans les renfoncements entre les édicules.

Agglutinés sur l'arceau d'entrée du proscenium, des habitants, femmes, hommes et enfants braillaient et jetaient des détritus sur les dévots du Christ en espérant les contraindre à se taire. Ils ne parvenaient qu'à augmenter la couche d'immondices puantes qui s'ajoutaient depuis plusieurs jours aux défécations des animaux et rendaient irrespirable l'air au-dessus du théâtre. En bas, dans le cloaque qu'était devenu le proscenium, il devait être suffocant.

— Ne t'inquiète pas, ils survivront, murmura Nurbel sans se tourner vers Zénobie. Leur Dieu les aime souffrants et martyrs.

— Ils ont eu de l'eau ?

— Dans la nuit. Quelques gourdes. Ce que j'ai pu faire passer. Mes guerriers eux-mêmes rechignent à leur donner à boire. On feint de n'abreuver que les bêtes.

Les cris et les insultes redoublèrent brusquement. Parmi les chrétiens, une vieille femme s'était écroulée. D'autres tentaient de la ranimer, la portant à l'écart, repoussant les brebis qui renâclaient à être dérangées.

Zénobie se détourna avec dégoût. Elle grimpa rapidement les marches jusqu'au chemin de voûte qui surplombait les gradins supérieurs. Nurbel la suivit dans l'étroit passage qui rejoignait la muraille de l'enceinte. Ici, on respirait mieux.

— Le mensonge me poursuit de son odeur de charogne, murmura Zénobie lorsqu'il se fut immobilisé à son côté. J'ai menti, Nurbel! J'ai menti aux dieux, j'ai menti au Très Illustre...

— Il est inutile que j'entende ces paroles, Basilissa.

— Si, Nurbel. J'ai fait une promesse à mon époux et...

— Je sais ce qu'il y a à savoir, Zénobie. Tes mots sont inutiles.

Elle vacilla, posa une main sur les briques du parapet. Nurbel refusa de croiser son regard.

— Tu sais?

— Le Très Illustre m'a fait confiance. Ce qu'il savait, je le sais.

— Oh, mais alors tu ne sais rien!

— Zénobie! gronda sourdement Nurbel.

Il lui agrippa la main, plongea cette fois ses yeux dans les siens, se noyant aussi loin qu'il en était capable dans l'ombre mortelle qui la dévorait.

— Je sais. Je sais pourquoi Ophala est morte, pourquoi ton regard est plus sombre que les nuits d'hiver. Pourquoi tu ne sais plus rire et pourquoi tu ne veux pas porter la main sur les chrétiens. Je sais pourquoi il fallait tuer le préfet Aelius, je sais pour Doura Europos... Je sais tout et je ne veux pas l'entendre de ta bouche !

Elle se retint à sa main, les lèvres tremblantes, le visage défait. Beau d'une beauté qu'il ne lui avait jamais vue. Douce, vulnérable, de cette innocence qui n'appartient qu'à ceux qui sont perdus, détruits par plus grand que la mort.

— Tu savais et tu n'as rien dit, rien...

Nurbel détourna le visage, les mâchoires serrées. Autant pour ne pas affronter encore son visage que pour éviter de prononcer des phrases qu'un guerrier de son âge ne pouvait plus tirer de son cœur.

Il la sentit peser de tout son poids dans sa grande main. Il la soutint. Il accepta d'entendre encore son chuchotement :

— Il n'y a pas seulement le mensonge au Très Illustre. Il y a la promesse que j'ai faite à Whabalath. Je ne pourrai pas la tenir. Il ne sera jamais le Roi des rois. Il n'entrera jamais dans Rome en vainqueur.

— Les promesses sont des rêves, Zénobie. Il faut des promesses pour vivre. Prends exemple sur les chrétiens ! Regarde comme ils sont heureux d'entrer dans leur rêve et la promesse de leur Dieu, quand bien même ils ne respirent que la haine et la fiente. Pourtant, qui peut dire que leur Dieu tiendra sa promesse et leur offrira un paradis ?

Il s'en voulut de l'aigreur de ses paroles, les atténua d'un coup d'œil.

— Il est temps de quitter la ville, Basilissa.

— Fuir Palmyre ?

— Maintenant que les M'Toub sont loin, les Romains ont tout leur temps, tandis que nous... Dans dix jours, treize au plus, l'eau manquera. La soif mordra ton peuple. On se déchirera pour une goutte de lait que les chèvres n'auront plus. Ceux qui braillent autour du théâtre tueront les chrétiens. Ils te demanderont d'ouvrir les portes. Le Grec t'en empêchera, il trouvera des fous pour le suivre. Et puis il est trop tard pour obtenir une paix clémente avec l'Augustus. Longin a fait ce qu'il faut pour cela.

— Whabalath aura honte de moi, si nous fuyons. Alath ne fuit pas.

— Whabalath est un enfant qui vit dans les contes et les rêves. C'est bien, il faut qu'il puisse continuer. Laisse le Grec s'étriper avec l'Augustus. Ils aiment ça ; toi, tu ne l'aimes plus. Tu dois vivre.

— Vivre où ?

— À la source du Dingir-dusag. Là où Zénobie reçoit le *Baiser du ciel* et redevient Alath. Rien n'est encore dit, Basilissa. Le Grec et l'Augustus peuvent mourir de fureur dans les bras l'un de l'autre et Baalshamîn te conduire à Rome.

Zénobie supporta son regard sans un mot. Les larmes brûlaient ses joues. Enfin, elle hocha la tête, frôla du bout des doigts le vieux visage de Nurbel.

— Toi aussi, tu vis dans les contes et les rêves.

Ce fut le cent vingtième jour du siège.

À l'aube, Nurbel se présenta dans l'appartement de Zénobie et demanda aux servantes de la réveiller.

— Elle l'est déjà, seigneur Nurbel. Elle est avec le prince.

— Qu'elle abandonne le prince et me rejoigne sur la terrasse.

Quand elle s'approcha, il ne prit pas le temps d'un bonjour. Il pointa le sud du fourreau de son glaive.

— Regarde !

La brume dorée de l'aube nimbait le désert et le ciel comme l'intérieur d'une rose. Le soleil ne s'était pas encore levé au-dessus de la terre. Sur l'horizon, une ligne d'un brun sale se boursouflait, enflait comme si la nuit revenait dans le jour.

— Une tempête de sable, constata froidement Zénobie. Dans la ville, nous ne risquons rien. Ce sont plutôt les Romains qui devront craindre pour leur campement.

Nurbel approuva, la ruse sur les traits.

— Voilà l'occasion que j'attendais. Les dieux ne se détournent pas d'Alath.

— Tu veux dire...

— Que dans cinq ou six heures, la tempête sera sur nous. Il fera nuit en plein jour. Les Romains ne connaissent rien au désert. Ils ne s'apercevront pas même qu'elle approche.

— Tu ne songes pas à les attaquer pendant la tempête ? Ce serait de la folie, il est impossible de combattre dans...

Elle s'interrompit à nouveau, comprenant enfin. Nurbel lui effleura le bras.

— Tiens-toi prête, murmura-t-il, et retrouve-moi dans l'ancien palais. Sois prudente. Évite le Grec et fais en sorte que ton fils retienne sa langue. Pas d'adieux. À personne. Pas même à l'Égyptienne ni au shuloï. Ils savent déjà, c'est inutile.

Ils avaient recouvert leur tunique de cuir d'une cape noire serrée à la taille par un baudrier retenant une épée. Celle de Whabalath était un glaive court, presque un poignard, mais tout aussi tranchant et mortel que les autres.

Une sorte de casque de cuir, muni de protège-joues et d'une visière, sanglé sous le menton, les défendrait en partie des griffures du sable. Un foulard de gros lin était noué à leur cou. Des bottes lacées serraient leur pantalon bouffant jusque sous les genoux. On entendait à peine leurs pas dans les boyaux labyrinthiques des souterrains où, il y avait bien longtemps, Nurbel avait contraint Hayran, le fils du Très Illustre, à affronter les cadavres de ses compagnons.

Ils n'utilisèrent pas de torches, se contentèrent du chiche éclat des lampes sourdes que les gardes conservaient allumées en guise de repère, de loin en loin. Des gardes que Nurbel avait fait relever précocement. Ils n'avaient que peu de temps pour atteindre l'extrémité du souterrain et la porte donnant au-delà de l'enceinte, dans le lit asséché du Ouadi Qoubour.

— Prince, chuchota Nurbel, donne-moi la main. Nous allons courir sans nous arrêter et ce n'est pas le moment de se perdre.

Whabalath obéit sans tergiverser. Sa petite main était ferme.

Nurbel s'élança, ne la lâcha pas et ne se soucia pas de s'assurer que Zénobie les suivait.

Il fut cependant rassuré d'entendre sa respiration près de son épaule lorsqu'il s'accroupit au pied de la porte bardée de fer. Whabalath tâchait bravement de respirer normalement, mais sa main, maintenant, était agitée de secousses dans la poigne de Nurbel.

— Reprends ton souffle, prince. Nous avons encore un peu de temps avant le retour des gardes. Ensuite, une fois dehors, il nous faudra courir encore plus vite.

— Je sais courir, marmonna Whabalath. Je ne suis pas vieux comme toi et je n'ai pas peur des Romains.

Nurbel étouffa un petit rire et devina la main gantée de Zénobie qui pressait avec tendresse l'épaule de son fils.

Les battements de leurs cœurs et leur respiration s'apaisant, ils perçurent le vacarme de la tempête. Bien qu'elle fût dissimulée à l'abri d'un amas de roches et d'arbustes épineux, la porte grinçait contre son chambranle, ses bardages de fer résonnant sous les griffures incessantes du sable.

Nurbel tira son glaive.

— Il faudra me suivre et ne pas s'écarter, sinon nous nous perdrons. Et s'il y a un Romain sur notre route, il faut frapper sans hésiter.

Il devina la tension de Zénobie. Elle aussi avait déjà le glaive à la main.

Tout au fond du boyau, un faible écho de voix résonna. La nouvelle garde approchait.

Nurbel tira son foulard jusque sous ses yeux. Zénobie et Whabalath l'imitèrent. Il souleva la barre de bronze qui assurait la solidité de la porte, sortit une clef de sous sa cape et l'inséra dans la grosse boîte de fer qui faisait basculer un pêne large comme une main.

Le grondement de la tourmente fut assourdissant. À peine entrouvert, le lourd battant céda sous le vent. Nurbel le bloqua de l'épaule, se retourna pour un dernier regard vers Zénobie et Whabalath.

— Maintenant !

La tempête les agrippa et, ignorant le cuir et le lin qui les recouvraient, planta ses griffes dans leurs visages tel un fauve. Le vent était si violent, si gorgé de poussière et de sable, qu'il était à peine respirable.

Nurbel se laissa tomber sur le ventre, plaquant Whabalath contre les rochers.

Il faisait beaucoup plus sombre que lorsqu'il s'était enfoncé dans le souterrain. La lumière terreuse déformait tout, résonnait de gémissements, de craquements déments. Une puanteur épaisse assaillait les narines, comme si la terre s'était ouverte sur les remugles de l'enfer. Les épineux au-dessus d'eux fouettaient les roches, tordus, brisés, arrachés.

— Rampe à côté de moi! gueula Nurbel. Tiens la tête basse ou tu te feras déchirer par les buissons.

De nouveau, il avança sans se préoccuper de Zénobie.

Elle les suivit, mais aussitôt les branches brisées s'agrip-pèrent à son chignon trop lourd pour être tout entier contenu sous le casque. Le vent saisit ses cheveux et les entortilla dans les épines. Elle tira dessus sans se soucier de la douleur. Mais branches et cheveux résistèrent.

Sans hésiter, d'un coup de son glaive, elle trancha des mèches dans sa chevelure, se libérant, rejoignit Nurbel et Whabalath lovés au pied des roches. L'enfant plaquait les mains sur son visage pour se défendre contre le sable qui lui brûlait les yeux et abrasait sa peau à vif malgré le foulard.

On ne voyait pas à cinq pas et il était à peine possible de garder les paupières ouvertes. Malgré les casques de cuir, le sable leur tailladait la peau, s'insinuait dans leurs oreilles, leurs narines, et déjà crissait sous leur tunique. Le vacarme du vent était monstrueux, déchiré de temps à autre par un craquement, des cris, des appels des légionnaires qui tentaient de se mettre à l'abri.

Des lambeaux de toile filèrent au-dessus d'eux, claquant et sifflant. Une tente romaine avait déjà cédé. Il y en aurait d'autres, beaucoup d'autres.

Nurbel posa la main sur le poignet de Zénobie. Clignant des yeux, ils échangèrent un bref regard. Il n'y avait pas de plus parfait moment. Nul ne pourrait les voir. Dans deux, peut-être trois jours ou plus, selon les folies de Longin, les Romains découvriraient qu'ils faisaient le siège d'une ville qui ne contenait plus sa reine.

Ils se levèrent ensemble. Courbés en avant, le bras sur le front pour se protéger, ils bondirent. Nurbel connaissait chaque pouce de terre et même dans cette nuit de tempête il était certain de trouver ses repères.

Ils coururent à peine sur vingt pas.

Un ordre claqua dans le vacarme, cinquante légionnaires, le pilum à la main, sortirent de la boue grise de l'air, en un cercle parfait.

Nurbel reconnut aussitôt l'officier. L'homme à chevelure blonde qui chevauchait chaque jour près de l'Empereur. Dans un éclair de conscience, il songea à l'homme que Longin avait envoyé avec la dépouille. Le Grec lui avait menti. Il n'était pas revenu. Trahison ou torture, les Romains avait appris où se trouvait la porte du souterrain. Et fait la même réflexion que lui.

Déjà l'officier pointait sa spatha sur Zénobie. Il se rapprochait, gueulant à travers le vent :

— Alath ! Alath !

C'est alors que Whabalath sembla s'envoler. Son court sabre au poing, il bondit sur l'officier. Zénobie cria. Le Romain, surpris, détourna le glaive de Whabalath et se mit à rire en attrapant l'enfant par sa cape. Nurbel s'élança, écarta Zénobie. Le Romain souleva Whabalath comme s'il voulait l'empaler sur sa spatha quand son rire se figea. Devint un gargouillis emporté par la fureur du vent.

Nurbel vit la lame du garçon plantée dans sa gorge. Il vit le Romain s'écrouler en entraînant l'enfant. Il vit les fers des pilums pointés sur Whabalath. Zénobie, à son côté, hurla.

Il fut sur le corps du Romain, enroulant Whabalath sous lui. Les têtes de fer des pilums s'enfoncèrent dans ses cuisses, ses reins, brisèrent ses côtes. Encore et encore, le couvrant comme un porc-épic. Comme autant de fautes accumulées au cours de sa longue vie et qu'il expiait avant de rejoindre les dieux.

Mais avec la dernière lance, celle qui lui brisa la nuque, les dieux acceptèrent son offrande et sa vie avant que ses yeux puissent voir le fer sanglant qui, traversant son corps, déchirait le ventre de Whabalath.

Ainsi, il n'emporta pas jusque dans l'autre monde le hurlement de Zénobie devant son enfant mort, que, malgré la tempête, on entendit jusque dans les rues de Palmyre.

33

ÉMÈSE

C'était la chambre même où l'enfant était né.

Les Romains l'ignoraient. Que savaient-ils ?

On lui avait apporté de beaux vêtements, de riches nourritures. On la servait comme la reine qu'elle avait cessé d'être.

Elle refusait tout. Elle ne mangeait pas, gardait sur elle les vêtements de sa fuite. Le sang de Whabalath s'y était coagulé en une croûte épaisse qu'elle effleurait mille fois par jour.

Elle ne se coiffait plus. Dans la masse à demi tranchée de sa chevelure qui avait été la plus belle de l'Orient, dans cette légèreté anormale qui glaçait sa nuque, elle soupesait à chaque instant le poids de la mort de Whabalath.

Les esclaves tournaient autour d'elle pour qu'elle s'apprête et se vête ainsi qu'une reine car l'Empereur de Rome voulait la visiter.

Elle n'écoutait qu'à peine leurs pépiages bruyants. Si l'une des servantes s'approchait trop près, elle lui cinglait le visage avec son baudrier qui ne soutenait plus aucune épée.

L'Augustus Aurélien l'avait déjà visitée une fois, sous sa tente, tandis qu'on l'emportait vers Émèse, loin du saccage et des flammes de Palmyre. Il avait hurlé, gesticulant malgré le bandage qui enveloppait son épaule et le contraignait à ne pas porter de cuirasse.

— Ton fils a tué mon seul ami, le préfet Maxime. Un guerrier vainqueur de mille combats. Le plus fidèle ami. J'aurais donné ma vie pour lui. Un homme que je porte dans mon cœur ! Voilà ce que ton fils a fait.

On aurait dit qu'il allait la massacrer de son poing valide. Elle l'avait regardé avec indifférence, surprise seulement de lui voir un peu de ressemblance avec le Très Illustre. Le même visage net. Une même beauté d'homme de guerre, les pommettes hautes, la bouche épaisse et dessinée. Leurs yeux différaient. Le bleu des iris de Lucius Aurelianus Augustus possédait la couleur d'un ciel vide.

Après avoir hurlé, il s'était mis à rire tout aussi fort.

— Qu'en penses-tu, reine de Palmyre ? Est-il possible qu'un enfant de douze ans puisse trancher la gorge du plus glorieux de mes officiers ? Un guerrier qui a combattu victorieusement les Goths, les Alamans, les Suèves, les Roxolans et les Alains ?

Zénobie n'avait pas ouvert les lèvres. Le rire d'Aurélien avait l'aigreur de la peine et l'excès de l'orgueil. Si l'Augustus charriait une douleur depuis la mort du préfet Maxime, elle n'était pas de celles qui exigeaient des larmes.

— Le digne fils de sa mère ! s'était-il exclamé. Le rejeton de la grande Zénobie. Celle qui a vaincu Shapûr, celle qui a voulu Rome. Alath ! La belle, la grande Alath. Alath l'invincible !

Il s'était immobilisé, soudain grave, l'avait considérée comme s'il découvrait enfin la femme sous les vêtements de guerre et les haillons de la défaite. Un regard sans délicatesse mais sans cette assurance, cette promesse de violence que les guerriers portent sur leurs prisonnières.

— Oui. Belle et courageuse. On ne peut rien t'enlever de tout ça, avait-il constaté, soulageant son épaule blessée d'une caresse machinale. Belle. Et bonne archère, comme le disait Pulinius. Mais Aurélien t'a vaincue comme il a toujours vaincu.

Et de rire à nouveau.

— Pour ce qui est de ton fils, non, moi je ne le crois pas, reine de Palmyre. S'il a pu égorger Maxime, c'est parce que les dieux ont tenu sa main d'enfant. Les dieux me veulent pur à Rome. Pur et seul, comme doit l'être un Augustus !

C'était cet homme-là qui lui envoyait maintenant des robes, des tuniques, des diadèmes, des bracelets et des colliers, tous tirés des coffres de Palmyre et dont il espérait qu'elle allait se couvrir pour lui faire honneur. Un homme qui n'avait pas encore découvert que les dieux n'étaient que des mots, des illusions que l'on invente avec le vacarme des vies et des douleurs, ainsi que les enfants repoussent, avec des contes, l'obscurité de la nuit.

Aujourd'hui, son pansement à l'épaule était plus léger et il portait une toge brodée d'or. Il eut une moue agacée vers les esclaves lorsqu'il la découvrit dans ses haillons.

Il vint tourner autour d'elle, la mine contrariée, demandant :

— Pourquoi t'obstines-tu à te comporter comme un animal sauvage ? Où cela te conduit-il ?

Pas plus que lors de leur précédente rencontre elle ne répondit.

— Ah ! s'écria-t-il, tu as voulu devenir Augusta, nous avons combattu et tu as perdu. N'est-ce pas simple ? Pourquoi veux-tu m'infliger ce spectacle ? La reine Zénobie n'aurait-elle pas plus d'orgueil que les souillons des bas quartiers ?

Comme elle se taisait encore, ses yeux bleus guettant sa réaction, il annonça avec une certaine douceur :

— Tu n'as pas besoin de montrer plus de courage et d'orgueil qu'il n'en faut. Ne crois pas que je vais te tuer. Pour ce qui est de la vengeance et du prix de la guerre pour le respect de Rome, je me satisfais de la mort de ton Grec. Il est parfait pour ce rôle. Lui, il ne tient pas sa bouche close. Il nous insulte tout son soûl, ce sera un plaisir de le voir perdre sa tête avec la centaine d'idiots qui le soutiennent. Mais toi, Zénobie, sois sans crainte. Tu vivras.

Il leva son bras valide. Tendit la main vers elle. Elle crut qu'il voulait lui toucher le visage. Elle recula, raide, violente et meurtrière jusque dans la dureté de ses cuisses. Cela dut passer dans son regard. Aurélien s'immobilisa, soudain plein d'embarras. Il esquissa une petite grimace moqueuse.

— Rien ne presse. Tu auras le temps de retrouver le goût de ta beauté, grommela-t-il.

Et comme pour effacer sa gêne, il ajouta en ricanant :

— Sais-tu que le chef des chrétiens d'Émèse est venu me demander ta grâce ? Alors qu'il m'a ouvert les portes de tes villes et t'a fait trahir au cœur même de Palmyre ! Avant l'été, il te vendait pour que j'épargne ses dévots, aujourd'hui, pour un peu, il se mettrait enfin à genoux pour que je te laisse en vie.

Elle songea seulement : « Simon, Simon ! » Sans grande émotion, sans grande douleur.

— Il juge ta souffrance suffisante et son but atteint. Si tu t'es refusée à massacrer les chrétiens de Palmyre quand ton peuple le réclamait, affirme-t-il, c'est que son Dieu t'a touchée de sa miséricorde. Désormais, tu vaux l'une des leurs. Est-ce vrai ? Serais-tu devenue chrétienne ?

Elle ne répondit pas davantage à cette question qu'à toutes les autres. Aurélien grimaça, s'approcha à nouveau d'elle. Il parla plus bas, sur un ton complice et curieusement amical.

— Qu'importe les folies des chrétiens. Tu vivras parce que je le veux. Autour de moi, ils réclament tous ta mort, reine Zénobie. À Rome aussi, ils gueuleront bientôt pour voir ton sang. Mais tu ne mourras pas. L'Augustus Aurélien ne le veut pas. Oh, ne te crois pas invincible. C'en est fini d'Alath ! Mais tu n'as pas encore achevé ton destin. Depuis ta naissance, les dieux ne t'ont voulue en vie que pour mon triomphe. Pour que la gloire de Lucius Aurelianus Augustus resplendisse sur le forum.

34

ROME

Aujourd'hui comme hier, elle a ouvert les yeux avant que l'on y voie assez pour différencier le ciel de la terre. La pensée de Whabalath, la même, la torturante présence de l'enfant mort, l'a envahie. Yeux ouverts, yeux fermés, il se tenait toujours à son côté, invisible, chuchotant des reproches.

Elle a observé les servantes, les gardes, les officiers commis à sa garde. Depuis la veille ils s'agitaient en tous sens, fébriles et inutiles.

Mille fois depuis Émèse, elle a songé qu'elle pourrait aisément priver l'Augustus Aurélien de son triomphe. Dans le chaos qui l'entourait, une dague, un glaive était aisé à subtiliser.

Se l'enfoncer dans la poitrine ne réclamait que le courage d'un instant.

Tandis qu'ils approchaient des portes de Rome, elle avait eu cent fois l'occasion de se jeter par-dessus la lisse du bateau impérial ou de provoquer la colère d'un officier qui aurait su lui passer une épée au travers du corps.

Mais aujourd'hui, comme chaque fois, le visage de Whabalath se levait devant elle. Son fils réclamait le dû de sa promesse.

Elle appela les servantes, désigna les coffres du trésor pillé par Aurélien à Palmyre, et annonça :

— Je serai celle que l'Augustus veut voir.

Eux aussi voulaient voir.

Les flammes des torches ruisselaient depuis les sept collines de Rome jusqu'aux rives du Tibre. Ils étaient des centaines et des centaines de milliers à se presser vers la via Cornelia ou le Velabre. Jeunes ou vieux, riches, pauvres, avocats ou marchands de guignes, putains de Subure et citoyens aux dents blanches, hurlant, s'insultant, s'endormant, ils avaient abandonné leurs immeubles puants et leurs villas opulentes pour s'entasser dans des rues où l'on n'avançait qu'en respirant la sueur de son voisin.

Certains avaient volé plus pauvres qu'eux, d'autres fracassé des membres ou piétiné sans pitié des femmes ou des enfants pour obtenir des places où l'on pourrait « voir ». Dans le Circus Maximus, quelques-uns, entourés de dizaines d'esclaves armés, avaient payé le prix d'une cargaison d'Égypte ou d'un négoce d'esclaves francs pour s'asseoir tout au bord de la piste, là où l'Augustus Aurélien les verrait tout autant qu'ils le verraient.

Les plus vieux des patriciens, les boiteux et les malades, tous ceux qui ne pouvaient marcher des heures, et ils étaient nombreux, ne parvinrent qu'à la fin de la nuit sur le forum qu'une garde sévère interdisait au peuple depuis plus de sept jours. Ils y donnèrent l'ordre de brûler les encens aux braises des autels tandis qu'on ouvrait, sans exception, toutes les portes des temples.

Au même instant, partout sur les places, sur les statues et les colonnes, on alluma des lampions, leva des torques, illuminant les guirlandes et les fanions aux vingt mille mâts prévus pour cela.

Quand la première lueur du jour effleura la capitale de l'Empire, la fumée la recouvrait mieux qu'un brouillard, le désordre et le vacarme laissaient croire que les Barbares la pillaient de fond en comble. Mais, enfin, les trompes du triomphe de Lucius Aurelianus Augustus, maître de l'univers, sonnèrent au bas de la via Cornelia.

Alors les hurlements devinrent une voix unique, un unique cri de joie.

D'abord, ils ne virent que les fanfares, les porteurs d'olifant, de corne et de bugle égyptien, de cor gaulois, d'hélicon saxon, tous hurlant de leur bronze et de leur cuivre. Et aussitôt derrière eux, rasés de frais, approchaient les sénateurs et magistrats, encore vigoureux et de bonne mine en ce tout début de la procession, agitant les mains comme s'ils voulaient attraper à leur profit les cris et les rires.

Mais ce qui attirait les regards venait ensuite, derrière la garde prétorienne qui les suivait.

Vingt éléphants, trente girafes, autant de gazelles, de zèbres, de buffles, d'élans, de sangliers, d'ibex, de mouflons, de poneys, de chameaux à une ou deux bosses, tous tenus en laisse ou aux claquements de fouet par une multitude d'esclaves. Tous conchiant et pissant de terreur d'être ainsi propulsés dans le cœur de la ville, l'empuantissant, soulevant dégoûts et rigolades qui ne cessèrent que lorsque derrière encore, cette fois poussés dans des cages à roues, apparurent les félins.

Par rangs de quatre, des lynx, des hyènes, des tigres, des panthères et des lions. Rugissant ce qu'il fallait en passant sous la grande arche inachevée de la porte d'Aurélien. Calmant la foule en montrant les crocs, semant des frissons à coups de feulements rauques. Rappelant les dangers, les combats et toutes les bizarreries de l'Orient que venait de vaincre l'Augustus.

Et leur succédant avec une même aura animale, soulevant des vivats et des excitations féminines, huit cents paires de gladiateurs à demi nus, de toutes les couleurs de peau, de tous les faciès, les plus laids côtoyant les plus superbes, captant l'impatience avant que l'on puisse s'extasier sur l'immensité du butin qu'un demi-millier d'esclaves portaient à bout de bras.

Or, argent, statues, bijoux, cuirasses, armes, plats, vêtements, coffres, miroirs, sièges, lits, pelisses, objets sans nom, sans autre fonction que d'être précieux, innombrables objets brillants qui glissaient tel un mirage baroque, le fond d'un rêve délirant, devant des yeux avides que la faim déjà faisait trembler autant que la jalousie.

Aussi, lorsque les quelques milliers de prisonniers ordinaires, Perses, Bactriens, Indous, Sarmates, Vandales, Bleymites ou Axiomites, apparurent en titubant sous des pancartes qui désignaient les villes et les pays de leurs défaites, des gueulements de rage et une haine furieuse se déchaînèrent contre eux.

Au passage du pont de Néron et sous les gradins du théâtre de Pompée, ils durent baisser la tête, lever leurs poings liés pour se protéger des briques et des tessons qui pleuvaient sur eux. Une ou deux centaines moururent ainsi, leurs cadavres piétinés par les suivants. Au moins, ceux-là n'eurent pas à marcher sous les crachats des heures durant avant de finir, au soir, sous les haches de la prison de Marmetino transformée pour l'occasion en abattoir à hommes.

Et puis, comme une respiration, vinrent dix guerrières sauromates. Vêtues en homme mais la poitrine visible. Elles avaient le sourire aux lèvres, se moquaient des moqueurs, répondaient par des baisers aux insultes des femmes et lançaient des agaceries obscènes aux compliments des vieillards.

Il y en eut plus d'un, dans la foule, pour rester coi et regretter longuement de ne pas les avoir mieux observées. Mais un murmure lourd de la populace les en avait empêchés, grondant entre les épaules serrées, annonçant ce que tous voulaient voir, celle dont la douceur du nom, depuis des lunes, roulait dans les bouches : Zénobie, reine de Palmyre.

Oh, bien sûr, ils virent l'Augustus Aurélien en toge de pourpre et d'or debout sur un char tiré par quatre cerfs aux trophées énormes. Ils virent la couronne de laurier, les pierreries incrustées dans les cloisons du char et même son timon, les barreaux d'or des roues et les perles qui ornaient les bois des cerfs.

Mais surtout et partout, le long du Tibre, dans le Circus Flaminius, en côtoyant le théâtre de Marcello, sous les temples d'Hercule ou de Vénus, et lorsqu'elle s'enfonça dans les passages étroits du Vicus Tuscus, les milliers et milliers d'yeux ne virent qu'elle, Zénobie.

Elle regardait devant elle, les traits figés, et l'on n'en discernait que mieux son visage. Pour le reste, une chaîne d'or se torsadait autour du plus beau corps du monde, révélant ses formes dans l'éclat du soleil, lui entravant les cuisses et les chevilles, la retenant aux montants d'une charrette basse tirée par des esclaves dont les liens d'or étaient rivés à leurs cous. Un ruisseau de pierreries pesait sur sa poitrine et le poids de la chaîne par instants la faisait chanceler. Sa chevelure tombait bizarrement sur le creux de ses reins, coupée à demi, si bien tondue sur le côté droit de son crâne que les plus proches purent en deviner la chair claire.

Même cela ne pouvait l'enlaidir. Elle offrait le spectacle d'une étrange et invisible blessure mais d'aucune faiblesse.

Si bien que lorsqu'elle pénétra dans le Grand Cirque, alors que le soleil au zénith écrasait tout, elle apparut soudain dans une perfection si troublante que le brouhaha se mua en un murmure de respect.

Une voix, on ne sait où, gueula son nom.

Comme sur les champs de guerre, dix, vingt mille voix répondirent :

— Zénobie ! Zénobie !

Aussi longtemps qu'elle fit le tour de la piste de sable, pas un ne songea à crier à la gloire de l'Augustus Aurélien.

Lorsque, cinq heures plus tard, l'Augustus immola les cerfs de son attelage sur les marches du forum, la ville frissonnait encore du nom de Zénobie.

Nul, cependant, n'avait pu entendre ce murmure qui n'avait pas quitté la reine de Palmyre tout le jour. Une promesse tant et tant répétée qu'elle lui avait gonflé et fendu les lèvres jusqu'au sang et qu'elle chuchota encore une dernière fois en s'effondrant sous l'arc de Trajan : «C'est Whabalath, fils de Zénobie, le plus grand des rois !»

ÉPILOGUE

PÉRINTHE, 275 APR. J.-C.

Elle entendit un bruit de pas sous les tamaris et songea que c'était lui.

C'était son habitude depuis vingt mois. Au soir, il apparaissait près d'elle et la contemplait un moment. Parfois il se tenait tout près d'elle, d'autres fois à distance ou, de temps en temps, il se dissimulait.

Croyait-il sincèrement qu'elle ignorait sa présence ?

En vérité, elle se souciait si peu de lui qu'il ne pouvait l'imaginer. Il exigeait qu'elle le suive partout comme l'ombre qu'elle était. Cela aussi lui était égal. Elle ne lui adressait pas la parole et parlait à peine aux servantes.

Elle savait que certains la disaient gagnée par la folie. Les mêmes se moquait de l'Augustus Aurélien qui, de toute sa vie, n'avait su s'entourer que de femmes démentes.

Parfois, elle songeait qu'elle attendait quelque chose. Qu'elle était dans un long, un très long affût de chasse où il lui fallait demeurer plus silencieuse et immobile que le plus rusé des gibiers. Pourtant, elle n'aurait su dire quel était ce gibier, sinon qu'il ne pouvait être ni la mort ni l'oubli.

Par un soir comme celui-ci, où le soleil d'octobre baissait avec douceur sur la mer piquetée des voiles rouges et bleues des pêcheurs, elle savait être calme. Elle en fut d'autant plus surprise par la petite femme mince qui apparut, toute proche, sous un olivier lourd de fruits.

— Mon nom est Ulpia, reine Zénobie. Tu ne me connais pas. Tu devrais cependant, je suis l'épouse de l'Augustus Aurélien.

Elle sourit. Un sourire doux, au regard lourd, insistant. Elle s'approcha de quelques pas, les mains nouées sur son ventre, comme si sa ceinture ne retenait qu'à peine sa tunique brune et toute simple. Ses yeux étaient soulignés d'un trait de khôl trop épais. Elle chuchota :

— Si tu ne m'as jamais vue encore, c'est parce que Aurélien me tient loin de lui. Il dit que je suis folle. Ils le disent tous, autour de lui. Ulpia la folle, voilà qui je suis, moi l'épouse de l'Augustus !

Elle s'interrompit, avec une grimace contrite.

— Ils le disent aussi de toi, reine Zénobie. Ils disent que tu as combattu Aurélien et tout un tas d'hommes, que cela a fini par te déranger la tête. Ils n'aiment pas que les femmes soient capables de faire ce qu'ils font tous les jours, voilà la vérité.

Elle s'avança encore plus près, la scrutant avec une fixité qui contraignit Zénobie à quitter son siège et à s'écarter. Ulpia approuva d'un signe de tête :

— Ils disent que tu es belle, et ça c'est vrai.

Elle fronça les sourcils, tendit le visage.

— Tu as baisé avec lui ? Comme sa sœur ?

La question surprit si fort Zénobie qu'elle eut un sursaut qui amusa Ulpia.

— Peu m'importe ! Cela ne me blesse plus. Aujourd'hui je

pardonne. J'ai rencontré le Dieu qui pardonne les péchés et ouvre son Paradis aux plus mécréants. Un Dieu de justice. Aurélien, lui, la justice, il ne connaît pas.

Quelque chose dans le regard d'Ulpia, ou peut-être dans la dureté de ses lèvres, mit Zénobie sur ses gardes. Elle recula de quelques pas. Ulpia la laissa faire, silencieuse et sérieuse. Elle finit par hocher la tête et déclarer :

— Je sais ta douleur. Nous avons la même. Aurélien a tué ton fils et moi il a refusé que je sois une mère.

Elle se tut brusquement, le visage à l'affût. Des pas crissaient dans l'herbe sèche au bas du jardin.

Le temps que Zénobie se tourne pour s'assurer qu'il s'agissait bien, cette fois, d'Aurélien, Ulpia avait disparu comme par enchantement.

Pour une fois, elle le regarda approcher avec un peu de soulagement. Avait-il aperçu son épouse ou cette folle qui se faisait passer pour telle ?

Aurélien, comme à son habitude, n'avait d'yeux que pour elle. Et de pouvoir croiser son regard plaqua un large sourire de satisfaction sur son visage. Il ralentit le pas, comme s'il craignait de consumer trop vite cet instant.

Une couronne de laurier d'or fin était comme toujours fichée sur son front. Elle se chiffonnait avant la fin du jour. Il se faisait suivre par un couple d'orfèvres dont l'unique tâche était de fournir une nouvelle couronne à chaque aube.

En quelques mois il s'était un peu empâté, ses yeux se cernaient de mauvaise fatigue. Sa bouche était plus molle et tout son corps semblait plus lent.

Peut-être cela en fut-il la raison. Ou seulement la fascination que Zénobie exerçait sur lui. Il n'eut aucun mouvement de défense ou de fuite lorsque Ulpia surgit de l'ombre des tamaris. Il ne parut même pas entendre ses pas lorsqu'elle bondit, la lame en avant, et planta son poignard dans son dos avec une vocifération joyeuse.

Zénobie mit un peu de temps à se détourner du regard du mourant.

Quand Ulpia se redressa, le poing sanglant, elle recula, prête à recevoir l'assaut de sa folie. Mais une voix derrière elle la fit sursauter.

— N'aie pas peur. Elle ne te fera aucun mal. Elle a accompli son devoir et remis sa vengeance entre les mains de Dieu.

— Schawaad !

Il ne cria ni ne repoussa le nom avec lequel elle le nommait. Il était comme toujours vêtu d'une cape qui lui couvrait le visage.

Elle dut s'appuyer contre l'arbre le plus proche. Sa chasse prenait-elle fin ?

— Pourquoi ? souffla-t-elle. Pourquoi le tuer ?

— Il était comme tous les Romains et tous les Augustus, incapable de tenir ses promesses.

De sa main décharnée, il tira un rouleau de parchemin de sa manche.

— Demain, il allait décréter que le Christ Jésus ne pouvait être célébré dans les villes de l'Empire. Le martyre de nos frères allait reprendre. C'est inutile. Nous avons assez donné la preuve que nous ne craignons ni la douleur ni la mort et que le Paradis de Dieu nous est ouvert. Il est temps, désormais, que Rome comprenne qui nous sommes.

Ulpia les avait rejoints. Elle s'agenouilla près de Schawaad, saisit sa main droite entre les siennes pour la porter à ses lèvres.

— Simon d'Émèse est un chrétien qui sait soigner de grandes douleurs, dit-elle à Zénobie en se relevant. Viens avec nous, Zénobie. Il te soignera toi aussi.

Aux franges de la cape, les yeux de Schawaad scrutaient

les siens. Pour la première fois depuis très, très longtemps, et malgré le visage supplicié qui en dévastait les expressions, Zénobie crut y lire de la tendresse. De l'espoir. Peut-être même une supplique.

Elle lui sourit en réponse, espérant que ce qui restait d'un très vieil et très usé amour lui serait perceptible. Sans bouger, il souffla :

— Oui, tu en sais maintenant assez sur la vérité et le mensonge pour nous rejoindre.

Elle secoua la tête.

— Il est trop tard. Bien trop tard. Je t'aimé d'un amour qui n'avait pas de bornes. Mais il n'en reste plus rien. Ton Dieu n'est pas fait pour ceux qu'il détruit par ta main, Schawaad, tu le sais bien.

Il leva la main vers elle qui recula aussitôt.

— Simon d'Émèse m'a assassinée, tu ne te souviens pas ? lança-t-elle durement. *«Pour Simon d'Émèse tu es morte, Zénobie ! Morte depuis longtemps.»* Ce sont ses mots.

Ils se jaugèrent du regard. Zénobie sut que sa chasse était enfin achevée.

Le cri d'Ulpia brisa leur fascination.

— Tu ne dois pas rester seule, Zénobie !

— Zénobie de Palmyre est seule depuis le jour de sa naissance. Et demain, nul ne saura si elle a existé.

Jean-Daniel Baltassat

INCAS, avec Antoine Audouard et Bertrand Houette, éditions
XO, 2001
T. 1 : LA PRINCESSE DU SOLEIL
T. 2 : L'OR DE CUZCO
T. 3 : LA LUMIÈRE DU MACHU PICCHU

Romans et nouvelles

LA FALAISE, éditions Bernard Barrault, 1987.
L'ORAGE DES CHIENS, éditions Bernard Barrault, 1987.
LA PEAU DE L'AUTRE, éditions Bernard Barrault, 1989.
BÂTARDS, éditions Bernard Barrault, 1991. Villa Médicis :
prix Léonard de Vinci.
DE BEAUX JOURS POUR AIMER, éditions Flammarion,
1994.
LE GALOP DE L'ANGE, éditions Robert Laffont, 1997. Prix
Jean d'Heurs du roman historique.
LE VALET DE PEINTURE, éditions Robert Laffont, 2004.

Bertrand Houette

INCAS, avec Antoine Audouard et Jean-Daniel Baltassat, éditions XO, 2001
T. 1 : LA PRINCESSE DU SOLEIL
T. 2 : L'OR DE CUZCO
T. 3 : LA LUMIÈRE DU MACHU PICCHU

Achevé d'imprimer sur les presses de

BUSSIÈRE

GROUPE CPI

à Saint-Amand-Montrond (Cher)
en octobre 2005

Mise en pages : Bussière

N° d'édition : 952/01. — N° d'impression : 52470-054021/4.
Dépôt légal : novembre 2005.

Imprimé en France